FRONTEIRAS

SONIA RODRIGUES

© 2015 by Sonia Rodrigues

Direitos de edição da obra em língua portuguesa no Brasil adquiridos pela EDITORA NOVA FRONTEIRA S.A. Todos os direitos reservados. Nenhuma parte desta obra pode ser apropriada e estocada em sistema de banco de dados ou processo similar, em qualquer forma ou meio, seja eletrônico, de fotocópia, gravação etc., sem a permissão do detentor do copirraite.

EDITORA NOVA FRONTEIRA S.A.
Rua Nova Jerusalém, 345 – Bonsucesso – 21042-235
Rio de Janeiro – RJ – Brasil
Tel.: (21) 3882-8200 – Fax: (21)3882-8212/8313
www.novafronteira.com.br
sac@novafronteira.com.br

CIP-Brasil. Catalogação na fonte
Sindicato Nacional dos Editores de Livros, RJ

R611f Rodrigues, Sonia, 1955-
Fronteiras / Sonia Rodrigues. - 1. ed. - Rio de Janeiro : Nova Fronteira, 2015.

ISBN 978-85-209-2357-3

1. Romance brasileiro. I. Título.

15-25054   CDD 869.93
                            CDU 821.134.3(81)-3

Meninas oferecidas apanham mais.
Anônimo

1992, quatro meses antes da fronteira.

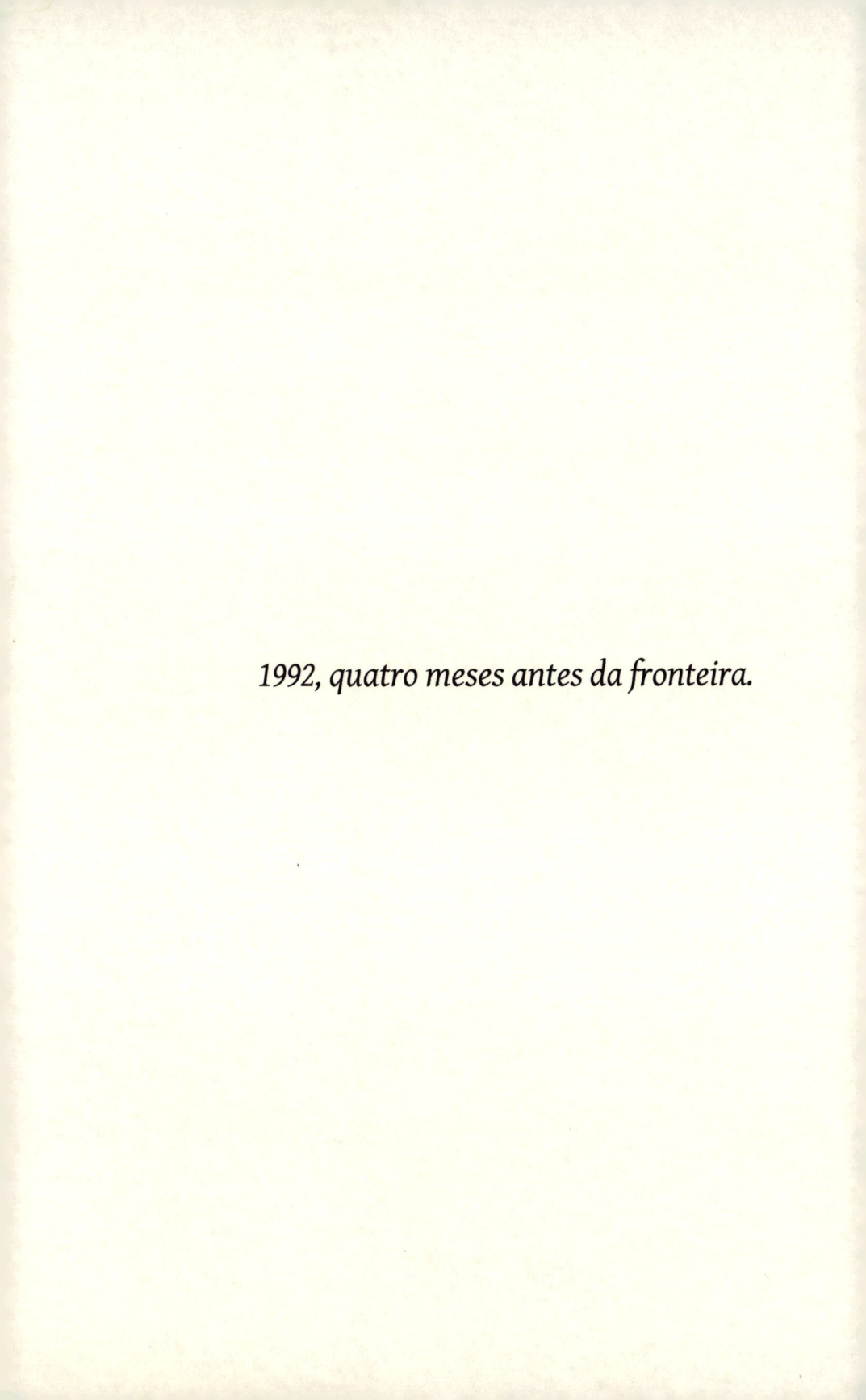

LETÍCIA SEMPRE PARAVA NA ESQUINA DA RUELA para contemplar o edifício em que moravam, antes de atravessar na sua direção. Era uma recomendação de segurança. Parar e olhar permitia a identificação de estranhos que estivessem por ali. Com segundas intenções.

O edifício era velho, precisava de pintura e não tinha porteiro, os próprios moradores abriam a portaria. A correspondência era recolhida por um zelador que trabalhava três horas por dia, recolhia o lixo e lavava a entrada. Quando o elevador enguiçava ou ocorria algum assalto, o síndico — reeleito de dois em dois anos pelos solitários aposentados que eram os poucos proprietários ainda restantes no prédio — ligava para a administradora, e a conta do conserto ou da instalação de mais uma fechadura era cobrada no final do mês, num formulário de computador colocado debaixo das portas.

O Catete era um bairro que ainda apresentava prédios desse tipo, no primeiro ano da última década do século XX. O deles ficava na Bento Lisboa, era velho e desleixado, mas tinha a vantagem de ser barato.

Por isso a mãe de Letícia alugara o apartamento há um ano. Pagando a fiança, porque, nos quatro anos de fuga, no Rio de Janeiro, Amanda não fizera nenhum amigo a quem pudesse pedir um favor tão grande como o de ser fiador num apartamento para ela e os filhos.

Amigos eram perigosos, amigos davam palpites na vida alheia, amigos faziam comentários, amigos estimulavam confidências, amigos deviam ser evitados por fugitivos. Amanda insistia com Letícia e Thomas sobre esses pontos, e os filhos já haviam incorporado o conceito. Esquecê-lo poderia levá-los de volta ao inferno.

Letícia abriu a porta do elevador com o pé. Colocou as sacolas do supermercado no chão para procurar a chave do apartamento. Nesse momento, o vizinho do 403 apareceu:

— Quer ajuda, Letícia? As sacolas não estão pesadas?

— Obrigada, seu Juvenal. Minha mãe já está subindo. — Ela se esforçou para responder de forma despreocupada, não querendo chamar a atenção dele.

Devia ter mais ou menos cinquenta anos o vizinho. Tentava aparentar menos, sempre vestindo jeans surrados e camisetas que se pretendiam engraçadas, compradas nos camelôs do Centro. Ela supunha que ele tivesse uma para cada dia da semana, e o homem dava-lhe sempre a impressão de estar resfriado, os olhos úmidos, a boca meio frouxa, a barba sem fazer, os cabelos longos e grisalhos como um hippie velho voltando no tempo. Tinha um jeito sorrateiro de cumprimentar que lembrava o de um gato remelento que Letícia conhecera em pequena. Não gostava de gatos e não gostava do vizinho, a quem atribuía mãos suadas e intenções duvidosas.

Conseguiu achar a chave no bolso do casaco.

— Sua mãe anda sumida, hem? Faz dias que eu não a vejo.

— Ela tem trabalhado muito, seu Juvenal. Agora, se o senhor me dá licença... — Letícia empurrou as sacolas de qualquer jeito para dentro da cozinha a fim de evitar algum outro oferecimento. O vizinho lhe dava um pouco de medo.

O telefone começou a tocar enquanto ela trancava a porta. Primeira fechadura, segunda fechadura, e a campainha insistindo, terceira fechadura, e o barulho irritante da chamada parou.

"Graças a Deus", pensou. "Deve ser a Catarina. Mais um convite para festa." O telefone tocou de novo. Quem quer que fosse, era insistente.

— Sim?

— Ai, que maneira metida de atender! "Sim?"

— O que foi dessa vez, Catarina?

— Puxa! Como você está agressiva! Nem parece que eu sou sua amiga.

— Catarina, você me tirou do banho. Estou molhando o tapete da sala — mentiu rápido, dando a primeira desculpa que veio à cabeça. — Vou levar a maior bronca da minha mãe por causa disso. Diz logo o que você quer.

— Sabe aquele cara lindo da 3002, o Gustavo? Me pediu seu telefone.

— Claro que você não deu. — "Mais essa agora", pensou Letícia.

— Claro que eu dei. Você mesma disse que ele era lindo. Achei que estava interessada.

— Catarina, dá pra a gente conversar outra hora? Eu preciso me trocar e estudar para a prova de física.

— A gente podia estudar junto. Num instantinho eu chego aí.

— Não! — O tom tinha sido muito forte, a colega podia desconfiar. — Sabe o que é, Catarina, a minha mãe está com uma enxaqueca daquelas, não dá para ter gente aqui hoje.

— Ah, tudo bem. Mas prepara a cola pra amanhã.

— Pode deixar, eu preparo.

— E quero saber tudinho sobre o gato. Se ele ligou, o que falou...

— Tá certo, eu te conto. Tchau.

— Tchau.

Às vezes, era difícil se livrar de Catarina. Um mês, quase, evitando as visitas da colega. Mais dia, menos dia, as desculpas não funcionariam mais. Precisava preparar o cenário para que a outra pudesse voltar a frequentar a casa. Pelo menos de vez em quando.

Letícia voltou-se para as sacolas de compras. Acionou o ritual do "não pensamento". Outra coisa que se tornara frequente em sua vida. Não pensar.

Latas, arroz e feijão na prateleira de cima, material de limpeza embaixo, era só um pouquinho perigoso, mas Thomas já estava avisado de que não devia mexer nos limpadores instantâneos, só no detergente e na esponja na hora de lavar o seu prato. "As panelas, deixa que eu lavo quando chegar", ela sempre avisava antes de sair.

A arrumação não demorou muito; pouco dinheiro, poucas compras.

Pronto. Já estava pensando de novo. Dinheiro. Mais cedo ou mais tarde acabaria e não poderia ser reposto. A menos que a mãe voltasse a tempo. E se não voltasse? Pensar era ruim por isso. Pensar trazia medo, pensar trazia lágrimas. O "não pensamento" era melhor.

As sacolas plásticas eram emboladas e guardadas também. Serviam como saco de lixo. A cozinha velha, pequena, precisava de uma pintura. "Será que eu consigo pintar sozinha?" Afastou a ideia pelo perigo. O cheiro de tinta não faria bem ao irmão, decidiu.

Catar feijão, colocar de molho — gasta menos gás para cozinhar —, preparar o lanche da noite. Não comer refeições pesadas antes de dormir.

Além do mais, jantar custa caro. Difícil era ter imaginação para preparar lanches que prestassem, dia após dia.

Eram quase cinco horas. Ainda havia tempo para um banho antes de começar a estudar, antes de conversar amenidades com a "sua" criança.

O armário do banheiro também era velho — tudo no apartamento, no edifício era velho; novos só eles dois —, e o espelho lhe devolvia a imagem de uma garota sem espinhas, rosto um pouco mais magro do que ela gostaria. Cabelos pretos, compridos, pele branca. Dezesseis anos, faltavam seis meses para completar 17, comemoraria seu aniversário na Califórnia, com a mãe e o irmão. Seria inverno, mas lá o frio era só um pouco mais rigoroso, em fevereiro, do que o de São Paulo em agosto, a mãe dizia quando conversavam baixo na pequena cozinha, antes de ela partir para os Estados Unidos. Eles haviam morado em São Paulo, no inverno.

O inglês impecável da mãe e o jeito discreto e simpático lhe facilitaram a vida na imigração. O visto de turista era até dezembro, mas antes disso ela viria buscá-los. Daria tudo certo, era só os filhos aguentarem sozinhos os seis meses em que ela juntaria o dinheiro necessário. "Vamos fazer a América" era o combinado, quase um bordão. Letícia e Thomas, o irmão de nove anos, às vezes o repetiam, um para o outro, sempre baixo, com medo de algum vizinho ouvir.

Letícia entrou no chuveiro quente, bem quente, desperdiçando o gás economizado no feijão. Estava no meio do banho quando a campainha tocou. Teria que atender rápido senão o vizinho surgiria novamente no corredor e começaria a fazer perguntas ao irmão. Thomas poderia não se sair tão bem quanto ela.

Pena que o banho tenha de acabar rápido. Gosta de sonhar, sonhos de soluções rápidas e gloriosas ou as fantasias de violência que a excitam e envergonham. Gosta de brincar com o próprio corpo debaixo do chuveiro quente, mas se o irmão estava tocando a campainha era porque esquecera a chave. Ela não podia demorar a atender.

Letícia enrolou-se na toalha, agora sim molhando o chão da sala, e abriu a porta para Thomas, fazendo sinal para que não falasse. Ela ligou o gravador e deixou a fita rodando. Enquanto trocava de roupa no quarto podia escutar a conversa gravada da mãe e do irmão, conversa alta o suficiente para os vizinhos também ouvirem, a sua própria voz, alegre, intervindo de vez em quando. Voltou para a sala no momento em que o menino desligava o gravador com cuidado para não deixar passar o clique denunciador da farsa.

A_MANDA COLOCOU NO CORREIO A CARTA_ para os filhos e pegou a bicicleta. Estava exausta depois da noite tomando conta do recém--nascido em Malibu. A mãe da criança fazia questão de amamentá-la de três em três horas, e sua função era impedir que o choro a incomodasse nos intervalos. A cliente pedira uma baby-sitter com mais de trinta anos e com filhos, de preferência que tivesse amamentado os seus próprios. A dona da agência não perguntou o porquê da exigência, não tinha curiosidade com esses detalhes. Ligou para o *pager* de Amanda e mandou que fosse direto de Marina del Rey para Malibu Beach, e que estivesse lá às sete da noite em ponto.

A mãe era uma mulher de seus quarenta anos, magra, alta, satisfeita com a vinda do primeiro filho natural, depois de dois adotados. O menino hondurenho e a menina vietnamita tinham uma baby-sitter americana que acabava de trazê-los de um passeio quando Amanda chegou. As duas se cumprimentaram, estavam na mesma agência, assim como a enfermeira que cuidava do bebê durante o dia.

— O que exatamente você espera que eu faça com o bebê? Quais são minhas tarefas? — perguntou Amanda se sentindo um robô retardado mental como sempre se sentia quando fazia essas perguntas.

Elizabeth, a dona da agência, a orientara, desde o primeiro dia, a fazer as perguntas, assim que chegasse. Era como uma senha de contato. Há pouco tempo, uma cliente ficara furiosa com uma baby--sitter brasileira porque a criança de oito anos de quem ela tomava conta bateu com o controle remoto da televisão na cabeça do avô, na presença do pai e da mãe.

— Mas o que ela esperava que eu fizesse? — perguntou a baby--sitter ofendida por ter sido mandada de volta para a agência pela mãe escandalizada. — Desse uma palmada no garoto?

— Esperava que você controlasse a situação, porque ela a contratou para isso. E se você desse uma palmada no garoto, estaria presa por abuso infantil — respondeu a americana secamente.

— Eu estava brincando — desculpou-se a brasileira sem graça.

— Compreendo, mas aqui não se brinca com essas coisas — retrucou a outra.

Compreendia, mas custou a encaixá-la de novo num serviço, apesar de reconhecer que era difícil para uma babá impor disciplina a uma criança com os pais e os avós por perto. O problema é que muitas mães queriam alguém para tomar conta dos filhos mesmo com elas em casa. Contratavam para um período de dez horas para que pudessem fazer aulas de yoga, ir ao cabeleireiro ou tomar um café com amigos, talvez terminar, em casa mesmo, um trabalho urgente. Outras queriam a companhia de uma baby-sitter enquanto levavam as filhas para o balé ou as crianças e coleguinhas para lanchar. Mas, em qualquer caso, pareciam esperar que a presença delas evitasse conflitos. Nem sempre as contratadas conseguiam.

Acontecia de Amanda tomar conta de crianças cujos pais estavam em turnê pela cidade, músicos de bandas de rock, atores, e esses eram os melhores, porque as gorjetas eram generosas e, geralmente, o trabalho transcorria em suítes de hotéis de luxo. Em Malibu, porém, sua tarefa era diferente: acalmar o bebê nos intervalos das mamadas, levar para a mãe quando ele estivesse com fome, colocá-lo para arrotar assim que terminasse, trocar fraldas.

— Eu vou alimentá-lo num seio, você o coloca para arrotar e devolve meu filho, eu amamento no outro, você o coloca para arrotar de novo e o traz no próximo horário, até as sete da manhã quando a enfermeira voltar. E massageie com suavidade, você já teve filho, deve saber como se faz, entendido? — perguntou a mãe.

— Perfeitamente — respondeu Amanda, sem deixar transparecer qualquer surpresa com a orientação. Descontada a comissão da agência, receberia US$ 122,40 pelo trabalho, mais os quatro dólares da condução. Era melhor do que estar no Brasil como telefonista de hotel, pensou.

À noite, porém, o bebê procurava o seio da mãe quando acordava do cochilo. Depois do segundo arroto. Isso fazia com que Amanda se lembrasse de Thomas mamando, rindo para ela, no sono, um riso reflexo, dizia o pediatra, mas ela não acreditava. Era um riso de satisfação, de estômago cheio e abraço garantido, nada de mamar e ser devolvido para os braços de uma estranha paga pelo serviço de esperar que o ar que sobrava na barriguinha fosse expelido com massagens nas costas.

Thomas fora um bebê tranquilo, mamava e dormia. Mark não o maltratava ainda, nem a ela. Não naqueles primeiros meses. Só maltratava Letícia, que o irritava com sua mania de rondar o berço do irmão o tempo todo.

— Parece uma corujinha morena. Que menina mais feia essa que você arrumou, Amanda. Tem certeza que não foi trocada na maternidade? — perguntou ele, certa vez, quando os três jantavam e Letícia fizera menção de se levantar para atender a Thomas que choramingava no berço. — Dá para você ficar quieta, corujinha, e não estragar meu filho com suas baboseiras de animal noturno?

A menina tornara a se sentar com um olhar ressentido em relação ao padrasto. Amanda lembrava bem que fizera uma repreensão silenciosa a ele tocando sua mão por cima da toalha e que ele respondera apertando o joelho dela, por baixo da mesa. Emoção imediata era o que sentia quando ele a tocava assim. Por isso deixava passar suas rabugices a respeito de como criar a filha, seus preceitos sobre como deveriam criar o filho homem.

Chegou ao apartamento em Pico Heights exausta, há 28 horas não dormia um período inteiro de sono, estava moída, mas quase duzentos dólares a mais a esperavam na sexta-feira, dia de pagamento na agência. Sábado haveria uma festa, para a qual a baby-sitter brasileira, a da história da criança batendo com o controle remoto na cabeça do avô, a convidara. Talvez valesse a pena relaxar um pouco das proibições que se impunha desde que chegara a Los Angeles, há dois meses. Um pouco de companhia de conterrâneos não ia prejudicá-la, decidiu, prendendo a bicicleta no lugar reservado no térreo do edifício onde morava. Ela ainda estava vivendo com dificuldade, mas estava livre, pela primeira vez, há muitos anos. Podia se divertir.

Thomas saltou do elevador um andar antes e subiu a escada. "Não posso encontrar gente, não posso encontrar gente, não posso encontrar gente." Repetiu a frase mentalmente até alcançar a porta. "Girar devagar para a direita uma, duas vezes." A porta abriu, ele empurrou com suavidade. Estava dentro. Conseguira.

O bilhete. As instruções. Lavar as mãos antes de jantar. Comer tudo, inclusive as verduras. Ligar o toca-fitas na cozinha às 6h30. Naquele dia, a fita 19. Já está no ponto. Lado A. Desligar às sete horas.

(Voz alegre, um pouco alta.)

— E aí, filhão? Tudo bem na escola?

— Mais ou menos. A professora de matemática deu um teste surpresa.

— Difícil?

— Nem tanto. O pior é que ela vai somar e dividir com o outro.

— Jogo duro! O que vocês aprontaram dessa vez?

— Eu, nada. Os garotos que sentam atrás é que estavam trocando revistinhas.

Conversa leve, mãe e filho, pedacinhos do dia. Dava dor por dentro, enquanto Thomas escutava e comia. Comia e prestava atenção no relógio. A irmã estava na escola estudando com Catarina, inventando mais pretextos para não ser visitada. Comida meio fria, Letícia tem medo do forno. Medo de que ele ligue o forno para esquentar a comida. "De que mesmo Letícia não tem medo?", pensou ele com irritação.

Jogar fora as verduras, enrolar em pedaço de jornal. Classificados para Letícia não estranhar o pedaço arrancado.

Até quando chegaria a assinatura do jornal? O dia em que parassem de entregar, alguém poderia ficar curioso com a não renovação. Lavar o prato. Desligar o gravador no ponto certo. Dois dias na semana ele ficava sozinho até a irmã voltar do curso de inglês. Ela preferiria estudar francês, ele entendia perfeitamente o porquê, mas a mãe nem discutia o assunto. "Inglês é muito mais útil e você vai precisar da língua quando estiverem comigo nos Estados Unidos."

A mãe não falava no passado, olhava para a frente, como ela dizia, para tudo de bom que esperava os três dali a alguns meses. Quando ela falava dos Estados Unidos, nunca da Inglaterra, e exigia que Letícia aprendesse inglês, fazendo planos para o futuro, rindo e gesticulando, tudo o que afastava com aparente facilidade doía dez vezes mais dentro do filho.

Ele gostaria que a mãe estivesse ali e não Letícia. Amanda era calorosa, suave, alegre, não resmungona, mal-humorada, severa como Letícia. A mãe deitava com ele e segurava sua mão até ele dormir e não zombava de seu medo de escuro, como a irmã fazia.

O certo, pensava, era reconhecer o quanto a irmã cuidava dele e o protegia sempre, inclusive do pai, mas não conseguia deixar de ficar com raiva quando Letícia zombava dos seus medos. Sentia raiva também quando ela o beliscava sempre que ele tentava enfrentar os medos dela.

— Por que eu não posso ir ao cinema com o pessoal da sexta série? — perguntara na semana anterior.

— Porque eles são bagunceiros, mais velhos do que você e marcam de ir ao cinema na Barra para fazer bagunça no ônibus.

— Mas, Letícia, os pais dos outros meninos deixam. Meninos da minha sala, da minha idade.

— Eu não sou os pais dos outros meninos. Sou sua irmã mais velha, estou tomando conta de você no lugar de mamãe e você não vai.

Ele detestava quando Letícia fazia isso. Se Amanda estivesse em casa, deixaria que ele fizesse bagunça no cinema com os colegas, compraria uma bicicleta para ele, não ficaria com medo de que caísse, batesse a cabeça e morresse. Às vezes, tinha vontade de escrever para a mãe e contar que Letícia o beliscava quando a desobedecia ou contar o que acontecera na briga do sábado de manhã.

Os fins de semana, desde que a mãe viajara em julho, eram os momentos mais difíceis. Antes, Amanda sempre inventava uma coisa ou outra para eles fazerem no domingo, depois de obrigá-lo a ajudar na faxina do apartamento no sábado. Agora o dinheiro era ainda mais curto porque, apesar de Amanda ganhar bem trabalhando em Los Angeles, muito mais do que ganhava aqui, o dinheiro era separado, uma parte para sustentá-la, outra para sustentar os filhos no Brasil, o restante para a viagem deles ao seu encontro.

Agora que estavam sozinhos, existia a faxina no sábado, mas faltavam os passeios no domingo, o cinema, o lanche no McDonald's. Quase todo sábado eles brigavam, aos sussurros, para os vizinhos não ouvirem. Numa dessas brigas, Letícia disse com o rosto bem próximo do dele:

— Não quero mais ficar aqui sozinha com você, não quero mais tomar conta de você, garoto chato.

Ele começou a chorar nesse ponto porque seu maior medo era que a irmã desistisse de tomar conta dele enquanto Amanda não voltasse.

— Desculpa, Letty, eu não brigo mais, mas não diz que não vai mais tomar conta de mim, porque eu fico com medo que a polícia me pegue e me leve de volta para o meu pai.

Os dois se olharam assustados pela confissão feita entre lágrimas, e Letícia apertou o irmão nos braços, ela chorando também.

— Ninguém vai devolver você para aquele monstro, eu prometo. Mamãe vai voltar logo e nós vamos ser felizes na Califórnia, num lugar em que gente como ele vai para a cadeia em dois tempos. Agora você precisa me obedecer mais, Thomas.

Depois dessa conversa, Letícia fez o jantar, e os dois apaziguados sentaram na pequena mesa para comer. A trégua da noite de sábado não durou muito. Thomas mexia inquieto com a colher no prato de sopa. Letícia sabia que ele não gostava de sopa de pacote e que o movimento da esquerda para a direita no prato, movimento repetido e irritante, era sinal de que o irmão estava com algum problema.

— O que foi agora, Thomas?

— Nada.

— Claro que é alguma coisa! Quando você começa a agir como retardado é porque está escondendo algum problema. Conta logo, garoto chato, para eu poder lavar a louça e estudar.

Ele mexeu mais uma vez com a colher, depois parou e olhou culpado para a irmã.

— Desculpa.

— Fala logo, anda.

— Letty, você acha que a mamãe vai se lembrar de mandar uma foto dela na calçada da fama como eu pedi?

Letícia sentiu alívio e raiva ao mesmo tempo. Então era isso. Ela pensando que algum vizinho havia interrogado Thomas ou algum garoto mais velho tinha batido nele, e o irmão estava preocupado com uma foto da mãe em Hollywood. Como Thomas era insuportável, às vezes!

— Você pediu para ela tirar a fotografia? Escreveu na carta? — Letícia procurou falar com calma, porque, se percebesse a bronca que estava por vir, ele mentiria.

— Escrevi. Você não acha que foi uma ideia legal?

— Não, não acho. Acho que foi uma péssima ideia. Ideia de um garoto burro e mimado. Você só pensa em você, não é? E se mamãe resolver mandar mesmo a foto? A partir de hoje, eu vou ler suas cartas antes de mandar, se tiver alguma coisa que possa deixar mamãe triste ou preocupada, eu não mando. — Letícia percebeu que estava falando alto demais e baixou a voz se aproximando, ameaçadora, do irmão. — Você não percebe que uma foto dessas prova que ela está nos Estados Unidos e que é mentira nossa que ela está aqui, cuidando de nós? Mamãe só tem tempo para trabalhar e dormir, e você fica pedindo para ela dar uma de turista!

— Eu quero uma foto da minha mãe... — Começou a choramingar Thomas para, em seguida, elevar a voz. — Eu quero uma foto...

Letícia beliscou o irmão para que ele se calasse. Sabia que a pele muito branca dele ficaria marcada, mas não conseguiu controlar a irritação. Thomas se livrou das mãos dela, furioso ele também, e chutou com força.

— Seu bandido! Eu vou pegar você. — Ela correu para ele, que foi mais rápido e se fechou no banheiro. Na fuga, o prato com restos de sopa escorregou na mesa e se partiu no chão, espalhando o creme de ervilha que ela tinha feito.

— Abre essa porta, Thomas, e vem limpar a sujeira que você fez no chão. — Ela bateu forte na porta, gritando. — Abre que eu estou mandando.

— Você não é minha mãe, você não manda em mim.

Mais um pouco, algum vizinho começaria a bater na parede ou tocaria a campainha, pensou Letícia, e a culpa seria dela por ter perdido o controle.

— Eu não sou sua mãe, mas sou sua irmã mais velha, e mamãe disse que você tem que me obedecer. O que é melhor: fazer o que eu mando ou viver com aquele horroroso do seu pai? Anda, responde.

Thomas não respondeu, mas ela podia ouvir o barulho do vômito do irmão e entrou em pânico, pensando que ele podia sufocar. Quantas vezes a mãe dissera, antes de viajar, desde que fugiram de Mark há quatro anos, que Thomas era apenas uma criança que já havia sofrido tanto nas mãos daquele monstro e que a obrigação delas era fazer por onde ele esquecer toda a tristeza anterior? O irmão arquejava depois do esforço de vomitar o pouco de sopa que tomara, e Letícia temeu que ele não abrisse a porta e acabasse morrendo ali dentro, por sua culpa.

— Thomas, eu prometo que nunca mais belisco você. Abre a porta, por favor.

— Você sempre promete e sempre belisca — reclamou o menino, choramingando.

— Não belisco mais, juro. Abre a porta que eu faço um mingau de aveia para você.

— Se eu sair, você desenha meu nome com mel, por cima do mingau? — condicionou o irmão.

— Não tem mel em casa, mas eu coloco rodelas de banana, antes de ferver, do jeito que você gosta.

Alguns segundos se passaram antes que Thomas abrisse. O rosto dele estava vermelho, marcas vermelhas no braço que ela beliscara, olhos vermelhos de chorar, um cheiro horrível de vômito na tampa da privada, que ele se esquecera de levantar.

— Você é um porco, sabia? — disse Letícia, olhando aliviada e zangada para o irmão. — Um porquinho todo vermelho.

— E você para bruxa só falta o nariz — retrucou ele, abrindo um sorriso.

— Vamos trocar um abraço de pazes, como a mamãe mandou. — Letícia estendeu os braços e apertou o irmão sentindo o quanto ele era macio ainda, apesar de ter crescido muito no último ano. Ia ficar alto como o pai, pensou, soltando-o.

— Você me prometeu o mingau.

— Eu vou fazer, mas você tem que limpar a sujeira da sala.

— Mas foi culpa sua!

— O prato era seu, Thomas, não começa.

O CHORO ERA ALTO E ATEMORIZADO, E LETÍCIA custou a perceber que não fazia parte do sonho. Quando abriu os olhos não ouviu nada, talvez fosse alguma televisão ligada. Tentou virar e continuar a dormir, mas o choro recomeçou mais alto e ela olhou para o lado direito da cama na certeza de que era o irmão chorando. Thomas não estava lá, na cama da mãe, para onde o levara quando ele, depois de ter comido o mingau, dissera que estava com sono. Ele pedira que ela deitasse junto, segurando sua mão um pouco, e dessa vez ela nem zombou do medo de dormir sozinho que ele tinha desde pequeno e que recrudescia de vez em quanto.

O choro vinha da sala e ela se levantou tropeçando no tênis que o irmão, como de hábito, deixara jogado. Ele estava na sala, meio deitado no sofá, a televisão ligada e a poça de xixi escorrendo do sofá para o chão porque ele se urinara dormindo.

— Eu não queria, Letty. Juro que eu não queria molhar o sofá, mas peguei no sono e o cachorro começou a me morder e eu fiz sem querer...

Letícia olhou o irmão, as lágrimas correndo pelo rosto redondo. Ela sabia que ele estava com medo da sua reação e arrasado por ter molhado o sofá velho, que agora ficaria manchado porque eles não tinham dinheiro para mandar lavar. Ela sabia que não podia bater nele de novo e começar outra briga como a que tiveram antes do jantar, então o pegou pelo braço, controlando o desânimo e o sono para não piorar as coisas.

— Por que você ligou a televisão, Thomas? Eu já disse que precisamos economizar energia. A conta de luz não pode aumentar.

Ela falava e levava o irmão para o banheiro, ele ainda chorando, baixinho, enquanto ela tirava sua roupa e ensaboava seu corpo de menino de nove anos, como ensaboava quando ele era um bebê. Depois, ela o embrulhou na toalha e o levou para o quarto, vestindo uma cueca e uma camiseta, e esfregando sua cabeça para que ele não ficasse resfriado por dormir com os cabelos encharcados.

— Letty, você deita comigo e segura minha mão?

— De novo, Thomas? Eu quero dormir na minha cama.

— Eu tenho medo, Letty, e se eu sonhar com o cachorro de novo?

— Não vai sonhar mais, Thomas, pesadelos não se repetem.

— Repetem, sim, eu sonho sempre com o cachorro preto; dessa vez ele mordeu meu dedo, quer ver?

Thomas estendeu a mão gorducha e lá estava, no indicador direito, a marca dos dentes.

— Você mordeu a sua própria mão dormindo, não foi nenhum cachorro — disse Letícia, já começando a se irritar.

— Por favor.

— Está bem, chega para lá.

Ela deitou, de má vontade, e segurou a mão dele.

— Mas nada de sonhar que está sentado na privada e começar a fazer xixi e me molhar toda. Eu te dou um cascudo. Cascudo não deixa marca — resmungou, sonolenta.

— Eu prometo que não faço — respondeu Thomas, apertando a mão da irmã e fechando os olhos com medo dos sonhos.

Não demorou, ele começou a conversar com ela em voz baixa, e Letícia ouvia o irmão falando, falando, e sentia o peso do sono pela noite maldormida.

— Mamãe contou na carta para mim que a velhinha de quem ela está tomando conta à noite não quer que ela faça nada, apenas sente e olhe porque, quando ela acorda com dor, precisa saber que alguém está ali perto, prestando atenção. Mamãe disse também que uma acompanhante recebeu de herança de um velho muito doente uma casa na Addison Street, aquela rua linda em North Hollywood. Pena que você tenha rasgado a foto, Letty.

— Eu tinha que rasgar, Thomas. Lembra o que a mamãe recomendou? Não deixar nenhuma prova de que ela não está aqui com a gente. Nem sei para que ela mandou a foto.

— Mas não era bom se a velhinha quando morrer deixasse dinheiro pra mamãe? Eu não quero que ela morra, mas todo mundo morre, não é? Ela podia deixar dinheiro suficiente pra mamãe comprar uma casa lá para nós. Não ia ser o máximo?

— Ia, Thomas, ia ser o máximo.

Ele finalmente dormiu bem abraçado ao corpo de Letícia, que acabou sonhando também com um cachorro preto, enorme e ameaçador arrastando Thomas para longe dela.

Foi preparar um lanche para os dois, logo cedo, o sol alto não a deixava dormir depois das seis. O dinheiro que a mãe havia mandado nos dois últimos meses, dos Estados Unidos, não dava para comprar cortinas. Era domingo, e os dois foram ao Museu da República tomar sol e lanchar. Letícia olhou o irmão comendo com prazer o sanduíche de três andares como ele chamava. Uma fatia com maionese e ovo cozido e picado, outra com maionese e presunto, a terceira com alface e tomate.

— Muito gostoso. Tem mais?

— Claro que não tem. Era um para cada um de nós, e eu ainda te dei a metade do meu, garoto. Deixa de ser guloso. Toma o resto do suco.

— A laranja estava amarga quando eu provei lá em casa.

— Foi porque você escovou os dentes. Agora você comeu, o gosto vai estar diferente.

Ela sabia que ele tinha razão; uma das laranjas estava passada, daí o gosto ruim no suco. Mas na lista de compras, só era possível meia dúzia de laranjas por semana e não tinha sentido desperdiçar uma das últimas só porque estava meio mole.

— Já pensou, Letty, a gente fazendo um piquenique como esse num parque em Los Angeles, levando as coisas numa daquelas mochilas especiais que eles fazem só pra isso, com lugar pra copos, toalha, garfos, as pessoas jogando bola, assando carne e salsichas numa churrasqueira portátil, e a gente lá com a mamãe, tomando sol, na manhã de Natal?

— Na manhã de Natal não vai ter sol, Thomas, vai ser inverno. Se a mamãe conseguir juntar o dinheiro todo até lá.

— Ela vai conseguir. Ela tem trabalhado dez horas, quase todos os dias. E em muitas noites ela tem acompanhado a velhinha doente.

Letícia não respondeu. A mãe só contava coisas boas para Thomas, nunca as coisas difíceis, as que podiam despertar medo. Ela não dizia que tomava conta de uma velha diferente a cada noite, algumas bem difíceis de lidar. Não contava que a americana, dona da agência de baby-sitter, Elizabeth, não confiara nela de pronto, o que deixara Amanda bastante ressentida. Não, Amanda acreditava que Thomas devia ser poupado de informações que pudessem despertar sua insegurança. "Cuide bem do seu irmão, filhinha, e não se esqueça de que os homens são menos preparados para o sofrimento do que nós e é muito difícil para um menino ser criado sem pai. Tente não sobrecarregá-lo com problemas."

— Você podia ter comprado refrigerante, em vez dessa laranjada horrível. Posso ir até ali tentar jogar bola com aqueles meninos?

— Eles não vão deixar você entrar. O time já está formado.

— Mas posso tentar, pelo menos?

— Não, mamãe disse pra gente não falar com desconhecidos na rua.

— Isso aqui não é rua, isso aqui é um parque, Letícia. Eles estão com os pais.

— Não, já disse que não. Você vai continuar me questionando em tudo?

— Que saco! — reclamou ele, mas continuou sentado ao lado dela. — Não foi legal mamãe ter arranjado trabalho para substituir uma baby-sitter irresponsável, logo no dia seguinte que chegou a Los Angeles?

— Foi maravilhoso.

Letícia sentiu o desânimo bater, de novo. Amanda só tinha arrumado trabalho porque, na hora em que Elizabeth estava dizendo com aquela franqueza quase grosseira que alguma coisa na sua história soava falsa, a cliente havia ligado furiosa com a outra baby-sitter que aparecera alta, não exatamente bêbada, mas alta o bastante para a mãe se recusar a deixar o filho com ela. Elizabeth não teve tempo para arranjar outra e a mandou com mil recomendações e o dinheiro do táxi.

— Eu lembro que, na primeira carta que mamãe mandou pra mim, ela contou que o menino era cheio de vontades, mas era um ruivinho tão bonito e tão parecido comigo que ela conseguiu não ficar impaciente com ele — disse Thomas. — A mãe do menino até deu uma gorjeta pra ela.

— Você se lembra disso, é? — Letícia mexeu com os cabelos do irmão, brincalhona. — Tem dois meses e você ainda lembra?

— Eu tento decorar a carta antes que você rasgue. Você rasga rápido demais, Letty.

— Se não rasgar rápido, a gente pode querer guardar mais um pouco, até o dia seguinte apenas, e aí a gente pode esquecer e alguém pega e todo mundo vai saber. Você já imaginou o que aconteceria se as pessoas soubessem que a gente está sozinho?

— A mamãe perde a nossa guarda. Eu penso nisso o tempo todo.

Os dois ficaram em silêncio. Letícia pensando que talvez Amanda tivesse razão: Thomas era muito pequeno para saber que ela comprara uma bicicleta por vinte dólares, na rua, de alguém que provavelmente a havia roubado. Ou para saber que nos últimos dois meses dividia a cama com uma moça da África do Sul, num conjugado que custava setecentos dólares, porque ela não tinha dinheiro bastante para pagar dois meses de aluguel, o primeiro e o último, mais um mês de depósito, e alugar um apartamento só para ela. Ele não entenderia que dois mil dólares por mês era pouco numa cidade como Los Angeles em que cada lugar para onde ela se dirigia para tomar conta de uma criança era tão longe que, sem carro, ela era obrigada a pegar três, quatro ônibus para chegar e outros tantos para voltar para casa. Ou precisava pedalar duas horas seguidas. Não, Thomas só sabia o quanto o ciclismo estava deixando a mãe bronzeada e magra, com tudo em cima, e que a qualquer hora um americano não resistiria ao seu charme e a pediria em casamento. As cantadas dos mexicanos atrevidos ela contava só para Letícia. As cantadas provocavam na filha o medo secreto de que Amanda se envolvesse com um homem parecido com Mark.

— Você acha que eu sei inglês bastante para passar por americano, Letícia?

— Acho que a gente fala inglês com sotaque, mas o sotaque a gente perde logo que chegar lá.

— Era bom se a mamãe fizesse amigos americanos com filhos da minha idade, não era, Letty? Para eu já ter com quem brincar. Brasileiros também.

— Você vai fazer amigos americanos, independente de mamãe. Assim que entrar na escola.

Ela não podia dizer ao irmão que a mãe tinha medo de fazer amigos brasileiros em Los Angeles porque algum poderia comentar com a família, no Brasil, e alguém decidir fazer uma visita a eles, no Rio de Janeiro. Seria fácil descobrir que não existia nenhuma avó tomando conta dela e de Thomas. Ou então a visita poderia conversar com algum vizinho que acreditasse que Amanda continuava trabalhando à noite no hotel e dormindo a maior parte do dia. Letícia podia imaginar a cena, a visita diria espantada: "Como?!! Meu primo esteve com a mãe dos meninos ontem em Los Angeles! Ela não está no Brasil." O vizinho perguntaria: "A senhora tem certeza?" e ligaria para o Juizado de Menores.

Às vezes, Letícia ficava com tanto medo de serem pegos que criava toda a situação desesperadora dentro da cabeça só para imaginar uma saída de última hora que evitasse que ela e Thomas fossem separados ou que ele fosse devolvido para o pai. Era bom sonhar de olhos abertos com uma catástrofe porque quando o filmezinho dentro da sua cabeça terminava, era sol, era Rio de Janeiro, e todas aquelas coisas ruins não tinham acontecido.

Tudo estava normal, ela tomando conta do irmão num apartamento de dois quartos no Catete, e a mãe dividindo um conjugado com uma desconhecida em Los Angeles.

Não tinha sentido que Thomas soubesse dos riscos todos, menos ainda que soubesse que a primeira e única vez que a mãe havia tentado se divertir e fazer amigos acabara numa festa com muita maconha, cocaína e até crack.

Letícia tinha muito orgulho da confiança que Amanda depositava nela, contando coisas que só se conta à melhor amiga, mas quanto mais ela sabia, mais medo tinha de que alguma desgraça se abatesse sobre eles três e de que nada nem ninguém os salvasse.

Amanda desceu do ônibus da GreyHound em Santa Bárbara com dor de cabeça. Quase quatro da tarde, o Transit Center era ao lado, ainda bem. Ligou com as moedas que lhe restavam para a mansão de Montecitos na qual podia estar à sua espera um emprego. Alguma coisa certa e boa que lhe afastasse de Los Angeles onde tudo era tão longe e difícil para quem não tinha carro. Um emprego que evitasse tentações para alguém como ela, que escrevia para a filha de 16 anos criticando os brasileiros que gastavam os dólares suados em festas com bebidas e drogas, mas que havia comparecido a uma segunda festa desse tipo porque começava a se sentir carente e sozinha.

— A filha da dona da casa passou três meses numa clínica de desintoxicação. Ela tem um bebê e eu devia estar cuidando dele. — Foi a informação dada por Rosario, a mexicana que lhe falou do emprego.

Amanda encontrara a jovem bonita e morena, chorando na cozinha, durante a festa na noite anterior, em Venice Beach. A festa tentadora o bastante para que aceitasse o convite, mesmo culpada e preocupada com os filhos.

— Eu devia ter ficado lá porque o pagamento era bom, e a governanta, a Angelina, conhece meu tio há séculos, ele dirige o carro da família há mais de dez anos. Mas sou uma idiota, larguei o emprego por causa desse vagabundo, e ele agora arranjou uma gringa que vai casar com ele, e a gringa exige fidelidade, e ele aceita só para conseguir o Green Card.

— E por que você não volta para Santa Bárbara? Você pediu demissão ontem, ela não deve ter arranjado outra baby-sitter ainda — ponderou Amanda, sentindo-se meio tonta com o efeito das margueritas e do baseado que acabara de consumir.

— Porque eu não acredito que ele vai conseguir ser fiel àquela gorda branca e feia. E se eu ficar em Los Angeles, mais cedo ou mais tarde, ele volta pra mim. Não sei viver sem esse homem. O que eu posso fazer? — Rosario começou a chorar de novo e Amanda a abraçou.

Aos poucos conseguiu acalmá-la e acabou convencendo-a a dormir no conjugado que dividia com a sul-africana, certa de que Ethel não viria para casa naquela noite, dançando como dançava com um brasileiro recém-chegado do Rio Grande do Sul. Ela dançava como as americanas que estavam na festa dançavam, de costas para o par, rebolando, quase que se esfregando na pélvis do sujeito. Dali só podia sair sexo, senão aquele pessoal ainda era mais louco do que Amanda imaginava. Com ou sem drogas.

Quando acordou no dia seguinte, Rosario estava vestida do lado da cama que haviam compartilhado, com uma expressão feliz.

— Ele ligou para o meu celular, quer me ver. Graças a você que me tirou da festa, ele ficou com ciúmes, achando que passei a noite com outro homem. Vou encontrá-lo. Você foi uma boa amiga, estou deixando um presente de retribuição.

A retribuição era uma carta para Angelina, escrita numa mistura de inglês e espanhol, recomendando Amanda como baby-sitter de John-John.

— É assim que o bebê se chama, ele é todo agitado, deve ser porque nasceu de mãe drogada, mas tenho certeza de que você vai dar conta. Afinal, graças a Deus, você não tem nenhum homem que lhe prenda em Los Angeles, tem?

Não, ainda não tinha, mas se continuasse a frequentar festas como a da noite anterior acabaria arranjando um. Outro homem como Mark. "Parece que eu os atraio", lamentou para si mesma.

— Você tem certeza de que essa Angelina vai me aceitar?

— Certeza, eu não tenho. Ela pode ter contratado alguém de agência, de sexta-feira até hoje, mas não custa você tentar. Ou custa? São 12 dólares a passagem até Santa Bárbara, e o ônibus da GreyHound sai de North Hollywood às 10h30.

Não era às 10h30, Rosario estava errada nisso. Amanda precisou esperar na agência pequena e desarrumada no Magnolia Boulevard até 13h20 pelo ônibus certo. Fez a ligação cruzando os dedos para que desse tudo certo. Uma mulher atendeu, disse que esperasse, ia verificar se Angelina podia atender. O sotaque era mexicano, Amanda já aprendera a identificar, parecia a voz de uma pessoa de idade.

— Meu nome é Amanda, sou brasileira, trabalho como baby-sitter, e Rosario mandou que procurasse a senhora — disse a frase ensaiada, mil vezes, de Los Angeles a Santa Bárbara, de um jato só.

— Há quanto tempo você toma conta de crianças? — A voz era seca.

— Há 16 anos. Tenho dois filhos no Brasil.

— Eu pergunto tomar conta profissionalmente — esclareceu Angelina de má vontade.

— Eu trabalho para uma agência em Los Angeles. A agência de Liz O'Brien.

— Crianças de que idade?

— Todas as idades. Tenho cuidado, especialmente, de recém-nascidos.

— Onde você está agora?

— No Transit Center, na rua... Deixe-me ver. — Amanda procurou com os olhos alguém próximo.

— Chapala Street. Daqui a duas horas, me encontre na igreja católica, perto da Sola Street. Eu vou conferir seus documentos, talvez tenha um serviço temporário para você.

Amanda arrastou o carrinho com a mala velha, mas de qualidade, que comprara num brechó no Rio. A compra foi inspirada na preocupação de causar uma impressão favorável na imigração americana, mas era grande demais para percorrer, a pé, oito quarteirões. Ela, no entanto, sentia-se animada andando em direção à igreja. Angelina parecia uma sargenta ao telefone, mas não a teria convocado para um lugar religioso, num domingo no final da tarde, se não tivesse a intenção de contratá-la. Talvez quisesse que ela tomasse conta do bebê na igreja, durante a missa das seis. Afinal, quase ninguém aceita um trabalho em cima da hora, ainda mais no domingo.

— Só me contratam para trabalhos que ninguém quer — disse para si mesma, em português.

A mulher a quem pedira informações, a funcionária que ficava dentro de uma cabine de vidro no Transit Center, disse que eram oito quarteirões à direita, depois quatro à esquerda. Amanda estava cansada, suada, com fome, mas não sabia onde podia comer por ali. O jeito era chegar à igreja e procurar depois algum lugar para descansar e esperar.

Arrastar a mala até a igreja lhe dera uma amostra de como a cidade era pequena e linda, talvez fosse um bom lugar para morar com os filhos, tudo dependia, naquele momento, da cubana. Conseguiu sorrir lembrando a descrição acre feita por Rosario.

— Ela é uma peste, exigente, malcriada, mas paga bem, e a casa é muito confortável, luxuosa mesmo — contara a moça na madrugada em que dormiram juntas no conjugado em Los Angeles. — Tem uma mulher que vai todos os dias, cozinha alguma coisa, ajeita a casa, mantém tudo limpo, e uma faxineira que aparece três vezes por semana. Sem contar o meu tio que é motorista e cuida do jardim. Um bom lugar para se juntar algum dinheiro.

— E Angelina faz o quê?

— Dá ordens aos outros e bajula a filha da patroa como se fosse sua. Ah, e não deixa ninguém fazer barulho perto do bebê, que é superagitado. E eu abri mão de tudo isso por causa desse maldito Paco — arrematara Rosario.

Rosario não gostava de Angelina, e Angelina não gostava de Rosario. A governanta — *State Manager*, como ela gostava de ser chamada — era uma mulher morena e de quadris largos, o vestido de seda vermelho fazendo rugas na cintura e justo demais nos seios grandes. Amanda reparou a mancha de suor debaixo dos braços, o cabelo muito preto puxado num coque no alto da cabeça. Angelina poderia ser uma mulher bonita se a expressão fosse menos carrancuda.

A governanta trazia o bebê abraçado durante os breves minutos em que entrevistara a candidata a baby-sitter na sacristia. Leu a carta de Rosario com expressão sarcástica e fez perguntas bem diretas, principalmente sobre namorados, drogas, bebidas. Amanda escondeu qualquer referência a Mark, mostrou o passaporte, mas mentiu sobre o número do seguro social e sobre o visto da imigração. Ela sabia que Angelina não acreditava em sua história. Todos os ilegais mentiam, supunha, porque era impossível a imigração conceder visto a tantos brasileiros, mexicanos, costa-riquenhos espalhados por Los Angeles, Santa Bárbara, por toda a Califórnia. Sabia também que não tinha aparência de drogadicta ou alcoólatra e que essa era uma vantagem junto com as referências da agência de Liz e a carta de Rosario.

— Aquela irresponsável, deixar o trabalho às vésperas de um casamento! Tomara que o Paco lhe arranje um filho e a abandone para ela ver o que é bom — reclamou Angelina em espanhol.

Amanda entendeu, mas ficou quieta, o menino parecia pesado e começava a despertar, e ela queria muito aquele emprego.

A ideia inicial era Amanda tomar conta dele mais tarde, durante a recepção, mas Angelina acabou lhe entregou o bebê quando a cerimônia estava prestes a começar, com a condição de que ficasse parada na porta, em pé, no lugar onde a outra pudesse vê-la.

— O ideal seria você sentar perto de mim na igreja, mas com essa roupa, por Deus, os convidados irão pensar que eu entreguei John-John no colo de uma *homeless*.

"Ela nem perguntou se está bom para mim, se eu aceito; devo ter uma cara de vira-lata sem dono", pensou Amanda. Angelina se encaminhou para o lugar reservado a ela, um banco atrás dos parentes da noiva.

A noiva parecia uma menina, devia ter 19 anos, no máximo, magra, louríssima e nervosa. Não combinava com o vestido de noiva, comprido, a saia armada, a grinalda, o véu. O noivo estava de fraque, era mais velho um pouco, 26 anos, no máximo, tinha uma aparência próspera e feliz, louro ele também.

O bebê moreno, muito diferente dos dois, se adaptou aos braços de Amanda como se jamais tivesse estado em outro lugar. Sua facilidade em dar carinho aos pequenos era a maior garantia naquele tipo de trabalho. A cerimônia foi demorada e assim que terminou Amanda e o bebê saíram da igreja e foram para casa com o motorista mexicano, a quem Angelina fez recomendações num espanhol rápido. Na chegada ele lhe mostrou a entrada dos fundos, perto da casinha onde ele morava, e a levou até o quarto da criança.

Os recém-casados, de volta da igreja, vieram dar um beijo no filho, antes de entrarem na recepção para os convidados que já os esperavam. Pareceram surpresos de encontrá-la ninando a criança, andando pelo quarto luxuoso e cantando em inglês, baixinho, uma música *country*. Agradavelmente surpresos. "Esses americanos pensam que todo latino só fala espanhol quando chega aqui", pensou um pouco ressentida. O pai beijou distraído o filho, mas a mãe tinha um ar ansioso e enciumado quando tirou o bebê dos seus braços para se despedir. Como se fosse partir para Bangladesh e não para o salão no andar de baixo da casa.

— Ela não queria casar, mas o rapaz é apaixonado por ela desde criança, e a família pressionou quando o bebê nasceu. — Era a fofoca de Rosario voltando à sua memória.

Quando saíram e ela conseguiu finalmente colocar o bebê dormindo no berço, sentou-se numa cadeira de balanço na varanda, tentando ler um livro que comprara numa loja de livros usados em Glendale ao chegar a Los Angeles, há dois meses, e que ainda não tivera tempo de ler.

Amanda começou a ler Steinbeck, especulando sobre o tipo de vício que levara a mãe do bebê à internação. Álcool ou cocaína, o mais provável era que fossem os dois. Nunca conseguia deixar de estranhar a necessidade de algumas pessoas por aditivos.

A criança era morena, numa família loura daquele jeito... Talvez o amigo de infância, o noivo, não fosse o pai. Trataria bem o menino quando crescesse com traços que não reconhecesse como seus? Mark não gostava de Letícia.

Quanto mais a filha de Amanda crescia, menos ele gostava. Sabia que não deveria deixar que seus pensamentos percorressem esse caminho. Não devia se lembrar do passado, para isso fugira. Qualquer detalhe, porém, mesmo em outro país, distante da casa e dos filhos, trazia de volta os últimos anos.

Um dos personagens de *A Leste do Éden*, Adam Trask, parecia com seu pai: afetuoso, sonhador, ligeiramente distante. "Papai achou que estaria tudo bem quando concordou com o meu casamento. Como ele podia imaginar que Edgar ficaria doente tão rápido e me deixaria sozinha com Letícia?"

O bebê americano, talvez pelo barulho da recepção animada, chorou irritado e sonolento, e Amanda tentou acalmá-lo. A mãe não voltara para vê-lo, e ninguém lembrara que a baby-sitter brasileira poderia estar com fome.

Ficou cuidando do neném, lendo enquanto ele dormia, preparando mamadeiras ou trocando fraldas, cochilando, sentada na varanda, pensando em Thomas e Letícia. Perto da meia-noite, os pais subiram para dar boa-noite ao filho. Não viajariam em lua de mel, "nem teria sentido com uma criança tão pequena", o pai explicou enquanto a mãe beijava o filho com o mesmo olhar inseguro que Amanda observara antes. O marido falava devagar, certamente achando que se falasse naturalmente a brasileira não entenderia. "São gentis, mas não me ofereceram nada para comer desde que cheguei aqui. Da próxima vez, trago biscoitos", decidiu enquanto se despedia do casal. Da porta, o americano lembrou-se de perguntar se ela tinha lanchado e, escandalizado com a negativa, prometeu que antes de ir dormir mandaria trazer alguma coisa para ela.

Meia hora depois a governanta subiu com uma bandeja com sanduíches e um copo de leite. Angelina parecia cansada, mas esperou Amanda acabar de lanchar, investigando-a com os olhos escuros, ajeitando a coberta do bebê enquanto resmungava em espanhol. Os sanduíches mataram sua fome, que era muita, e a governanta prometeu trazer uma refeição mais substancial junto com o pagamento quando terminasse o turno, às nove da manhã. Antes de deixar o quarto, comentou zombeteira que a situação no Brasil deveria ser pior do que em Cuba porque só chegavam brasileiras magras procurando trabalho, e as exiladas cubanas que chegavam a Miami tinham carne no corpo, pelo menos isso. Amanda sorriu como se o comentário fosse um elogio, sabendo que não era. A sorte lhe sorrira, primeiro com a desconfiada Liz O'Brien em L.A., depois com aquela cubana antipática em Santa Bárbara. Não estragaria a boa fortuna expressando hostilidade em território alheio, não teria orgulho, dignidade, o que fosse, até juntar dinheiro para trazer os filhos. A outra podia lhe arranjar trabalho, suas críticas eram secundárias.

Saiu da mansão reconfortada pelo café forte que Angelina lhe ofereceu na cozinha, depois de lhe entregar o dinheiro pelas horas trabalhadas e trinta dólares de gorjeta. "A mando do pai do menino", frisou como se dissesse que por ela a baby-sitter só receberia o devido. Não era, porém, tão má assim, pensou Amanda, surpresa com a oferta de o motorista levá-la até o ponto de ônibus no centro de Montecito por causa do peso da mala.

— Você pode vir todas as noites essa semana, como experiência. Aliás, eu estranhei você não ter vindo para Santa Bárbara de carro. O que aconteceu, enguiçou?

— Eu não tenho carro — respondeu Amanda sentindo medo da pergunta seguinte.

— Bom, então você começa a partir de amanhã, assim você terá tempo de comprar um. Peça a Hernandez para lhe indicar o melhor lugar.

— Eu não posso comprar um carro.

— Como não pode? Não dá para trabalhar aqui sem carro. Nós pagamos bem o bastante e você já deve ter juntado algum dinheiro se está na Califórnia todos esses meses.

— Eu sustento minha mãe e meus filhos no Brasil. — Amanda disse a meia mentira com mais medo ainda. — Meu marido não deixou pensão e a vida aqui é bastante cara, você sabe.

— O que eu sei é que vocês brasileiros vêm para cá e querem viver bem, desde o início. Todo brasileiro que eu conheço é assim: nenhuma economia, nenhum sacrifício.

— Não ter carro é um sacrifício — atreveu-se Amanda a contestar.

— Bom, não quero discutir — atalhou Angelina. — Hernandez vai lhe pegar no ponto, no centro de Montecito, às 18h30, nesses primeiros dias. Mas você trate de juntar dinheiro para comprar um carro. Nem sempre ele estará à disposição.

"Mal posso esperar para escrever para as crianças e contar as novidades!", pensou Amanda exultante enquanto Hernandez a conduzia, silencioso e simpático. "Não vou comprar carro nenhum, vou é juntar dinheiro mais rápido para trazer meus filhotes logo para cá. Ainda mais agora que parei de fumar, porque aqui cigarro causa mais escândalo do que qualquer coisa, além de ser caro demais."

— Eu tenho que buscar uma encomenda para Caroline na Golden Gym na Carrillo. Posso deixá-la no Centro, se preferir — disse Hernandez interrompendo seus pensamentos.

— Na verdade, eu ainda não arranjei lugar para morar — confessou Amanda. — Rosario se esqueceu de me indicar um hotel, algo barato para os primeiros dias. Quer dizer, eu me esqueci de pedir a indicação.

— Ah, Rosario, aquela menina sem juízo. Se a mãe dela, minha irmã, que Deus a tenha, estivesse viva, choraria lágrimas de sangue de ver as bobagens que ela faz — disse o motorista. — Eu posso levá-la à casa de uma prima nossa; Rosario morava lá, deve estar fazendo falta como pensionista. Se você se interessar...

O apartamento ficava na San Andrés perto de uma lavanderia frequentada principalmente por mexicanos. Várias mulheres acenaram quando Hernandez buzinou e gritou um cumprimento em espanhol. A prima dele trabalhava num restaurante na State Street e já estava atrasada, de saída, quando o carro parou em frente ao prédio de dois andares.

— Tem um sofá-cama na sala, roupa de cama no armário do quarto. Rosario pagava US$250 dólares por mês porque era da família. Se você quiser ficar, pode dormir e cozinhar por 350. Nada de homem, nada de drogas. Serve?

— Perfeito — respondeu Amanda, a sensação de boa sorte se intensificando. Por aquele preço conseguiria juntar o dinheiro das passagens, e depois que trouxesse os filhos compraria o carro. Angelina veria que não tinha razão ao acusar todos os brasileiros que emigravam de querer levar boa vida, assim que chegavam na Califórnia.

Recebeu a chave, recusou o oferecimento de Hernandez de ajudá--la com a mala e praticamente capotou de sono assim que achou o lençol e o estendeu por cima do sofá aberto. Dormiu o dia todo e acordou com o despertador do relógio de pulso, no final da tarde. A sensação de liberdade persistia, no apartamento pequeno e escuro, escutando, ao longe, o barulho das crianças pequenas que ficavam em casa com alguém ralhando com elas o tempo todo em espanhol.

Numa casa luxuosa em Ribeirão Preto, uma mulher jovem deitada à beira da piscina ouviu a insistente campainha do telefone tocando. Virou de costas, tentando ignorar o barulho, mas quem quer que fosse ligou de novo.

— Que merda! Por onde anda o pessoal dessa casa?

Ela levantou de má vontade, deixando cair a parte de cima do biquíni que estava desamarrado para conseguir um bronzeado melhor, e se dirigiu à casa, entrando pela janela francesa que dava direto na sala.

— Alô? Deseja falar com quem? — perguntou ríspida, ignorando a tentativa da voz masculina de confirmar o número. — Não, ela não está, viajou. Demora, uns vinte dias, pelo menos. Quem deseja? Ah, sei, o marido de Amanda. Eu estudava fora na época, mas minha mãe falou alguma coisa sobre o senhor. Não teve notícias ainda? Não, ela nunca entrou em contato, que eu saiba.

Ela escutou algum tempo, vagamente curiosa, a voz explicando, explicando, tentando obter informações que Natália não possuía.

— Um momento, vou perguntar à empregada, mas tenho quase certeza que minha mãe não teve nenhum contato com ela.

Natália foi até a cozinha, onde a empregada, que estava na casa há anos, preparava uma bandeja com salada e filé de frango, o almoço que ela recomendara fosse levado até a piscina.

— Cleide, você sabe alguma coisa sobre uma prima da mamãe que sumiu faz tempo? Mudou de São Paulo, levou os filhos...

— Prima? Uma que ligava de vez em quando se queixando da vida? Acho que dona Raquel comentou alguma coisa antes de viajar. — A empregada parou de arrumar a bandeja, tentando lembrar. — Ah, já sei. Uma amiga da sua mãe encontrou com ela no Rio. Aquela que fez a plástica no rosto, a casada com um homem bem mais moço.

— A prima da mamãe fez plástica no rosto? — perguntou Natália, espantada.

— Não, a amiga da sua mãe, uma que mora em São Paulo, mas cresceu aqui em Ribeirão Preto. Foi fazer plástica no Rio porque não queria que o povo daqui comentasse. — A empregada riu. — Foi a maior bobagem porque ela ligou para dona Raquel contando que tinha encontrado a prima dela num hotel em Copacabana e todo mundo acabou sabendo da plástica.

— Minha mãe é uma fofoqueira mesmo. — Natália riu. — Traz meu almoço para a piscina, Cleide, que eu estou voltando para lá.

Ela pegou o telefone de novo.

— A última notícia que nós temos é que alguém encontrou com ela num hotel no Rio de Janeiro. Em Copacabana. — Ela deu um suspiro impaciente com mais uma pergunta e acenou para a empregada que trazia a bandeja. — Cleide, você sabe se a prima da mamãe, a tal de Amanda, estava hospedada no hotel?

— Que nada! Trabalhava como telefonista, à noite. Ela é a maior pé-rapada, sua mãe sempre disse isso — comentou a empregada.

— O que sabemos é que ela trabalhava... — Ela parou de falar, estranhando o silêncio no telefone. — Alô, o senhor está me ouvindo? — Ou foi problema na linha ou ele desligou.

Ela foi andando para a piscina, deu um mergulho, enquanto Cleide colocava a bandeja numa mesinha e pegava a toalha para Natália se enxugar quando saísse.

— Quem era no telefone? — perguntou Cleide, estendendo a toalha.

— Sei lá, ele disse que era o marido. Uma voz masculina com um sotaque bem leve. Acho que era estrangeiro.

Felício observou a loura sair do escritório do patrão. Gordinha, vestida com uma saia apertada o suficiente para destacar as ancas generosas, mas não a ponto de comprometer a elegância.

Ele aprendia um bocado de coisas sobre roupas e mulheres naquele trabalho. Elas estavam sempre circulando por ali, funcionárias, diretoras, ex-mulheres, amantes, pedintes.

Não conseguia deixar de pensar em algumas como pedintes. Não como as mulheres chorosas que ele já socorrera em trabalho de parto ou em brigas domésticas. As que conseguiam chegar até aquele andar vinham pedir dinheiro, muito, para negócios complicados, cheios de brilho, que renderiam páginas nos jornais para o chefe, elogios à sua generosidade de empresário de visão.

Eram pedidos e mulheres de todos os tipos, bonitas, bem-vestidas e cheirosas, quer fossem altas, baixas, louras ou morenas. O chefe comentava no carro, na volta para casa, depois do banco ou de algum jantar de negócios em que as mulheres o cercavam também. Às vezes, o cercavam na frente da esposa, ela também uma mulher bonita. Perto da esposa, ele não comentava os pedidos, mas longe dela, entrava em detalhes, ria das cruzadas de pernas, dos sorrisos sedutores, das cantadas explícitas.

Era raro o chefe ceder, só se o negócio fosse realmente bom, o pedido valesse a pena, o retorno do dinheiro fosse seguro. O negócio precisava valer a pena, não bastava ser qualquer mulher, ele era um homem apegado ao dinheiro e não desperdiçava com qualquer uma. Comentava com Felício no carro porque achava engraçado e gostoso as tentativas que envolviam o trabalho das moças.

A loura era diferente. Aquela o chefe comia. Achava excitante a paixão que ela dizia ter por ele. Felício o levava até o apartamento que a firma mantinha para os executivos de fora e o buscava duas horas depois. O comum era ele sair antes dela, todo feliz, saboreando o empenho da mulher mais nova em satisfazê-lo sem cobrar nada em troca.

"Nada em troca, sei." O segurança e motorista não acreditava que alguém pudesse não querer alguma coisa em troca de prazer, mas não dizia, porque sua obrigação era manter o homem livre dos inimigos, não discutir as intenções das mulheres. Pensava que o outro estava sendo enganado e que mais cedo ou mais tarde a lourinha ia se revelar, mas só pensava, não dizia, acenando em concordância às confidências entusiasmadas, enquanto vigiava os carros, o trânsito, os pedestres, na sua função de guardião.

No seu código de leis, o único que lhe importava, favores eram sempre pagos, fosse qual fosse a moeda. Por isso, ele estava ali. Para pagar favores desistira de fazer carreira na Polícia Militar, mudara de estado. O salário era melhor, mas o trabalho significava dedicação quase total, subordinação aos horários de Cristiano Queiroz, pouca liberdade.

O pai de Cristiano comprara-lhe a liberdade, na época da morte do padrasto. Soube por acaso que o filho da ex-costureira da esposa era o principal suspeito. O banqueiro conhecia um pouco da história de marcas de ferro de passar nos braços sempre cobertos da diarista magra e triste que costurava em sua casa, antes de morrer. Não foi difícil livrar o rapaz das acusações, poucos telefonemas discretos impediram o processo e diluíram evidências.

— Quem teria interesse no assassinato de um bêbado sádico, recém-saído da prisão onde puxava pena pela morte da mulher, senão o filho da própria, um adolescente mal-encarado, cheio de revolta? — tentara resistir o delegado, quando o assessor do Secretário de Segurança telefonara negociando a libertação de Felício.

— Quem, eu não sei. O rapaz é afilhado de gente importante — exagerou o assessor —, a mãe dele costurava para a mulher de um banqueiro, o banqueiro sempre ajuda nas campanhas do governador, você não tem provas, o Secretário o quer solto. Hoje.

Felício soube do diálogo enquanto apanhava do carcereiro. O delegado, irritado de não poder realizar justiça, encarregara o funcionário de mostrar para o moleque que não se brinca com polícia. Apanhou sem gritar, como em pequeno apanhava do padrasto. Naquele dia, durante a surra, resolveu entrar para a instituição que podia com tanta facilidade administrar o castigo. Quando mais tarde, acompanhado do irmão, foi agradecer ao benfeitor, acidentalmente passando uns dias na fazenda da família, precisou esperar bastante na cozinha, até ser chamado à presença do banqueiro.

— Quer dizer que você resolveu fazer justiça com as próprias mãos? — perguntou o homem gordo e de aparência adoentada que o recebeu horas depois.

Felício correu os olhos pela sala antes de responder. Era uma sede de luxo, e o escritório amplo, entulhado de livros e retratos velhos da família, era quase do tamanho da biblioteca da escola pública onde estudava. O escritório, a casa, tudo parecia enorme comparado com o barraco em que ele e o irmão viviam depois da morte da mãe. Demorou a responder, menos por timidez e mais para ganhar tempo de fabricar um jeito de não se expor em demasia.

— Não, senhor. A justiça é de Deus, minha mãe dizia. Eu me defendi, ele queria me matar. — Felício fez força para não falar com insolência, apenas deixar as coisas claras. Desde o assassinato da mãe e da prisão do padrasto, ele usava este método para falar com a sociedade. Pouco e com precisão. Só as respostas exigidas, nem mais, nem menos. Assim conseguira continuar na escola e manter o irmão junto dele, os dois longe de orfanatos. Não imaginava que o endemoniado pudesse ser libertado tão rápido, por bom comportamento. Tivesse imaginado, teria fugido antes.

— E agora, o que pretende fazer da vida? Não pode continuar aqui. O delegado não vai lhe deixar em paz. Ele sabe que você é capaz de matar, vai esperar a próxima oportunidade e arrancar o seu couro. — O banqueiro examinou com mais atenção o rapaz magro e malvestido que tinha pela frente, o tom o surpreendera, esperava bravata ou servilidade, não a resposta curta e objetiva.

— Vou para a capital ser PM. Vim para agradecer ao senhor e à dona Judite, e pedir mais um favor.

— O que mais, agora? — o banqueiro perguntou com enfado, vagamente decepcionado, aguardando o pedido de dinheiro.

— Eu gostaria que o senhor deixasse meu irmão ficar aqui na fazenda. Ele pode ajudar com os animais, limpar o jardim, a piscina. Não precisa pagar, só guardar ele enquanto arranjo trabalho fora. Eu venho buscá-lo.

— Quantos anos tem seu irmão? — A pergunta foi fria, escondendo a surpresa.

O rapaz não era humilde, nem insolente; se não fosse um assassino, talvez o banqueiro arrumasse algum trabalho para Felício, não ali, em outra fazenda, longe do delegado. A coragem de matar o desqualificava para o tipo de serviço que podia oferecer a um garoto de 17 anos. O irmão devia ser mais acomodado, acostumado a se deixar cuidar pelo mais velho.

— Tem 15, é muito trabalhador, não vai incomodar ninguém. Dona Judite conhece ele, vinha sempre com minha mãe, quando ela costurava aqui.

— E seu pai, que fim levou? O homem que você matou era padrasto, não era?

— Era, sim, senhor. Meu pai sumiu no mundo quando eu tinha cinco anos e o Sinval, três. Bebia, batia na gente. Também não prestava.

— Bom, seu irmão fica. — O outro se levantou, dando por encerrada a visita, sem estender a mão.

— Dr. Francisco — o rapaz moreno encarou o velho com seus surpreendentes olhos claros —, um dia eu vou pagar o favor que o senhor fez por mim.

Francisco Nogueira Queiroz orgulhava-se de seu talento em avaliar a capacidade de pagamento de um devedor, caloteiros não conseguiam nada com ele. Pela primeira vez, o enfado foi substituído por algo semelhante à compreensão.

— Disso eu tenho certeza, Felício.

Quinze anos passados, o velho, já aposentado e viúvo, vivendo retirado na fazenda, o recomendou ao filho, depois de uma frustrada tentativa de sequestro que o herdeiro sofreu. Felício nunca mais entrara em contato com a família Queiroz, mas o banqueiro sabia onde encontrar o irmão, que havia casado, mas mandava notícias com frequência. Estivera no enterro de dona Judite.

Quem seria mais fiel guardião do que aquele a quem o banqueiro livrara da cadeia, possibilitando uma carreira truncada de assassino protegido pela lei? Cobrara o favor, mandando chamá-lo à fazenda e estabelecendo os termos do serviço. Matar e morrer pelo filho, nora e netos. Ele não confiava em empresas de segurança, em motoristas contratados por agências, preferia as coisas à moda antiga. Lealdade. O salário era bom, a firma pagava um apartamento pequeno, mas confortável, perto da mansão do futuro patrão.

— E a carreira, doutor? Eu vou precisar pedir minha reforma.

— Besteira, moço. Você não tem carreira. Tem raiva demais para roubar, não sabe adular os chefes, não se aproxima dos colegas, bate e mata sem lucro. Eu mandei investigar.

Ele rira. O cinismo do outro radiografando o seu fracasso e cobrando a dívida provocara uma de suas poucas risadas sem humor.

Roubava, sim, o outro é que não sabia. Por raiva, sempre. Roubava quando encontrava um covarde maldoso que não pudesse matar. Roubava e gastava com as putas, com empregadas domésticas em folgas de fim de semana, e ele pagava a despesa, divertindo-se com o porre das meninas, comendo com ternura a que lhe interessasse mais no final da festa, ela bêbada e ele sóbrio, porque qualquer bebida o entristecia.

Roubava, como roubara do inglês que ele tornara a ver recentemente num sinal da avenida Rio Branco quando levava o patrão para o trabalho. Vontade de avançar o carro um pouquinho, tentar pelo menos quebrar as pernas do sujeito. Podia não ser o mesmo, gringos altos, magros e de cabelos vermelhos escorridos, com indefectíveis óculos escuros, eram comuns no Rio de Janeiro, assando as peles brancas ao sol.

Não esqueceria, porém, bom fisionomista como era, o canalha. Aquele estava vivo, roubado apenas. O roubo era sua revanche quando não podia matar. O cônsul, o delegado, as manchetes prováveis dando conta da morte impediram seu impulso e fúria. Fosse pai e padrasto na periferia, sádico de barraco ou de rua, matava e ainda dizia com todas as letras porque estava matando para o sujeito sofrer mais.

— O que você ganha com isso? — O irmão Sinval, que tinha horror a sangue, ficou horrorizado com a confidência. Era madrugada num botequim em Juiz de Fora, Felício lhe contara a última morte: um mendigo que estuprara a própria filha, de três anos no máximo, a mãe desesperada e bêbada correndo pelas ruas atrás de socorro, espancada ela também, com a criança nos braços.

— O que eu ganho? Ganho nada, só limpo a área de mais um filho da puta que não merece viver.

— Mas, Felício, só Deus pode matar — disse Sinval num tom magoado.

O irmão se tornara religioso, convivendo com os agregados de dona Judite na fazenda no interior, ignorante das tarefas e sujeiras que permitiram, na época, algum dinheiro para que estudasse e garantiram, afinal, que seguisse o caminho de pobre honesto. O emprego de comerciário, o casamento, o sustento da família pequena, sobrinhos com os olhos claros do tio nas feições meio de índio, meio de mulato.

Sinval parecia-se com a mãe, temeroso de enfrentar a vida, preferia o prejuízo à cobrança, o que ganhava mal dava para sobreviver. Felício ajudara a comprar a casa e os móveis, e, por ocasião do caso do inglês, dera dinheiro para uma televisão nova em troca de o irmão levar a mulher e os filhos do covarde até um lugar seguro, de onde eles pudessem continuar a fuga.

Deus podia matar e ele também. Bastava não deixar marcas, rastros, pistas. Por isso não matara o inglês. Não haveria defesa para ele, nem a mulher e os filhos conseguiriam escapar sem ajuda, se tivesse cedido à tentação de matar o gringo. Teria se fodido, avaliou depois, pois dr. Francisco não o salvaria de novo. Matar o padrasto solto depois da temporada insignificante na cadeia, voltando disposto a torturá-lo como torturara a mãe, uma precipitação inevitável. O banqueiro salvá-lo, um presente dos céus. Nunca mais o mesmo erro, por nada e por ninguém.

— Não é sempre que alguém está velando, seja lá quem for — murmurou para si mesmo Felício enquanto secava o cabelo crespo e curto com a toalha de banho, tarde da noite, antes de dormir. No dia em que avistara o gringo na avenida Rio Branco.

Dois meses antes da fronteira.

Thomas chegou da escola, arrastou a mochila até a sala e deitou, sem tirar o tênis, no sofá. Se Letícia visse, a reclamação era certa. Antes que a irmã chegasse, tomaria banho, lavaria as meias e a cueca. Do jeito que a mãe ensinara. E que Letícia exigia que ele fizesse. Não queria contrariá-la. Ela também andava triste, preocupada com ele porque não parava de fazer xixi na cama, dia sim, dia não, nem deixava de ter pesadelos. Agora quase todo dia ela precisava deitar um pouco a seu lado, segurar a sua mão para que ele conseguisse dormir.

Naquele dia a dor começara a ficar insuportável. Por causa das lembranças, das fitas, do ritual do gravador. Por causa das cartas que precisavam ser rasgadas depois de lidas, das fotos que não chegavam porque podiam ser prova do que eles estavam fazendo.

Antes era até engraçado. O mistério, a conspiração, a vontade enorme de viajar, conhecer outro país. Agora estava começando a ficar chato. Triste. Foi aí que aconteceu.

Cochilou assistindo a novela. Acordou e viu o menino. Quase da sua idade, sentado na poltrona.

— O que você está fazendo aqui?

— Vendo televisão e esperando você acordar.

— Será que deixei a porta aberta? — Thomas estava assustado. A porta era a principal recomendação da mãe e de Letícia. Se estivesse aberta, significava que ele havia falhado. Ladrões, tarados, intrometidos poderiam entrar. Algum adulto incapaz de entender os seus planos, projetos e sonhos. Suas mãos começaram a suar. Era o sinal do medo.

O menino sorriu. Um sorriso com o rosto inteiro. Sobrancelhas, olhos, bochechas, boca. Um sorriso tranquilizador.

— Que nada. A porta está trancadíssima. Quer ver?

O menino levantou, e Thomas foi atrás sabendo que o outro não mentia. Estava trancada mesmo. Na chave e no trinco. Do jeito que ele deixara ao entrar. Voltaram para a sala.

— Você sempre entra em casas trancadas e com grades na janela?

— Só quando me convidam.

— Sei. — Thomas ficou pensativo, examinando o menino. — Você não é um vampiro, é?

O menino riu. Dessa vez com o corpo inteiro.

— Claro que não.

— E o que você faz? Vai à escola, joga bola, vai ao cinema?

— Olho. Escuto. Às vezes converso. Com as pessoas que me enxergam.

A resposta era estranha. Thomas resistiu à vontade de esmiuçar o que ele dizia. Não gostava que o interrogassem. Não gostava de perguntar. Perguntas são perigosas. Era uma das recomendações da mãe. O menino podia não gostar também. Tentou um tom despreocupado.

— Faz tempo que eu não jogo bola e faz tempo que eu não converso com estranhos.

— Existem coisas piores do que não jogar bola ou não conversar.

— Como o quê, por exemplo?

— Você sabe.

Thomas ficou olhando para o menino, sentindo raiva, tanta raiva que chegava a enjoar. A raiva era um incêndio, podia sentir as labaredas lambendo por dentro. Era a raiva que sentia com as ordens da irmã ou quando algum garoto mais forte o provocava na escola. Ao mesmo tempo que sentia raiva, sabia que o outro estava certo. Pior do que não jogar bola ou ter que prestar atenção no ponto em que devia desligar o gravador era o cheiro de carne queimando. O barulho do cinto, quando errava o alvo, quebrando os enfeites dos móveis. A lembrança do pânico e dos gritos extinguiu a raiva e o enjoo passou.

— Vai dar tudo certo, você vai ver — consolou o menino.

— E se alguém descobrir? — Thomas escutou sua voz de bebê, não a do garoto de quase dez anos que ele era, mas a de um garotinho pequeno, dois ou três anos no máximo, quase gago de medo. A voz que poderia ter impedido a mãe de viajar, mas que ele trancara por dentro, porque o desejo de que a fuga desse certo era muito mais forte. — E se Letícia for atropelada voltando de noite pra casa? E se alguém estranhar eu não aparecer mais nas festas de aniversário?

— Você não precisa deixar de ir às festas de aniversário. Diz que sua mãe o deixou na portaria.

— E na volta?

— Combina com o pai de alguém pra trazer você.

— Eles vão achar esquisito.

— Besteira. Você se lembra do Roberto? Ele passava dias na casa dos outros, e a mãe dele nem telefonar telefonava.

O menino conhecia o Roberto, pelo menos a história dele. Thomas o olhou com respeito e mais curiosidade. Roberto, seu primeiro amigo, na primeira escola em que estudou, assim que chegaram ao Rio de Janeiro. Uma escola perto do outro apartamento. A que ele estudava agora era a terceira, o apartamento também. Cada um mais velho, menor, mais apertado. A mãe dizia que era mais seguro. Mudar sempre. Para apagar o rastro. Sumiam os rastros, mas as pessoas se perdiam deles. Não sabia se Roberto continuava passando dias na casa dos colegas enquanto os pais o esqueciam. Era um menino levado, muito alegre. Thomas tinha saudades do amigo.

— É diferente. — Sentia vontade de contestar o visitante. — O Roberto ficava na minha casa porque a mãe dele conhecia minha mãe, as duas se encontravam na saída da escola. Ela sabia onde ele estava, era só aparecer lá e pegá-lo.

— É verdade — concordou o menino. — Mas só você sabe que é diferente.

Thomas nunca pensara dessa forma a situação. Talvez o garoto estranho tivesse razão.

— Nós podíamos inventar que mamãe está trabalhando de noite. No mesmo hotel em que ela trabalhou antes de viajar. Todo mundo acha que ela ainda trabalha de telefonista. — Mas concluiu desanimado: — Mais uma mentira.

— Não pensa assim que é pior — disse o menino.

Barulho de chave. O sinal combinado para que ele abrisse o trinco depois de checar no olho mágico da porta. Letícia chegava do curso de inglês, ia estranhar o garoto ali, perguntar quem era. Era capaz de ficar em pânico. Não gostava de novidade. O menino precisava se esconder, rápido, enquanto ele preparava o espírito da irmã. Thomas se virou para preveni-lo. Não pôde. O menino havia sumido.

Noite quente para o outono em Santa Bárbara. A paisagem estrangeira, a solidão que no início lhe causava saudades, mas que agora a excitava. Deveria se sentir culpada pelas coisas não serem tão fáceis como prometera a Letícia e a Thomas. Mas eles estavam seguros, pensou Amanda, com aquela tranquilidade excitante que começava a sentir agora que estava solteira dos filhos. As fitas, se bem repetidas, durariam os seis meses, talvez mais. O dinheiro da escola e do aluguel, até o final do ano, estava no banco.

Ela conseguiria juntar o dinheiro que faltava. O plano ia dar certo. Tinha que dar. Era a única maneira de proteger as crianças. E a si mesma. Era esse o objetivo, por isso as crianças concordaram.

Solteira. Como da primeira vez que visitara os EUA, no intercâmbio. Antes do vestibular, da faculdade interrompida pela gravidez de Letícia, antes de Edgar, do casamento com a barriga aparecendo redonda no corpo magro, os dois felizes no cartório, o pai dela e os tios dele escandalizados com a barriga disfarçada pela bata florida. O pai tivera planos para ela, uma carreira que consolidasse sua aptidão para línguas, independência financeira, um casamento estável, mais tarde. Ela o desiludira, sabia, mesmo ele apreciando o genro, o seu jeito ajuizado de homem mais velho. O pai fora um homem ambicioso. E fracassado. Tinha consciência do fracasso, da pequenez do armarinho no bairro da Liberdade, que nunca se expandiria como se expandia o comércio dos japoneses ou coreanos. Por isso, investira na educação da única filha. Viagens, cursos, finalmente o intercâmbio.

A segunda família. Não era prudente procurá-los. Mark poderia ter entrado em contato antes dela. Era sempre um risco. Amanda conhecia o paradeiro dos "irmãos" americanos, para quem escrevera na época do nascimento de Letícia. Um morava em Nova Jersey; o outro, em Seattle.

Poderia mandar um cartão, telefonar para os pais deles, seus "pais" americanos, com quem não se comunicava há oito ou nove anos.

Mas existia o medo. E a sensação de liberdade, o sentimento de estar sozinha. Deveria se sentir assustada, mas não. Estava feliz. Dolores, a prima de Hernandez, trabalhava de dia, ela, à noite, se comunicavam por bilhetes, a solidão não lhe incomodava. Ficava feliz em chegar no apartamento minúsculo e frio e deitar sem precisar escutar os filhos, intervir nas conversas dos filhos.

Quando Maria Fernanda chegou à Coordenadoria de Ensino, já o encontrou sentado no banco de madeira no corredor. Ela se atrasara em casa numa das intermináveis discussões com a filha adolescente cujo objetivo imediato era abandonar a escola. Fernanda, porém, suspeitava que seu desejo maior era destruir o equilíbrio e o casamento dos pais.

As discussões seguiam um ritual que parecia automático e se fazia inevitável, a mãe não entendia por quê. Começavam sempre às 5h30, quando o marido chamava a filha. Às 6h45 ocorria uma trégua, quando o motorista tirava o carro da garagem para levá-la à escola. Recomeçavam como um tufão imprevisto quando ela reaparecia às oito de carona no ônibus cheio de pedreiros, faxineiras, seguranças que se amontoavam no esforço de chegar no horário certo nas mansões vizinhas.

A filha voltava triunfante, no momento preciso para atrasar a mãe e enfurecer o pai sentado na copa que dava para o jardim de inverno, lendo as páginas de economia dos jornais. O pai ficava insano com o que considerava cinismo da filha e omissão da mãe, e sua fúria crepitava até que — várias sacudidas na adolescente magra e rajadas de acusações contra a mãe relapsa depois — ele se retirava do campo de batalha rumo ao escritório, ao jogo dos negócios, às reuniões.

Invariavelmente, Fernanda ainda tentava, com a maquiagem escorrendo pelas lágrimas e pelo suor, colocar algum juízo na cabeça da teimosa e ingrata que não sabia o quanto a vida é dura. Não adiantava explicar, mas ela tentava, reafirmando como fora difícil para o pai chegar aonde havia chegado dando a elas tudo o que tinham. Inúteis admoestações, a tentativa valia pelo dever, apenas. Essa parte terminava também do mesmo jeito, a adolescente num frenesi de ódio contra a existência fútil e burguesa da família na qual tivera a infelicidade de nascer.

O atraso só não se transformava em desistência — naquele dia, como nos outros — porque as colegas de trabalho a esperavam no caminho. Uma na Barra, outra em São Conrado, outra na Praça do Jóquei. Não tinha sentido dirigir seu utilitário de luxo, sozinha, as lágrimas por companhia, até o Grajaú. Refez a pintura do rosto e partiu para ouvir das amigas os comentários sobre mais um entrevero familiar e as reclamações pelo atraso.

O desabafo e a comiseração das outras a reanimaram e, apesar do início de enxaqueca, o dia não parecia mais tão terrível quando entrou no corredor que levava ao seu gabinete e avistou o inglês na porta esperando.

— Quem é? — cochichou para a assistente Vera, que transmitia as novidades na sua costumeira excitação.

— Quem? Ah, aquele. É um senhor que veio de São Paulo para pedir ajuda a você, Fernandita. Uma história tão triste. A mulher sequestrou os filhos, e ele procura as crianças há quatro anos. Um desespero de fazer dó. Só agora descobriu uma pista e parece que eles moram na nossa região, talvez estejam matriculados numa das escolas da rede...

Vera foi cochichando pedaços do que ouvira, mais os acréscimos que intuíra ou inventara, Fernanda nunca sabia ao certo. Vera era imaginativa, sempre via romance em qualquer coisa que envolvesse homens, louca por eles, apesar de não entender como funcionavam. As desilusões amorosas a levavam a beber demais e jogavam as amigas numa roda-viva de consolo e recriminações. Quase como as brigas da filha com Maria Fernanda.

O homem se levantou educado quando Fernanda se aproximou, e ela teve a oportunidade de observar a magreza musculosa nas calças jeans e na camisa social cáqui bem passada, enrolada nos braços, combinando cinto, sapatos e pasta marrom. "Um homem atraente, rabo de cavalo discreto, não chega a ser branco em excesso", pensou com um olhar de apreciadora.

— Professora Fernanda, o cônsul recomendou que a procurasse, eu preciso muito de sua ajuda. — Quase não tinha sotaque, devia viver no Brasil há muitos anos, mas era estrangeiro, com certeza.

Não foi difícil para Maria Fernanda localizar no sistema o aluno a respeito do qual o inglês queria informações. Havia mesmo estudado no distrito educacional dirigido por ela. A mãe pedira a transferência, no final do ano, para outro bairro, era o que ela podia informar no momento.

— Qual o bairro e qual a escola? A senhora tem o último endereço deles aí? — O tom endurecera, tornara-se mais excitado, quase triunfante.

Fernanda fechou a pasta do ano a respeito do qual o homem atraente perguntara. Já não lhe parecia tão charmoso. O tom de voz lembrou-lhe o marido, comandando anexações de territórios financeiros, e a filha adolescente armando o cerco e aniquilamento do seu equilíbrio dia após dia dentro de casa. Tão parecida com o pai, por isso as brigas. A semelhança da voz desencadeara a desconfiança e fez com que se lembrasse — antes tarde do que nunca, pensou — da necessidade de procedimentos legais para obter as informações que ele queria.

— Tenho a escola que ofereceu vaga, mas ele pode não ter ido para lá. No entanto, esses dados são confidenciais, o senhor tem que trazer uma autorização judicial. O aluno é menor, a responsável é a mãe... Sinto muito.

— Mas eu sou o pai, tenho provas — reagiu magoado, de novo a voz mansa. Se ela não tivesse reconhecido o tom de mando que detestava, ele a teria convencido.

— Então é fácil o senhor conseguir um ofício do Juizado de Menores pedindo as informações. — Ela se levantou encerrando a entrevista. — Quando o senhor tiver os papéis, entre em contato com minha assistente que eu ajudo no que puder.

— Eu vou providenciar o que for preciso. Faço qualquer coisa para rever meu filho.

Depois que ele saiu, Fernanda ainda pensou em prevenir Vera sobre a estranha impressão que lhe causara o inglês, mas um telefonema a impediu. A filha saíra de moto com um namorado que o pai detestava. O marido de Fernanda, avisado pela empregada, acusava, aos berros, a ela e ao seu maldito emprego de funcionária pública pelo descalabro na educação da menina. Ela custou no telefone, tentando acalmá-lo, e quando saiu não viu sinal do inglês ou de Vera. Voltou para casa sem perceber que, num bar do outro lado da rua, os dois conversavam. Bem próximos um do outro, Mark contava para uma mulher compreensiva sua desdita.

THOMAS INSISTIRA TANTO QUE ACABOU por convencer a irmã a deixá-lo ir a uma festa de aniversário. "Eu peço para o pai de algum amigo me trazer. Deixa, Letícia!", implorara.

Há muito tempo ele não se divertia tanto. A festa foi no playground de um prédio de classe média no Flamengo e o aniversariante exigira da mãe a contratação de um DJ que tocasse música dançante a noite inteira. Não que Thomas fizesse questão de dançar, mas era engraçado observar as menininhas de dez, 12 anos, executando as complicadas coreografias que assistiam na televisão ou numa ou noutra matinê nas discotecas que frequentavam.

Não foi difícil mentir. "Minha mãe está trabalhando num hotel à noite como telefonista, me deixou na portaria", explicou para o colega. O menino prometeu lhe arranjar uma carona na volta e Thomas passou a se dedicar a correr pelo salão e a comer todos os salgadinhos e brigadeiros que conseguia.

O amigo invisível estimulara a sua ida. Invisível para os outros. Era ele que garantia, com as conversas vespertinas, a nova tranquilidade de Thomas. Aparecia quase todas as tardes, quando a irmã não estava, e eles ficavam juntos assistindo televisão, o outro menino morrendo de rir com os filmes dublados. Era muito crítico o amigo, mas criticava de um jeito suave, não era uma crítica malvada como a do pai de quem eles fugiam.

Ele lembrava, de uma forma confusa, que a crítica tensa do pai era prenúncio de que, a qualquer momento, o teto desabaria sobre suas cabeças. Era confusa a lembrança porque ele não sabia se suas recordações eram suas ou se ele as imaginava a partir das lembranças da mãe ou da irmã.

As reclamações da irmã eram tensas também, mas não violentas. Letícia acreditava que, a qualquer pequeno erro que cometessem, um prejuízo tremendo se abateria sobre todos. Calculando mil vezes cada palavra ou atitude. E cobrando, de si mesma e do irmão, que os erros não fossem repetidos. Falar com estranhos, confiar em estranhos e fazer confidências a estranhos estavam entre os erros mais graves.

Thomas, às vezes, sentia os olhos se encherem de lágrimas quando lembrava que estava traindo a irmã não contando sobre o amigo que o visitava na sua ausência e sumia misteriosamente quando ela aparecia.

Seguro. Pela primeira vez, desde que a mãe viajara escondido, ele se sentia seguro. Não se sentia mais um bebê amedrontado ou alguém a quem a irmã obrigava a pensar como se fosse mais velho. A festa estava boa demais, amanhã sentiria a barriga doer de tanto doce, mas isso não tinha importância.

Amanda andava rápido para não sentir frio no caminho até o centro de Montecito. Naquela manhã, não teria a carona de Hernandez. Implicância de Angelina, talvez. A governanta estava há dois meses tolerando o fato de a baby-sitter não ter, ainda, dado entrada num carro.

— A pé de novo? Nós não combinamos que você compraria um carro logo? Seu período de experiência já passou.

— Eu precisei mandar dinheiro para meu filho colocar um aparelho nos dentes — mentiu Amanda.

Em geral, a governanta acabava liberando o motorista para pegá-la à tardinha no posto de gasolina. O sentimento de urgência em trazer os filhos fazia com que Amanda aguentasse a pressão de Angelina e as longas caminhadas até a mansão para não gastar nem mesmo com uma bicicleta nova, já que deixara a outra em Los Angeles, a comprada na rua. Por isso voltava a pé, naquela manhã, depois das duas horas passeando em Mesa com Caroline e John-John.

O motorista Hernandez, a mãe loura e ciumenta, a baby-sitter brasileira e o bebê. Amanda suspeitava que Angelina era responsável pelo arranjo, porque não precisava de tantos acompanhantes.

O bebê nunca ficava sozinho com a mãe, e Caroline não saía sozinha de casa também. Sempre alguém a acompanhava, a maioria das vezes o motorista. Era uma vigilância discreta, mas o carro era uma forma de controle. E a baby-sitter outra.

— Por que eles me pagam para andar para cima e para baixo com a mãe e o bebê? Já não têm o motorista para ajudar em algum imprevisto? — disse em voz alta a si mesma, no caminho de volta para casa, um hábito que lhe acometia quando se via sozinha assim. O que era frequente.

Falar sozinha sobre a vida dos outros era melhor do que pensar em Mark e na ameaça que ele representava enquanto não tirasse os filhos do Brasil.

Não se perdoaria jamais pelo fascínio que um dia lhe despertara o pai de Thomas. Como imaginar que o homem gentil, magro e tímido acabaria por se transformar num demônio cheio de maldade e impaciência? Muitas vezes, incontáveis vezes, consolara a si mesma repetindo não existirem indícios de que o professor de inglês que recitava Burns fosse alguém capaz de quebrar toda a louça por achar que a temperatura do café não estava adequada.

Numa mesma noite, charmoso, suave, criando clima romântico e, de súbito, chutando-a possesso, torcendo seus braços, ameaçando enforcá-la com o cinto, por algum comentário inocente que lhe desagradasse. O pior é que, por muito tempo, continuara sentindo prazer com ele. Isso a enchia de culpa. E vergonha.

Um prazer muito maior do que sentira com Edgar, o pai de Letícia. A filha arregalava os olhos sérios aos cinco anos para as manchas roxas nos braços da mãe. Nunca perguntava o porquê. Só olhava o padrasto com os olhos ciumentos e desconfiados, por mais que ele a tratasse com ternura, lhe trouxesse bichinhos de pelúcia, caramelos importados ou tentasse lhe ensinar inglês, quando sua personalidade afável estava no comando. Porque eram duas pessoas convivendo dentro de Mark. O anjo e a besta. Letícia não acreditava no anjo, só enxergava a besta, muito antes de começar a assistir aos acessos contra a louça, contra Amanda, contra Thomas.

Amanda se envergonhava de lembrar como a filha chegara a despertar-lhe um sentimento desagradável, na época. Como se os olhos acusadores e, ao mesmo tempo, temerosos fossem responsáveis por trazer à tona o monstro submerso. Custou a entender que ela não chamava o monstro, ela o percebia antes de todos, talvez por repulsa instintiva à podridão que existia nele.

Depois que Thomas nasceu, desconfiança e ciúme se transformaram em ódio.

— Eu devia ter poupado minha filha de odiá-lo.

Amanda sabia que não adiantava chorar sobre o leite derramado. Sorte sua que Angelina confiava nela, apesar de perceber que estava ali como ilegal.

— Também, trabalho calada, sem reclamar, a qualquer hora do dia ou da noite.

Ela estava incorporada à casa, temporariamente, a cubana fez questão de frisar. Duas horas pela manhã e oito horas à noite. Para que o bebê não incomodasse Caroline e o marido.

Era preciso aceitar o preço, o desconforto, a mistura de desdém e autoritarismo de Angelina. Ela comandava todos na casa, inclusive os patrões. A avó do menininho moreno aparecia de vez em quando maquiada às dez da manhã, com um passo cuidadoso que Amanda desconfiava ser fruto de uísque matinal. Devia ter sido uma mulher bonita, loura como a filha, os olhos meio esticados, pareciam falsos. O genro passava o dia fora; quando chegava à noite encontrava a mulher e a sogra esperando na sala, conversando amenidades, enquanto Angelina colocava o jantar. Tudo cronometrado, organizado nos mínimos detalhes, como se o menor deslize pudesse comprometer o quadro.

Amanda pensava nos filhos e pensava também em homens, de novo. Cada vez mais.

Pensava em Mark. Levara quatro anos para começar a reunir forças para fugir dele.

"Você adora se fazer de vítima das circunstâncias", costumava dizer Mark depois de espancá-la. "Provoca a tempestade e reclama da chuva." Ela chegou a acreditar na crítica dele, chegou a acreditar, durante algum tempo, que Letícia machucava o neném. "Ela belisca o meu filho, essa menina precisa de um psiquiatra." Mark tentava agredir a enteada e o fato de Amanda impedir só fazia com que sua fúria eclodisse nas madrugadas quando acordava ressentido pela defesa que ela fazia da filha.

Amanda preferia pensar que Letícia sentia ciúmes do irmão, e Mark sentia ciúmes de Letícia. Ela devia administrar aquilo como mãe e mulher, uma pessoa adulta equidistante. Um dia, porém, percebera que o menino de três anos perdia chumaços de cabelos e ficava hirto e suado quando o pai chegava perto, e que procurava por Letícia como um cachorrinho cego procura o animal mais forte da ninhada para se firmar.

— Vou levar Thomas ao dermatologista. Não é normal uma criança perder cabelo nessa idade — comentou num almoço de domingo, olhando diretamente para Mark.

Ele a encarou, mas dessa vez ela manteve o olhar, torcendo por dentro para que ele dissesse algo que dirimisse sua desconfiança.

— O dermatologista vai besuntar ele de cremes, vai incomodar o garoto. Acho melhor esperar um pouco.

Nunca mais apareceram buracos no cabelo de Thomas depois daquela conversa, mas a contração muscular do menino quando o pai chegava do trabalho e o colocava no colo continuou.

Amanda sentia vontade de picar em pedacinhos a própria carne ao se lembrar de sua covardia. Precisou presenciar Mark surrando as duas crianças para decidir fugir dele. A falta fora mínima, uma travessura boba, tinta derramada sobre um poema no qual ele vinha trabalhando há algum tempo, caligrafia caprichosa no papel pautado. Por conta disso, descera o cinto sobre as pernas dos dois irmãos, do jeito frio e sistemático que costumava fazer com ela.

Se Thomas ao menos ficasse quieto como Letícia, chorando em silêncio, o olhar parado de rancor, teria sido menos ruim. Mas ele corria pela sala, fugindo do cinto e gritando, e Mark acabou por quebrar os enfeites que trouxera da Irlanda quando a serviço do Exército inglês. Ele adorava os enfeites com uma ternura de amante; cada um deles tinha uma história, confessara no início do casamento, "um dia eu conto". Acabara por contar, uma a uma, quando a possuía depois das surras. E eram histórias terríveis, inacreditáveis, que ela atribuía às neuroses de guerra, num esforço de justificá-lo.

O elefante de porcelana foi tomado, depois do estupro, de uma adolescente bengali em Londres. A bruxinha colorida pertencera a uma prostituta irlandesa a quem ele marcara os seios a canivete. A mulher se suicidara depois, atirando-se ao mar, do alto de uma falésia. Uma covarde, sem responsabilidade com o filho pequeno, ele contava.

Thomas, com as tentativas de fuga, havia provocado a destruição dos seus troféus de guerra. Imperdoável, justificava ele aos gritos com seus olhos alucinados.

Naquele dia, as crianças se tornaram um alvo militar para sua fúria. E ela, outro, por tentar defendê-las. No final, ficaram os três agachados no chão, a menina de 12 anos, o garoto de cinco e a mulher de trinta sendo chibatados até que o braço dele se cansasse e ele se atirasse no sofá suando e murmurando consigo mesmo: *"I'm sorry, I'm sorry."*

À noite, ele os levou para jantar fora num restaurante italiano e caro. Inteligente e encantador, contou piadas que as crianças saudavam com um sorriso tenso. Durante a madrugada, depois de terem feito um amor sensual e terno como nos primeiros tempos do casamento, Amanda planejou a fuga.

A partir desse dia, dizia que ia ao supermercado e ficava numa praça distante de casa examinando os classificados do Rio de Janeiro, escolhendo lugar para morar, com um mapa da cidade no colo, tentando se familiarizar com o traçado do balneário. Pesando as possibilidades de emprego. Na ocasião em que ele viajou para uma conferência de literatura em Minas, ela foi ao Rio de avião com o dinheiro que roubara das despesas da casa. Não podia arriscar, temia que ele voltasse, temia que telefonasse ou que descobrisse sua ausência falando com as crianças.

Foi e alugou um apartamento pequeno, sombrio e mobiliado num edifício de muitos andares, próximo ao metrô da Praça Saens Peña. Foi fácil porque ela havia ensaiado muito as saídas, o pagamento da fiança, o atestado de viuvez, a pequena e mentirosa história da tia de Ribeirão Preto que estava fazendo tratamento no Instituto do Câncer e que ela precisava acompanhar. O edifício lhe pareceu habitado por dezenas de moradores tristes e anônimos como ela, e isso de certa forma era um consolo.

Uma semana antes da data marcada para a partida, Mark, que estava calmo nos últimos meses como se ocupado em apagar da família as lembranças dos maus-tratos, chegou em casa e não a encontrou. Amanda se atrasara percorrendo as joalherias em troca da melhor oferta pelas joias que herdara da avó, uma mulher decidida que nunca entendera, em vida, o conformismo do filho, pai de Amanda. A avó, provavelmente, entenderia menos ainda a neta suportar um homem com tal temperamento durante seis anos.

Mark perguntou a Letícia pela mãe, com o jeito bem-humorado que vinha usando com a menina para reconquistá-la. Ela não sabia, apesar de já ter percebido que alguma coisa relacionada com o fim daquele pesadelo estava sendo preparada.

Por desconfiança ou por tédio de estar mantendo há tanto tempo sob controle a fera, ele insistiu num crescendo de irritação, a pergunta se transformando em interrogatório cheio de armadilhas, ameaças e súplicas. Quando Amanda abriu a porta de casa encontrou as duas crianças amarradas em cadeiras e Mark queimando as pernas e os braços de Thomas com o cigarro e perguntando para Letícia se agora ela iria confessar onde a mãe se escondera. Poderia tê-lo matado naquela hora. Deveria. Recuara, no entanto, em silêncio, correndo até a esquina e chamando o guarda que comandava o trânsito.

Os vinte minutos de espera pela radiopatrulha chamada pelo guarda foram os mais culpados que vivera. Letícia a vira na porta e ela tinha certeza de que a filha sentira-se abandonada, imaginando que a mãe havia deixado ela e o irmão nas mãos do monstro que substituíra o pai. "Ele pode ter interrompido o suplício, pode lançar a culpa em Letícia, pode já ter desamarrado as crianças, pode tê-las matado." Amanda se desesperava enquanto o socorro não vinha, o guarda constrangido tentava consolá-la:

— Calma, minha senhora, tudo se ajeita, vai ver que seu marido bebeu um pouco além da conta. Isto é mais comum do que a senhora pensa.

O sargento da Polícia Militar que atendeu a ocorrência era de outro tipo, escutou a história dela em silêncio, entrou na sala com a arma engatilhada e surpreendeu Mark queimando o filho entre uma tragada e a insistente pergunta a Letícia.

— Quietinho, filho da puta — ordenou o sargento num tom que Amanda não sabia se era maldoso ou prenúncio de perigo.

— Antenor — disse para o soldado que o acompanhava —, desamarra as crianças e leva pra fora, pede a ambulância, logo, anda, palerma.

Ele socou Mark com golpes rápidos nos rins e no saco, prevenindo as possíveis marcas denunciadoras, imune aos argumentos de "Sou um cidadão britânico, o consulado vai processar você... Seu macaco analfabeto... Você está em minha casa, isto é invasão de domicílio... Pare que eu lhe dou dinheiro, tenho dólares, muitos dólares".

A surra parou antes de a ambulância chegar. O sargento arrastou Mark sem cinto, segurando-o pelo cós da calça e os vizinhos desviavam os olhos do homem alto e choroso e do menino queimado abraçado pela mãe e pela irmã, esta também com sinais de queimadura e nós de corda nos braços e nas pernas. Depois de algemar o inglês e jogá-lo no carro, o sargento, Felício era o nome gravado na farda, chamou Amanda dentro de casa.

— A senhora vai registrar queixa contra este canalha? — perguntou de cara amarrada.

— Vou, é claro.

— Não vai adiantar nada, ele fica, no máximo, 24 horas preso, por causa do flagrante, volta e faz tudo de novo. A senhora sabe onde ele esconde os dólares? — Nem sabia que existiam dólares na casa, o marido entregava o dinheiro da despesa semanal e conferia as notas do mercado.

— O dinheiro existe, posso apostar, e a senhora tem que sair de perto desse sujeito, rápido. Eu vou mandar um vagabundo dar uma revista na casa. O dinheiro que ele achar, a senhora entrega uma parte pelo serviço e pega o restante e desaparece com as crianças. Não tem outra solução.

Longas e humilhantes horas esperando o exame de corpo de delito com as crianças, registrando queixa, convenceram-na de que o sargento tinha razão. Mark representando a vítima humilde de traumas de guerra com a colaboração do cônsul que apresentava ao delegado a ficha dele no Exército, registro de ferimentos variados, no combate ao terrorismo irlandês, condecorações em serviço. No meio do depoimento do marido, na parte em que ele inventava suspeitas de ciúmes, má-criações da enteada, o sargento moreno e magro que espancara o inglês com tanto gosto e cuidado apareceu na porta com seus claros olhos zangados e fez um sinal para ela.

— Cinco mil dólares. É o resultado da busca na sua casa. Escondidos atrás de um tijolo solto no jardim dos fundos. Eu estou largando o plantão agora, mil dólares pelo serviço e deixo a senhora e as crianças perto da divisa para pegarem um ônibus para outro estado. O delegado não vai liberar o elemento hoje, dá tempo de vocês fugirem antes de o advogado conseguir soltá-lo.

Cinismo ou solidariedade? Ela não sabia, mas aceitou o pacto. A pretexto de um mal-estar que acabou por constranger o delegado e o cônsul, ela voltou para casa de táxi e pediu ao motorista que esperasse enquanto amontoava as roupas nas malas. O táxi a deixou com as crianças e as malas na porta de uma escola, alguns quarteirões depois da casa, diante da qual, o sargento Felício os esperava dentro de um carro.

Na divisa entre São Paulo e o estado do Rio, ele pediu que esperassem numa lanchonete de beira de estrada e meia hora depois apareceu com um sujeito cuja semelhança física indicava parentesco.

— Ele vai levar vocês até a próxima rodoviária. Não se preocupe, já acertei o pagamento.

Na hora da despedida, Letícia fez a pergunta que a mãe não havia tido coragem de formular durante a viagem no fusca abarrotado pelas malas.

— Por que o senhor está ajudando a gente?

O policial pareceu espantado com a curiosidade da menina, enquanto o irmão dele, o segundo motorista, desviava o olhar.

— Eu conheci uma família, há muitos anos, parecida com a de vocês.

— E a mãe também chamou a polícia?

— Chamou, mas não adiantou nada.

— E o que aconteceu? — insistiu a menina.

— O padrasto matou a mãe, quando saiu da delegacia, as crianças tiveram que se virar sozinhas. Agora chega de perguntas, entrem no carro que vocês precisam sumir no mapa antes de ele ser solto.

O carro começava a andar quando Letícia gritou:

— Seu guarda! — Ela chamava qualquer policial de guarda, naquela época, por causa do trânsito. — E o pai não pagou pelo crime?

Ele voltou-se para o carro, a expressão carregada:

— Não era pai, menina, era padrasto. Pegou uma pena leve, o advogado disse que a mãe traía o marido, maltratava os filhos, um monte de mentiras. Cinco anos depois, quando saiu da cadeia, um desconhecido acertou seis tiros nele. Agora anda e esquece o que se passou.

Amanda relembrava o episódio, no ônibus a caminho do Transit Center. Seu plano era comprar alguma coisa no mercado para comer, colocar uma carta que escrevera na véspera para os filhos no correio. Num impulso, acrescentou um pós-escrito na carta para Letícia, dando o nome do sargento e o quartel onde ele servia, há quatro anos, na época da fuga.

Voltando a pé do correio em Pico Boulevard para o apartamento que dividia com Dolores, arrependia-se da lembrança. Letícia ficaria inquieta, suspeitando de algum inexistente perigo.

Mark não tinha como achá-los depois de tanto tempo, não sabia por que resolvera oferecer à filha aquela pista.

A lembrança do sargento e sua raiva fria, e o pós-escrito com o nome dele estragaram a sensação física de estar livre, a efervescência que sentia ao respirar a atmosfera estrangeira. Estragaram também a excitação com que executava as tarefas simples de cuidado com o bebê, sempre tranquilo perto dela. Começar a ter medo do que pudesse acontecer com os filhos certamente a deixaria sonolenta e desanimada de novo, como nos primeiros dias em que chegara aos Estados Unidos. Não podia se permitir isso.

LETÍCIA DESCEU DO ÔNIBUS JÁ ARREPENDIDA. Recusara o convite de Catarina para irem buscá-la em casa. Uma das recomendações da mãe foi que não andasse de carro com colegas dirigindo. Aliás, a recomendação havia sido a de não sair com colegas à noite, de jeito nenhum. "Vai ser por pouco tempo, dois ou três meses no máximo. Quando nós estivermos juntos, você vai poder se divertir bastante com os amigos novos da *high school*. Se nós conseguirmos uma casa perto, você pode estudar numa escola que existe na Anapapu Street, uma rua de casas lindas, parecem casinhas de cinema, você vai adorar", escrevera Amanda.

Quatro meses haviam se passado do embarque da mãe e dois meses da mudança dela para Santa Bárbara. Além das cartas semanais, da escola e das tarefas, não existia nenhuma perspectiva de amigos novos. Nenhuma mudança.

A não ser as mudanças com Thomas. Ele a convencera a aceitar a "corte" de Gustavo.

— Que maneira mais esquisita de falar. Onde foi que você aprendeu esta palavra? — Despenteara o cabelo vermelho do irmão, rindo surpresa com o que ele dissera quando Gustavo ligou pela quarta vez.

— Num livro na biblioteca da escola. Sério, Letty, acho a maior bobagem você ficar em casa todo sábado, todo domingo. — O menino falava com convicção e sem a ansiedade que tanto a preocupara nos primeiros meses depois da viagem de Amanda.

— É muito arriscado. Os vizinhos podem achar estranho, devem estar achando estranho, inclusive você estar sempre por aí jogando bola, indo à biblioteca à tarde, sozinho, sem a mãe.

— Bobagem. Todo mundo anda sem mãe na minha idade. E todo mundo sai com os amigos na sua. Estranho é você não atender as ligações do Gustavo, recusar todos os convites para cinema, festas, viver enfurnada dentro de casa.

— Ninguém sabe que eu vivo enfurnada. Só você. Eu até comento na escola os passeios e festas que vou nos finais de semana. Lembra que mamãe recomendou que a gente tivesse sempre uma história normal para contar? Por falar nisso, enfurnada é outra palavra estranha. Com quem você anda aprendendo a falar desse jeito?

O irmão riu e a deixou sem resposta. A consequência da conversa e da insistência dele no assunto é que ela, finalmente, aceitou assistir a um show na praia com os colegas da escola. A mãe a deixaria lá, inventara. Na volta, ela daria um jeito de sair sem que percebessem. Um jeito de se perder deles e voltar de ônibus para não ter de trair completamente as recomendações maternas.

Omitia nas cartas as mudanças de comportamento do irmão. "Thomas está bem, corado, tranquilo." Isso não era mentira. O menino melhorava a olhos vistos. Talvez por causa das partidas de futebol na quadra perto de casa. Talvez pelas festas a que ia de vez em quando. Perdera o ar amedrontado. Apesar disso, ela o surpreendia, às vezes, sorrindo ou movendo os lábios como se conversasse com alguém em silêncio. Isso a assustava um pouco. Não queria, porém, transferir para a mãe suas preocupações.

Com a distância, o sentimento de proteção que a acompanhava desde pequena em relação a Amanda aumentava. Imaginava Amanda triste, saudosa, trabalhando e vivendo entre estranhos. Não era justo preocupá-la. Não contaria também do show na praia, nem do irmão deixado sozinho em casa. Ela ficaria decepcionada, zangada mesmo, se soubesse que Letícia falhara, que permitira que Thomas corresse riscos.

Amanda andava mais exigente do que nunca quanto a poupar Thomas. Os americanos são muito cuidadosos com as crianças. Tudo o que para a gente é normal, bater, gritar, deixar crianças com menos de 12 anos sozinhas em casa, aqui é considerado abuso infantil, contava. Nos Estados Unidos isso já seria motivo suficiente para Amanda perder a guarda do filho. O fato de a irmã mais velha ignorar suas recomendações e ir a um show na praia em Copacabana, deixando o irmão trancado em casa, no Catete, na frente da televisão, a deixaria louca de preocupação.

Letícia tomou uma das transversais à praia, prometendo a si mesma que não faria mais isso. Não tinha sentido seguir os conselhos do caçula. Ainda mais um caçula que movia os lábios, conversando com ele mesmo.

O GAROTO RUIVO ESTAVA SENTADO NO ALTO da trave do gol e era quase inacreditável que as outras crianças não o percebessem. Ele tinha um jeito leve de ficar com o corpo todo parado, só os olhos e a boca se mexendo, devia ser por isso que era invisível a todos, menos a Thomas.

Sem Nome. Era assim que Thomas se referia ao menino, dentro de sua cabeça. Aquele que aparece sem ser chamado, inesperado, mas reconfortador. Naquele momento, o amigo torcia por ele, sentado em cima do gol, e aquela torcida que os outros eram incapazes de ouvir o animava a concentrar-se na bola e não nas olheiras da irmã no dia seguinte ao show.

Letícia chegara tarde, ele estava dormindo, não ouvira a chave na porta, acordara apenas com o barulho do vômito no banheiro. O menino estava lá, ao lado dela, segurando-lhe a cabeça daquele jeito que, de tão leve, não dava para sentir. Thomas viu a irmã levantar como se estivesse tonta, como quem luta para manter o corpo na linha e consegue a muito custo, e foi nesse momento que reparou nas olheiras. Súbitas, escuras, como se ela acabasse de acordar de uma noite mal dormida. O amigo era invisível mesmo, pois estava guiando Letícia para fora do banheiro e era como se não existisse para ela. Ele fez um sinal para que Thomas não falasse nada e foi andando na frente, meio que carregando sua irmã até o quarto, o que era outra coisa espantosa, porque Letícia era maior do que o garoto. Thomas o ajudou a tirar os sapatos da irmã que, a esta altura, começara a chorar em silêncio, um choro horrível, porque todo mundo sabe que choro funciona melhor com barulho, mas o dela era fechado, para dentro, só se viam as lágrimas. Os dois cobriram Letícia e o menino sem nome ficou alisando sua testa até ela dormir.

Ele tentou conversar com a irmã no domingo, mas ela passou o dia trancada no quarto, e — pela primeira vez desde que a mãe se fora — ele fez um arroz meio duro e uma carne moída salgada demais para os dois. Letícia comeu um pouco, sem nem ao menos reclamar de ele ter usado o fogão, mexido com fósforo, corrido o risco de incendiar a casa.

O amigo invisível não deu o ar de sua graça, e a televisão foi sua única companhia o dia inteiro. A televisão e também a raiva que começou a crescer, de início medrosa, sondando o ambiente, depois mais forte, misturada com o sentimento de traição.

Pela primeira vez na vida, ele sentia raiva da mãe, e sabia que isso era uma traição monstruosa, porque a mãe não tinha culpa de ele ser filho de alguém que gostava de arrancar cabelos de menino ou que ameaçava estrangular uma menina que nem filha dele era. A mãe e Letícia eram vítimas do demônio ruivo que lhe coubera como pai, e o melhor que Thomas podia fazer, ele tinha certeza disso o tempo todo, era cuidar delas, alegrá-las, não dar o menor motivo para elas se arrependerem de não o terem deixado com Mark, na fuga.

Podiam ter se esquecido dele, mas não o fizeram, e dava vontade de chorar de gratidão por isso. Ao mesmo tempo, começava a pensar que não era certo a irmã vomitar sozinha, no banheiro, tendo apenas um menino invisível para apoiá-la e outro, ele, o irmão, para ajudar a tirar seus sapatos e fazer um almoço horroroso. A culpa e a raiva brigaram dentro dele por todo o domingo, até que finalmente adormeceu no sofá da sala.

A segunda-feira trouxe de volta a Letícia de sempre, mandona, obrigando-o a se levantar, tomar banho frio e ir para a escola. Trouxe também o amigo, empoleirado acima do gol, estimulando-o a se concentrar na vitória do time, e Thomas sentiu tal alegria em revê-lo que a raiva de ter sido deixado de lado na véspera quase se desvaneceu.

Tentou dizer isso ao Sem Nome na volta para o vestiário do colégio, mas ele mostrou com as mãos os outros garotos, disse "depois" e sumiu de novo.

— Você não precisa falar em voz alta para me responder — tornou a explicar pacientemente o menino quando reapareceu. — Basta você pensar que eu escuto.

— Mas eu gosto de falar — reagiu Thomas mal-humorado. — Você é a única pessoa a quem posso falar tudo. Quem manda você aparecer nas horas mais impróprias, com gente por perto? Você apareceu no jogo, voltou a aparecer no vestiário e agora na calçada. Ontem, quando eu precisava conversar com alguém em casa, você sumiu.

Uma velha cruzou com eles e meneou a cabeça, lançando um olhar desconfiado a Thomas.

— Eu não disse? — insistiu o menino. — As pessoas acham estranho ouvir você conversando comigo na rua. Elas não podem me ver.

— E daí que elas achem estranho? — rebelou-se Thomas, tomando o cuidado, pela primeira vez, de fazê-lo em pensamento. — A coisa mais estranha do mundo é a vida que a gente está levando. Sem mãe, fingindo o tempo todo, e a Letícia vomitando e muda.

— Vou repetir mais uma vez — impacientou-se o outro. — Existem coisas piores do que isso. Existe seu pai, para começo de conversa.

Covardia. Thomas teve vontade de gritar no meio da rua. Era covardia do amigo jogar na cara dele que o monstro era seu pai. O demônio das aulas de catecismo. Como é que ele faria a primeira comunhão com a mãe escondida nos Estados Unidos e o monstro, quem sabe, rondando por perto? Letícia falsificara a assinatura da mãe na autorização para as aulas. Depois de muita insistência dele.

— Eu devia te dar um soco por estar me lembrando daquele cara. Eu não quero pensar nele.

— Primeiro, você não pode me dar soco. É um dos privilégios de ser invisível. Segundo, é você que pensa nele o tempo todo. É você que pensa, que se preocupa antes que as coisas aconteçam.

— Você fala como um velho — respondeu Thomas, sentindo as labaredas da raiva e o início de enjoo que as acompanhava. — Você fica dando força para eu jogar bola, ir a festas, fazer primeira comunhão, mas aconteceu alguma coisa horrível com Letícia no sábado só porque ela desobedeceu minha mãe.

— Não foi porque ela desobedeceu que foi horrível. E eu sou velho mesmo, muito, você não imagina quanto — respondeu o menino antes de sumir dando uma de suas risadas.

"Ele ri", pensou Thomas frustrado, "ri porque não é ele quem fica sem entender o que está acontecendo. Mas se ri é porque vai voltar e explicar por que Letícia está estranha."

Novembro estava chegando; mais um pouco e as aulas acabariam, e ela não sabia o que fazer com as férias. Não sabia também como lidar com a escola. Fazer de conta que nada tinha mudado. Ignorar Gustavo e seu rosto bonito. Fácil imaginar os comentários de comiseração das colegas, caso soubessem. Catarina, por exemplo, diria: "Puxa, nunca imaginei que Letícia fosse tão ingênua e não soubesse beber. Como é que ela deu mole desse jeito para o Gustavo?"

Letícia ia para a escola todos os dias e cumprimentava o rapaz como se a bebedeira dos dois nunca tivesse existido na madrugada depois do show na praia. Nem a bebida nem as mordidas e as mãos brutas no carro depois. Ele agira como se tivesse certeza de que ela gostava de ser machucada. Como se para ela fosse uma honra ser tratada com a rispidez quase de um estupro. Não sabia onde havia conseguido forças para convencê-lo a levá-la até perto de casa, o carro correndo mais do que seria aconselhável, conduzido por um motorista bêbado.

A mãe prometia mandar o dinheiro das passagens antes do Natal, se tudo corresse bem. O condicional é que metia medo. As fitas acabariam, as matrículas não seriam renovadas, os vizinhos achariam estranho duas crianças sozinhas nas festas de fim de ano.

"Se tudo correr bem... De qualquer forma, mando o endereço do sargento que nos ajudou a fugir, você lembra? Para o caso de vocês precisarem."

Letícia serve o almoço do irmão, sábado ensolarado. Thomas sorrindo como se ouvisse alguma coisa engraçada. A dúvida persistente, por que a mãe mandara o endereço? O policial nem saberia mais quem eram eles. Uma mulher apavorada e duas crianças. Em sua lembrança, ele era um cara meio zangado, moreno, cicatriz embranquecida do lado esquerdo do rosto, que dirigia em silêncio um fusca velho. Quantos anos teria? Parecia mais velho do que a mãe, mas Letícia tinha 12 anos na época da fuga, todos pareciam velhos, a começar por Mark.

— Thomas, você se lembra daquele sargento que ajudou a gente a fugir?

— Um soldado zangado que surrou meu pai? — O sorriso desapareceu, mas a voz não estava amedrontada como ela temia.

— Você se lembra disso?

— Claro que eu lembro. Primeiro do cheiro quando meu pai queimava a gente. Depois da fuga.

— Você acha que eu devia tentar localizá-lo? — Letícia não queria comentar com o irmão que ela sonhava com o cheiro, às vezes. — Telefonar só para saber onde ele está?

Thomas ficou com uma expressão aflita. Letícia sentiu-se uma bruxa por dividir a preocupação com o irmão tão pequeno, mas o rosto dele voltou ao normal rápido, quase o sorriso do início do almoço.

— Acho legal. Quem sabe a gente não tem uma boa notícia ligando para ele?

— Bobagem, Thomas. Como é que ele poderia nos dar uma boa notícia? Só nos viu uma vez na vida. Boas notícias para a gente só dos Estados Unidos. Mamãe dizendo que alugou uma casa, que comprou as passagens.

Ela sorriu para ele. Os passaportes com o visto de entrada já tinham sido providenciados, assim como a autorização para ele viajar com a assinatura de Mark falsificada por Amanda, pronta para ser levada ao Juizado de Menores quando tudo estivesse arranjado. Thomas sorriu de volta, pôs os talheres no prato — como a mãe ensinou: paralelos — e limpou os lábios com o guardanapo de papel, enquanto a irmã tirava a mesa, aliviada.

O amigo, o Sem Nome, aplaudira a ideia, seria bom encontrar um adulto que resolvesse coisas, por mais zangado que o adulto fosse, disse ele. Thomas não tinha tanta certeza.

Felício começava a preparar um sanduíche quando o telefone tocou. Ninguém conhecia o número, apenas o patrão e sua família, inclusive as crianças, a secretária do patrão e Sinval, o irmão. Era ele.

— Que mulher, Sinval? Não me lembro de nenhuma mulher casada com espancador. — Não tinha muita paciência com os rodeios e cuidados do irmão quando telefonava, como se ele fosse alguém potencialmente explosivo. Os cuidados redobraram depois das confidências sobre as mortes. Por isso evitava beber. Bebida o fazia abrir a guarda, acreditar que alguém podia entender os seus motivos. O pior é que a consciência dos cuidados e do medo do irmão o deixava irritado de verdade.

— Há quatro anos? Ah, aquela mulher apavorada e os filhinhos, lembro, o que é que tem?

Quando desligou o telefone, o apetite havia desaparecido. O inglês, dias antes visto de relance na Rio Branco, devia ser o mesmo. Por isso o recado agora. Estação Afonso Pena do metrô, de segunda a sexta, de 12h40 às 13 horas. Recado idiota. Letícia, não era esse o nome da mulher, pelo que se lembrava. Pensava que era alguma coisa começada com A. O que poderia ela querer?

Sinval vinha tentando falar com ele há dois dias, era improvável que conseguisse atravessar a cidade, naquele horário. A mulher não deixara telefone e endereço, devia ser medo do inglês, sabia que ele estava por perto, só podia ser medo, tanto cuidado e mistério. Ou talvez tivesse voltado para o marido.

— Algumas mulheres gostam de homens assim, por mais que eles batam — resmungou para si mesmo, fazendo a barba na manhã seguinte. Dormira mal à noite, sonhando com dois meninos ruivos correndo atrás dele numa rua escura, os meninos apareciam e sumiam, um brincando o tempo todo, o outro com expressão fechada, quase arrastado pelo mais risonho.

No espelho o seu rosto também tinha a expressão fechada, a cicatriz fina da infância, do malar esquerdo até o queixo, bainha de facão. A mãe ainda vivera com o sujeito por mais oito anos depois daquela marca.

— Não dá para entender as mulheres. — Dava o nó na gravata, com mau humor, detestava os ternos comprados pela secretária do patrão, uma magra, alta e formal que, de vez em quando, surpreendia avaliando-o com um olhar de desejo que desmentia a pose. Pegara a mania de falar sozinho, nos anos de quartel, nas vagas em pensões vagabundas, no hábito de evitar confidências.

— Se eu desse alguma chance, era bem capaz de ela dar confiança para o moreno aqui. Mas não sou besta de cair em rede onde o patrão já deve ter deitado. Confusão na certa.

Fez a cama rápido, lavou a xícara do café, à noite passaria a vassoura no apartamento, se chegasse cedo por milagre. Tentaria ir ao encontro da tal Letícia, pelo menos por curiosidade.

Subiu as escadas do metrô na sexta, o último dia previsto no recado que a mulher deixara com Sinval, o primeiro em que o patrão o dispensara por algumas horas, almoço e reunião de diretoria, não precisaria dele antes das três. Havia deixado o carro na garagem do banco, e às 12h35 estava do lado de fora da estação, olhando a calçada e a praça, conferindo as mulheres que passavam e as sentadas por ali, e nenhuma era como a que ajudara a fugir quatro anos atrás. Esperou por dez minutos, arrependido de ter ido, e já se preparava para ir embora quando uma adolescente morena, de cabelos pretos abaixo do ombro e pernas compridas, levantou-se do banco onde estava sentada e veio em sua direção. Ele não lhe dera atenção na vistoria inicial, registrara as pernas, bonitas, mas ela não havia despertado nele maior interesse.

"De pé, era mais apetitosa, a potranca", pensou, "parece tímida, meio tensa, mas é bem gostosinha." Num exame mais atento reparou que o pescoço sustentava a cabeça erguida com dificuldade, como se ela preferisse andar olhando para o chão. Jeito de quem se esconde. A minissaia mais comportada do que as da filha do patrão. A blusa justa marcava os seios redondos, peitos de cabra, como diziam os moleques na adolescência de Felício. Ele apreciava a beleza do conjunto já esquecido da irritação e tomou um susto quando a jovem, que ele esperava ver passar direto, parou sem graça ao seu lado:

— O senhor é o sargento Felício, não é? Eu fiquei em dúvida por causa do terno. — Por causa do olhar dele, poderia ter dito também; ele parecia mais novo, quase um rapaz apreciando uma garota bonita, era um olhar quente que não combinava com o PM que ela conheceu em criança. O olhar sumira, de repente, talvez nem tivesse existido, porque agora ele a encarava sério e espantado.

— E você, quem é? De onde me conhece?

— Eu sou Letícia, sargento, filha de Amanda. O senhor salvou minha mãe, e também a mim e meu irmão, em São Paulo, não lembra? Nos salvou do meu padrasto.

"A garotinha assustada que me fez perguntas na hora de sair do carro e eu aqui a comendo com os olhos..."

— Você mudou muito, cresceu à beça. — O esbarrão de um transeunte o decidiu. — Vamos sentar em algum lugar para conversar um pouco. Eu pensei que sua mãe viesse me encontrar, não você.

— Ela não pôde vir, mas para mim é muito importante conversar com o senhor. Acho ótimo a gente sentar um pouco, se não for lhe atrapalhar.

Os dois saíram andando pela Mariz e Barros, ele pelo lado de fora da calçada, velho hábito de não "vender" a mulher, mesmo que se tratasse de uma garotinha como aquela. Felício tocou no seu cotovelo para atravessar a rua, e ela aceitou sem constrangimento, como se ele não fosse um desconhecido.

— Faz tempo que o senhor deixou São Paulo? — Letícia olhou para ele ao fazer a pergunta, da mesma forma direta que o interrogara sobre o auxílio na época da fuga.

— Três anos, vai fazer mês que vem.

— E não trabalha mais na PM? Eu lembro que lhe chamei de guarda, não foi? Eu era tão criança. — Ela sorriu com a recordação.

— Deixei a corporação. — Ele não pretendia encompridar a resposta, mas estavam parados no sinal da São Francisco Xavier e a expectativa dela era tão clara que ele não resistiu. — Trabalho como segurança particular agora.

— É mais ou menos perigoso?

Ele considerou a pergunta enquanto olhava em torno tentando achar um restaurante discreto.

— Muito menos para algumas coisas, muito mais para outras. É como a diferença entre andar de carro e de avião.

— Não entendi.

— Deixa eu encontrar um lugar que preste para a gente almoçar que eu explico.

— Posso dar uma sugestão? No próximo quarteirão tem um lugarzinho bem simpático, eu nunca comi lá, mas parece bom. — Ao olhar interrogativo dele, explicou: — Nós já moramos aqui perto, assim que viemos para o Rio.

— Então é nesse que a gente vai. A essa hora, eu já estou morto de fome.

Sentados, ela curiosa, ele constrangido, Felício hesitou antes de retornar à pergunta sobre o perigo.

— Eu não costumo conversar sobre essas coisas, mas vamos lá: como PM é fácil dar de cara com bandido toda hora, mas a chance de levar a melhor ou não se machucar muito é maior. Como segurança particular, eu não encontro com facilidade ladrõezinhos ou torturadores como seu pai, mas posso dar de cara com bandidos bem preparados a qualquer momento e sobrar mesmo. Carro é igual, as chances de bater são grandes, mas o bom motorista não morre fácil.

— Sargento Felício, só uma coisa: Mark não é meu pai. Ele é marido da minha mãe, é pai do meu irmão, mas pelo menos nisso eu tenho sorte. Ele não tem nada a ver comigo.

— Desculpe, eu devia ter percebido antes pela cor dos cabelos. Vamos pedir?

Ela recusou comida, mas aceitou um sorvete enquanto ele devorava um filé com fritas no pequeno restaurante. Durante o almoço ele fez perguntas rápidas para se situar. Para ela fora uma surpresa boa localizar Sinval através do telefone do quartel e saber que o sargento estava no Rio. Eles estavam bem, tinham refeito a vida, entraram em contato com ele só para agradecer pelo que tinha feito no passado. Ela acabou o pequeno discurso bem-educado enquanto o garçom trazia o café.

— Você está mentindo para mim. Por quê? — Até então ele só escutara. A garota Letícia estava escondendo alguma coisa, percebera logo, a tensão cada vez maior, a dificuldade de olhar no rosto, concentrada no sorvete, as mãos brancas, de quem não vai à praia, tremendo um pouco.

— Eu estou com medo. — Dessa vez ela olhou para ele e parecia mais velha, olhar de mulher pedindo colo, apavorada. — Eu tenho a sensação de que algo terrível está chegando perto de mim e do meu irmão e que não vai dar para fugir.

— A sua mãe voltou a viver com o seu padrasto? Você está com medo por isso?

A partir daí Letícia foi de um abandono no interrogatório que o deixou chocado. Como um torturado cansado de apanhar, ansioso em encontrar algum consolo em confidências para a pessoa errada, aliviado em falar até mais do que o solicitado.

A história da mãe trabalhando nos Estados Unidos e dos filhos sozinhos em casa com um gravador sendo acionado para garantir a farsa foi contada em voz baixa, com uma ponta de orgulho, o gravador era ideia dela, para viabilizar o sonho da mãe de fazer a vida num país estrangeiro.

Ele pensou, mas não disse, que o padrasto tomaria com a maior facilidade o filho de volta a partir daquela maluquice e que ela seria entregue a uma instituição de menores em dois tempos por ser órfã de pai e filha de uma irresponsável. A situação era muito pior do que ele pensava. Tudo indicava que a mãe era do tipo de procurar sempre a trilha mais sinuosa para resolver as coisas, nada de caminhos diretos.

Uma mulher que pensasse em linha reta arranjaria um emprego, outro marido, daria um tiro no patife e alegaria legítima defesa.

A mãe da garota, não. Emigrar como ilegal. Deixar duas crianças sozinhas. Crianças, não. Uma mulher muito jovem e um menino. Isso complicava a situação. Quase seis meses desde a partida da mãe. Era um tempo longo para não ter aparecido encrencas para o lado dela, Letícia. Ele, com certeza, não era o único a achar a pele branca desejável. Afastou a ideia, tentando decidir se contava ou não ter visto o padrasto no Centro da cidade.

— Você nunca conversou com outro adulto sobre essa história? Professor, médico, vizinho, namorado? Alguém que tenha ficado amigo de vocês aqui no Rio?

— Nós nunca tivemos amigos aqui ou em São Paulo. Lá, porque meu padrasto morria de ciúmes de minha mãe. Aqui, ela tinha medo. A gente morava cada ano num lugar diferente, trocava de escola. Por isso eu conheço esse bairro. E mais uns três. Bairros, escolas, colegas. Nada fixo. Existe uma irmã do meu pai em Belo Horizonte, ela não se dá com a minha mãe, nunca nos procurou. Minha mãe tem primas em Ribeirão Preto, não sei o que foi feito delas.

Ela parou um instante e confessou com um sorriso:

— Eu não sou muito de fazer amigos. Eu não sei bem o que conversar com gente da minha idade e tenho medo de adultos.

— Você não parece ter medo de mim — rebateu ele desconfiado.

— O senhor é diferente. Já me viu sendo surrada, me salvou daquele monstro. Posso confiar, não posso, sargento?

— Eu não sou mais sargento. Acho melhor você me chamar de Felício. Tenho um pouco mais do dobro da sua idade, mas você não precisa me lembrar disso toda hora me chamando de senhor.

— Combinado. — Ela estendeu a mão sobre a taça com restos de sorvete, e ele a apertou sentindo como era magra e um pouco úmida. Letícia o olhou divertida, ficava mais bonita quando abandonava a expressão ansiosa. — Meu pai faria 45 anos em março se fosse vivo.

— Eu faço 34 em dezembro. Bem perto.

A menina o fazia relaxar a guarda, era estranho o efeito. Talvez pela valentia de estar cuidando do irmão, como ele cuidara um dia do dele. Decidiu não contar sobre o padrasto. Podia ser outra pessoa; ele só vira Mark uma vez, podia estar enganado. Não adiantava amedrontá-la ainda mais.

— Sua mãe precisa voltar. Vocês não podem continuar sozinhos. Na escola vão perceber, mais cedo ou mais tarde.

— Ela não pode voltar. Vai mandar o dinheiro, eu vou comprar as passagens, viajar com Thomas para encontrar ela — rebateu Letícia confiante. Agora que contara tudo para ele, a situação não parecia tão grave.

— As fitas duram até quando?

— Um mês, talvez. A gente pode repetir, é claro. Vai parecer bobagem, mas eu estou mais preocupada com uma história de primeira comunhão, que Thomas inventou, do que com as fitas. Não tive coragem de impedir meu irmão de fazer isso, mas qual é a desculpa que nós vamos dar para a ausência de minha mãe?

— Ela pode estar doente. — Felício afastou com um gesto a própria sugestão. — Não vai dar certo. É esquisito mesmo vocês na igreja sozinhos.

Ele se lembrou de sua primeira comunhão. Sinval, mais novo, os dois bem acima da idade dos outros meninos do grupo escolar. A mãe fizera questão da cerimônia, passara noites costurando para os filhos participarem. Na semana seguinte começara o inferno, a surra mais violenta, a queixa na delegacia, a primeira e última, o assassinato dela. Não devia estar se metendo com aqueles garotos, com Letícia principalmente, mas sentiu pena do irmão dela tentando manter a normalidade no ritual. Como a mãe dele.

— Eu vou pensar um pouco nessa situação toda. — A visão do gringo de cabelos vermelhos passou de novo na sua frente. — E vou deixar meus telefones com você. O do trabalho e o de casa. Para alguma emergência. O mais certo é você escrever para sua mãe, hoje, imediatamente, e pedir que ela volte.

— Eu não posso fazer isso com ela. Você não conhece minha mãe. Ela não resistiria.

Ele pensou que ela é que não resistiria ser separada do irmão e ser mandada para uma instituição de menores.

— Sua mãe gosta de vocês. E é mãe, o lugar dela é aqui. — A expressão teimosa de Letícia o dissuadiu de insistir. — E a escola, vocês gostam?

Ela vacilou, foi uma hesitação rápida, mas ele percebeu que ali também existia alguma coisa errada.

— É razoável. Uma escola pequena, comum. De segunda linha. É a primeira escola particular que a gente frequenta. Ninguém sabe da nossa história, minha mãe inventou que Thomas estudava em casa, com ela. Eu, desde que a gente chegou aqui, estudo em bairro diferente de onde a gente mora. Para não deixar pistas, mamãe diz. Este ano, ela resolveu que deveríamos ficar juntos. Eu estudo num turno, Thomas no outro. Está paga até dezembro.

— Sei. Os colegas são legais com vocês? Os namorados?

Fizera a pergunta de propósito, mas mesmo assim o olhar amedrontado dela o impressionou.

— Não existe namorado. Nem colegas. Thomas tem alguns, vai a festas, achei que não fazia mal...

Ela não chorou como temia, ficou quieta esperando ele pagar a conta e o garçom trazer a nota fiscal.

— Vamos, eu tenho que pegar um táxi, deixo você perto de casa. Você tem um papel para eu anotar os telefones?

Ela estendeu a capa do caderno quieta enquanto ele escrevia.

— Não precisa me dar carona. Vai sair do seu caminho. — Ela recusou a oferta, de novo parecendo a criança séria que ele salvara um dia.

— Não faz mal me tirar do caminho. Eu prefiro assim — respondeu ele.

Thomas desceu cauteloso as escadas. Ninguém na portaria. O Sem Nome o acompanhava, andando rápido na frente enquanto Thomas espiava indeciso. No sol ainda quente do fim de tarde, as sardas do menino pareciam ferrugem.

— Letícia vai ficar furiosa comigo se chegar e não me encontrar em casa. Você e suas ideias! — Thomas começou em pensamento. Sabia que estava sendo injusto com o amigo, porque ele é que tinha se queixado do calor sufocante no apartamento fechado.

— "Letícia vai ficar furiosa comigo" — remedou o menino sardento, gritando alegre pela rua, sem que os passantes ao menos virassem para olhar. — Letícia, a medrosa, vai chegar tarde hoje.

— Por quê? A aula de inglês termina às cinco, está quase na hora de sair do curso. E você não devia zombar assim da minha irmã.

Thomas tinha que andar rápido para acompanhar o Sem Nome, que fez uma de suas piruetas em frente de um velho mendigo bêbado que fugiu assustado. Ele fazia isso às vezes, quando andavam na rua. Pulava na frente das pessoas, dava cambalhotas, assanhava os cabelos das moças, cutucava a barriga dos muito gordos. Thomas, no início, morria de medo e vergonha, depois acostumou com a invisibilidade do amigo. Em algumas ocasiões, porém, ele era visto: cachorros, gatos e mendigos velhos pareciam enxergá-lo e se assustavam.

— Eu não estou zombando de Letícia. — Sem Nome retomou a conversa, despreocupado. — Ela é que é medrosa demais.

Uma velha com um *poodle* no colo passou por eles, e o cachorrinho começou a latir enraivado, tentando avançar para o lado do menino invisível. A mulher olhou desconfiada para Thomas e se adiantou para a rua, driblando um carro cujo motorista buzinou furioso.

— Por que você fica provocando os cachorros na rua? — admoestou Thomas. — As pessoas ficam achando que sou eu que estou mexendo com os bichos.

— Cachorro mais bobo. E a mulher mais ainda. Raspar a barriga do bicho, carregar no colo, esse pessoal não tem o que fazer. Você viu que mau humor? Eu só fiz uma careta.

— Ela podia ter sido atropelada, saiu quase correndo na frente dos carros.

— Que atropelada, nada. Quem mandou atravessar com o sinal aberto? Bem feito, tomou um susto.

A pracinha ficava a uns três quarteirões do apartamento, e Thomas não conhecia as crianças que brincavam ali. Sentou num banco, ao lado de uma mulher grávida que acompanhava com os olhos um menininho no escorrega.

Sem Nome subiu no escorrega e esperou pacientemente que o garotinho descesse.

— Por que você não sobe aqui? Vem brincar com esse menininho, que daqui a pouco essa grávida aí do teu lado abre a bolsa e te dá um chocolate.

— Como você sabe que ela tem chocolate?

— Eu sei tanta coisa. É a vantagem de ser velho — cantarolou o menino descendo de braços abertos.

— Se você sabe o que vai acontecer, como o chocolate e o atraso, podia contar para mim — sugeriu Thomas descendo com mais cuidado do que o outro que já corria para subir a escada de novo.

— Para quê? — Sem Nome espantou-se do alto enquanto Thomas escolhia as palavras.

— Se a gente soubesse tudo o que vai acontecer... sei lá, podia fazer alguma coisa antes. Como é que se diz? Podia evitar.

— Eu disse que sei das coisas. Algumas. — Deu um olhar ranzinza para Thomas, esperando de pé na escada, e admitiu: — Está bem, sei um bocado. Mas eu não disse que sou mágico para mudar as coisas.

Sem Nome sentou preparando-se para escorregar e com uma careta de impaciência explicou:

— Lembra a bruxinha de porcelana que estava na estante da sala, em São Paulo? Eu sabia que um dia o inglês maluco que a roubou ia perder o controle sobre ela. Não sabia que você é que ia correr para cima da estante e fazer com que ele a quebrasse com o cinto. Por que você não brinca e para de fazer perguntas idiotas?

O menino não gostava de ficar parado conversando, e Thomas, apesar de detestar o disfarce de falar em pensamento o tempo todo, sabia que não adiantava contrariá-lo. Eram tantas as perguntas que ele gostaria de fazer. Não sabia que o menino estava presente há tanto tempo. Tinha esquecido aquela história. Lembrava agora do pai resmungando "minha bruxinha irlandesa, seu menino malvado, espatifou minha bruxinha irlandesa". Era a primeira vez que o menino se referia a Mark como inglês maluco de forma tão irritada e desdenhosa, e Thomas queria perguntar mais, sobre a maluquice, inclusive. Mas o Sem Nome partira para o balanço onde a grávida empurrava o garotinho e, abraçado nas cordas, balançava também. Sem que ninguém percebesse sua presença. Só Thomas.

Trinta dias antes da fronteira.

L̲ETÍCIA TIROU O DINHEIRO DO CAIXA ELETRÔNICO com o cartão da poupança. O saldo minguava, mas ainda tinha o bastante para as aulas de inglês, um mês no máximo. E isso no curso mais barato que a mãe tinha encontrado, com 50% de desconto. Ela pegou o dinheiro, colocou no fundo da bolsa e foi andando pela Nossa Senhora de Copacabana, com o sono que lhe atingia à tarde, uma vontade de parar de fazer coisas, um cansaço de preencher formulários com as diferenças entre *Past Simple* e *Present Perfect*. Dormir era tudo o que ela queria.

A vitrine de uma lanchonete reluzia de coxinhas de galinha, camarão empanado, rissoles que ela sabia recheados com palmito e azeitona preta. Não tinha sentido parar e lanchar, desinteirar o dinheiro do curso com salgadinhos quando ela e o irmão só podiam comer misto-quente, em casa, de 15 em 15 dias. Fez as contas mentalmente: dois salgadinhos, dos mais caros, camarão com catupiry, mais um refrigerante correspondiam ao pouco de presunto e de queijo para a cota de sanduíches.

"Mas eu preciso fazer alguma coisa boa, comer alguma coisa gostosa ou então dormir, não suporto mais essa história, desde que mamãe viajou é só chatice." Ela sentiu as lágrimas e enxugou rápido os olhos; ainda bem que não conhecia ninguém por ali. A menos que algum colega do cursinho passasse e a visse namorando a estufa de salgadinhos como um cachorro na frente de uma máquina de assar frango. A comparação mental a fez sorrir e se afastar mais animada.

Do lado do prédio onde assistia às aulas, uma loja que nunca tinha chamado sua atenção a fez parar de novo. Manequins sem braços e com metade das pernas apenas exibiam sutiãs e calcinhas, malha de algodão, lycra e renda. Um conjunto preto, minúsculo, lhe pareceu desconfortável e quase ridículo, mas um outro, meia-taça combinando com a calcinha, de cor rosa quase goiaba, parecia perfeito, bonito, sexy, bom para usar e mostrar.

"Para quem, idiota?", perguntou a si mesma, ficando triste de imediato. Olhando para a roupa como havia olhado para os salgadinhos, recriminou-se por mais um pensamento perdulário. Não havia dinheiro. Para lanches fora de casa e para roupa de baixo nova, não havia dinheiro. Só para comida, aluguel, escola e curso de inglês para eles emigrarem. Um dia.

"Mas eu já sei bastante inglês e nem sei se um dia essa história de emigrar vai dar certo", rebelou-se Letícia, sentindo as orelhas arderem por estar duvidando do sonho que a mãe acalentava. O conjunto rosa era mais tentador do que qualquer coisa. Custava quase um mês de curso. "Dá para fazer um monte de coisas com essa grana", pensou num humor que era bem raro no pensamento dela.

Ela hesitou um pouco, e ficou olhando para as manequins e para as pessoas que por ali passavam indiferentes a uma adolescente morena que elas não podiam saber que usava roupas totalmente inadequadas por baixo do jeans e da camiseta. Já estava atrasada para a aula, mas mesmo assim entrou e pediu, tímida, à balconista que lhe mostrasse o conjunto da vitrine.

— Qual deles? — perguntou a moça.
— O rosa goiaba. Número quarenta, por favor.

Gustavo estava encostado na cantina quando ela desceu para o recreio. A cabeça doía desde a hora que acordara. Letícia sabia que enquanto não resolvesse o problema da primeira comunhão de Thomas o mal-estar não passaria, era um lembrete de que eles estavam se aproximando cada vez mais do perigo de serem descobertos. Andou para o outro lado do pátio, não trouxera lanche e depois da loucura que fizera na véspera, realmente não podia gastar dinheiro. Não com as reservas no banco se esgotando. Não queria também dar pretexto a Gustavo para puxar conversa. Ele tinha sempre um olhar malicioso em direção a ela, às vezes fazia um comentário em voz baixa com algum colega que o acompanhava — ele não andava sozinho, tinha amigos, ao contrário dela —, e Letícia sentia o rosto arder, porque sempre que o via com os colegas imaginava o que ele dizia para os outros a seu respeito: "Essa garota me deu o maior mole naquele sábado na praia. Precisava ver como ficou doidona, mais um pouco e..."

Ou então ele poderia estar comentando coisa pior. Poderia inventar a seu respeito. Quem sabe ele a chamasse de piranha na roda. Piranha pelo desfalecimento com que se entregara à violência do rapaz. O mesmo desfalecimento com que se entregava às fantasias debaixo do chuveiro, ela num conjunto azul-rei que vira um dia no shopping, recatado e ao mesmo tempo sexy, sendo despida, num elevador, por um homem grande e desconhecido. Ou num *body* branco rendado, sendo assediada por vários rapazes bronzeados e bem-vestidos, no corredor escuro de um prédio de luxo, onde subitamente faltasse luz. Mas agora ela tinha a calcinha e o sutiã novos e ia usá-los com alguém especial. Alguém que merecesse, alguém...

Ela afastou os pensamentos infelizes e os excitantes dos quais se envergonhava e esperou duas meninas mais novas acabarem de dar risadinhas ao telefone público que ficava do outro lado do pátio para tentar novamente a ligação.

— Por favor, eu gostaria de falar com Felício. — A ligação estava péssima. Pelo canto do olho, ela viu Gustavo se aproximando. — Felício.

A voz do outro lado era fria e formal, perguntando quem desejava falar, antes de informar que ele não estava, que talvez não voltasse.

— Quer deixar recado? — perguntou a voz, como se ela estivesse atrapalhando com suas ligações insistentes; era a quinta ou sexta vez que ligava nos últimos dois dias.

— A senhora poderia dizer a ele que Letícia ligou? — Ela baixa o telefone rápido, depois do "pois não" entediado da outra. Gustavo está quase grudado nela, o sorriso zombeteiro, os colegas dele por perto.

— Você anda sumida, não foi à praia com a gente no sábado, precisa tomar sol, pegar uma corzinha... — fala, colocando a mão um pouco abaixo da cintura de Letícia e apertando de leve, com intimidade, enquanto um dos colegas dá uma risadinha.

— Gustavo, você quer fazer o favor de me soltar? — Até aos seus ouvidos, a frase soa como uma defesa pouco convincente. Podia imaginar a zombaria depois no banheiro masculino: "Parecia uma criança", diria um, "E criança retardada", riria outro, "Bobagem, retardada ou não, ela paga um boquete de primeira", diria Gustavo, se gabando. Mas isso seria mentira, porque ela conseguira resistir à sugestão. Ele não podia dizer que facilitara a esse ponto. Não tocara nele. Ele podia falar do que fizera com ela, mas isso não. Sentiu os olhos começarem a traí-la pelas lágrimas.

— Só solto se você prometer ir a uma festinha lá em casa sábado. — A mão dele apertou mais e escorregou um pouquinho mais para baixo.

— Sábado é a primeira comunhão do meu irmão e vou passar o dia com minha família. — Ela puxou o corpo, livrando-se dele, a zanga substituindo a humilhação. — Quando convida alguém para festas você precisa dessa plateia toda?

A voz saíra mais alta do que pretendia, um dos rapazes desviou o rosto, como se constrangido de súbito.

— A garotinha ficou brava! Volta aqui, vamos conversar...

Ela praticamente correu do pátio até a sala onde a aula de literatura já havia começado, e a professora interrompeu a matéria sobre Arcadismo numa censura ostensiva à sua entrada tardia e estabanada.

"Por que eu não tenho um ataque cardíaco agora e morro para não precisar explicar para a enxerida da Catarina o meu estado? Para não ter de enfrentar de novo o Gustavo e os colegas dele? Não ter que resolver cerimônias católicas e mentiras, ou correr atrás de um sujeito que eu mal conheço e de repente virou tábua de salvação. Por que eu não morro?"

A síncope salvadora não veio, como ela sabia que não viria, porque soluções rápidas nunca fizeram parte de sua vida. A dor era constante e sem saídas próximas desde que se conhecia por gente, próximo só o perigo. Do padrasto, de Gustavo, de Amanda ausente. Das consequências.

LETÍCIA CHEGOU EM CASA E ENCONTROU O IRMÃO vendo televisão no horário em que deveria estar na escola. Isso piorou seu humor.

— Thomas, que irresponsabilidade! Assistindo televisão a essa hora com as notas que você recebeu em matemática. Você não tem vergonha? — Letícia sentiu a exasperação tomar conta dela. De que adiantava o esforço se Thomas era um moleque mimado que fazia o que queria? — Eu e mamãe nos sacrificando e você fica em casa vendo televisão, matando aula...

— Mas Letty, quando eu comecei a fazer o dever de matemática fiquei com sono e acabei cochilando. Eu não podia ir para a escola sem o dever feito.

Ela estava recolhendo a roupa que ele deixara no chão, interrompeu para agarrar o irmão pelo braço, sacudindo-o:

— Ficou com sono? Você é um garoto enjoado, lava o rosto que o sono passa... — Ela parou enraivecida porque Thomas começou a chorar. — Não chora, idiota, parece um bebê.

— Você não é minha mãe, você não manda em mim.

Letícia largou o irmão, arrependida do rompante e quase chorando também.

— Eu sinto muito, Thomas, não queria falar assim com você, juro. Não sei o que está acontecendo comigo, por favor, diz que me desculpa. É essa coisa de primeira comunhão que você foi inventar...

— Eu não quero mais fazer primeira comunhão. Enchi — disse Thomas secando as lágrimas com as costas da mão. — Eu não quero mais saber de confusão.

— O quê?! Depois que eu mandei fazer a roupa branca, comprei pano, paguei a costureira? Você vai fazer sim.

— Não vou, não. — Thomas olhou Letícia com raiva, jogando o corpo para trás e para frente, como se estivesse numa cadeira de balanço. — Mamãe não está aqui, nós não podemos aparecer na igreja sozinhos. Você tem razão, não foi uma boa ideia. Eu sou mesmo um idiota, meu pai já dizia isso, lembra?

Letícia sentiu vontade de gritar que ele parasse com aquilo de balançar como um maluco ou um bebê de seis meses. A vontade era sacudi-lo de verdade pela acusação de que ela estava fazendo alguma coisa, qualquer coisa, como o pai dele. Lembrou a tempo, porém, que ele era apenas um garotinho sem saber como lidar com a situação. Ela deveria tomar conta dele direito, enquanto a mãe estava fora, mas havia começado a briga. Era sua a falta.

— Você não é um idiota e nós vamos dar um jeito, você vai ver só. — A voz de Letícia saiu áspera no esforço de não chorar. — Mas para de balançar desse jeito.

— Você promete que não vai me sacudir mais? — perguntou Thomas parando o balanço do corpo.

— Prometo.

— Jura?

— Juro. Agora vamos que eu vou levar você na escola.

— Mas eu não posso entrar atrasado e não fiz o dever, Letícia.

— Eu ajudo você a fazer o dever e explico para a professora que você estava doente, foi ao médico, por isso chegou atrasado. Vamos, pega o caderno que eu te ensino.

FELÍCIO ESTAVA NA PORTA DO COLÉGIO quando ela saiu, no dia seguinte. Com sua cara amarrada e a cicatriz branca que lhe chamara a atenção desde a primeira vez que se viram.

— Recebi seus recados. Eu só tenho 15 minutos. Aconteceu alguma coisa grave?

Ele sentou atrás do volante, impaciente como os professores quando ela chegava atrasada na aula. Mais um adulto impaciente, interessado em que ela não incomodasse seus esquemas. Pensou em deixá-lo e ir embora, seguindo em frente, não voltar para casa, andar sempre em linha reta, por toda a Terra, sem preocupar-se com Thomas, com o lanche da noite, com a mãe distante, com a excitação que lhe causava Gustavo, com as palavras da orientadora naquela manhã: "Tenho recebido queixas de vários professores a seu respeito. Dizem que você não tem prestado atenção às aulas, evita trabalhos em grupo, chega atrasada à primeira aula..."

Entrou no carro porque lhe ocorreu, numa ironia amarga, que, se andasse sempre em frente, voltaria para o mesmo lugar, sendo a Terra redonda, e Thomas ficaria sozinho, sem as refeições malfeitas por ela, sem a primeira comunhão. Não tinha direito ao orgulho, precisava da ajuda dos adultos mal-humorados, precisava pedir, convencer, apaziguar os impacientes. Para não ser descoberta. Era mais difícil do que imaginara no início.

— Desculpe eu ter ligado para o seu trabalho. Eu tentei ligar para sua casa, mas ninguém atendeu. — Não era um bom começo, humilde demais. Até aos seus ouvidos o que estava dizendo parecia uma lamúria chata. Tentou de novo. — A primeira comunhão de meu irmão é sábado, desde o dia em que conversei com você tento achar uma saída, mas como é que nós vamos chegar sozinhos na igreja?

Estava dito, ele pensasse o que quisesse. A quem mais ela poderia apelar para não decepcionar o irmão? Ao Serviço de Orientação Vocacional? "Eu chego atrasada porque às vezes tenho vontade de me afogar no chuveiro, porque não sei onde alugar mãe para fazer cena na igreja, para fazer de conta que nós somos uma família normal." A orientadora estenderia a mão para o telefone e ligaria para o Juizado de Menores.

Felício ligou o carro e dirigiu até a praia de Botafogo, examinando o problema em silêncio. Era uma covarde corajosa aquela menina. Pedir socorro a um desconhecido que encontrara três vezes na vida, contando com aquela. Se fosse corajosa por completo, abriria o jogo para os adultos em volta. Os professores, algum parente. Ou proibiria o irmão de criar mais problemas do que ela podia administrar. Se fosse covarde, teria impedido aos prantos a mãe de viajar. Dubiedade era uma coisa muito perigosa, ele sabia, mas ela, aparentemente, não.

— O que você quer que eu faça? — perguntou ríspido. — Eu não sei resolver esse tipo de coisa. Não tenho filhos, não sou parente para acompanhar vocês.

O que ele não disse, mas estava subentendido, é que Letícia estava abusando da boa vontade demonstrada um dia pelo ex-sargento. Ela se sentiu mais uma vez esbofeteada, a dor de cabeça apertando, mas não podia recuar.

— Eu pensei que talvez fosse possível arranjar alguém para fingir, para fazer de conta... — Ela deu uma olhada para a expressão zangada dele e concluiu depressa. — Para assumir o papel de minha mãe na igreja. Quase ninguém a conhece na escola. Nós começamos a estudar lá em março, ela viajou em junho, deve ter ido ao colégio duas ou três vezes.

O pedido de ajuda a um estranho era um ato de coragem, mas o absurdo da ideia era típico de gente que não enfrenta batalhas de cara, ele constatou para si mesmo, mais uma vez. "Mulherzinhas complicadas, essas duas." A mãe viajante e a filha de pernas compridas, sentada ao seu lado no carro do patrão. Felício fez o retorno, iria deixá-la próximo de casa, não podia se atrasar para buscar Cristiano. "Hoje vai ser rápido. Minha mulher disse que vem ao Centro almoçar comigo, e me mata se eu chegar depois dela", dissera o banqueiro rindo, antes de descer em frente ao prédio onde comia a loura.

— Letícia, deixa ver se entendi. Você está propondo que eu encontre uma mulher parecida com sua mãe e leve essa mulher na igreja, para que ninguém perceba que ela não está no Brasil? Não é mais fácil dizer que ela está doente, viajou para ir a um enterro, sumiu?

— Para que as pessoas comecem a tentar arranjar soluções legais? Entrem em contato com Mark e nos separem? Você imagina o que

Mark é capaz de fazer com Thomas, comigo, se ele descobrir onde estamos? Se descobrir que estamos sozinhos?

Ela ainda não estava chorando, apesar da voz tremendo, mas ia começar logo. E ele era perfeitamente capaz de imaginar o que aconteceria se Mark os encontrasse. Atendera a muitas ocorrências de pais ou parentes sádicos para ignorar o pânico de Letícia.

— E por que você não suspende a primeira comunhão? Inventa alguma coisa, diz que seu irmão está doente, com catapora, sei lá.

— A escola vai mandar alguém lá em casa. Vamos ser descobertos do mesmo jeito. — A menina agora estava derrotada, o pescoço caído, Felício se lembrou da mãe, sempre em pânico, debruçada sobre a máquina de costura, segurando as lágrimas. — Eu não devia ter deixado Thomas começar com essa história.

"Eu não devia ter deixado vocês assistirem às aulas de catecismo." A lembrança da autorrecriminação da vítima antiga fez com que ele se decidisse.

— Nada disso, você fez bem em deixar, o menino precisa de toda proteção que conseguir, tendo um pai desses. — Felício suspirou cansado. — Eu disse 15 minutos, já se passaram vinte. Vou te deixar na próxima esquina, me dá uns dias para tentar encontrar alguém. Eu ligo para sua casa até quinta. A comunhão não é sábado? Vamos tentar arranjar uma solução.

A expressão de alívio dela quando desceu do carro era tão intensa que ele quase sorriu. Deu uma espiada enquanto ela atravessava as pistas em direção ao Catete, mais uma vez espantado com o jeito que algumas pessoas conseguiam sobreviver a tantos riscos. Inclusive ele.

A IGREJA ESTAVA CHEIA, MENINAS DE VESTIDO BRANCO, meninos de calça comprida e camisa social. A coordenadora da cerimônia se impacientava, Thomas estava atrasado. A mãe viúva trabalhava demais, ela podia compreender sua ausência nas reuniões preparatórias, mas o atraso do menino comprometia o roteiro organizado com tanta antecedência. E se ele não viesse? Veio, pensou com alívio, ao vê-lo esbaforido entrando pela lateral da igreja com a irmã, uma mocinha séria que de vez em quando o trazia ao catecismo. A mesma menina que compareceu à reunião de pais com o padre Norberto para discutir o papel da família católica na Eucaristia.

— Minha mãe é telefonista num hotel em Copacabana, trabalha à noite, é impossível para ela comparecer à reunião, pediu que eu viesse — explicara com uma voz firme e contida, em desacordo com a idade.

— E seu pai? — A professora questionara a ausência, censurando interiormente a responsabilidade excessiva em ombros tão jovens.

— Meu pai morreu, minha mãe luta muito para nos criar sozinha — dissera Letícia, com a voz um pouco alterada, constrangida, até um pouco agressiva.

A professora aquiescera e tentara, no restante do período preparatório, dar mais atenção ao menino, culpada pela censura mental anterior. No momento, porém, sentia-se sem a menor paciência para suportar problemas de mães viúvas ou adolescentes tristes.

— Vocês quase põem tudo a perder. Isso são horas? — reclamou ríspida. — E a mãe de vocês, onde anda? Ela não trabalha às nove da manhã também, trabalha?

Os olhos de Thomas se encheram de lágrimas de imediato e a boca desceu nos cantos, como a boca desenhada de um palhaço prestes a fazer uma cena de choro.

— Minha mãe já está na igreja — respondeu Letícia também com aspereza. — Eu pensei que num dia como esse, as pessoas fossem mais gentis umas com as outras.

Ignorando a catequista, ela abraçou o irmão com força, secando com a mão uma lágrima que escapava incontrolável.

— Nós estamos lá dentro, querido. Vai dar tudo certo, você vai ver.

Thomas entrou pela porta principal fazendo par com uma menina gordinha que, nervosa, procurava os pais com os olhos inquietos. "Ainda bem que não sou eu a segurar a Bíblia", pensou ele, enxergando Letícia na ponta de um dos bancos, o homem moreno de olhos claros, o que espancara seu pai numa manhã distante, sentado junto dela, de terno e gravata, acompanhado de uma mulher magra, de cabelos curtos e pretos, a sósia que ele tinha procurado com afinco para substituir Amanda na cerimônia da primeira comunhão, contara Letícia orgulhosa.

"Mentiras e mais mentiras", gritara Thomas para a irmã quando os dois se arrumavam para a igreja. Por isso os dois se atrasaram.

Ele se sentiu em pecado mortal quando Letícia explicou a solução encontrada para a ausência da mãe. Não podiam inventar uma doença, um acidente, alguém da escola podia se sentir na obrigação de conferir. "Eu não vou mais a comunhão nenhuma, vocês estragaram tudo, como eu posso engolir a hóstia com um pecado desses na consciência?"

Pela primeira vez a raiva não queimava por dentro, ele a jogava para fora, em cima da irmã, independentemente de perceber que seus ombros caíam e as mãos ficavam trêmulas.

— Deixa de ser idiota. — Sem Nome surgiu atrás de Letícia, a voz, pela primeira vez também, brava. — Se existe algum pecado de mentira, ele não é seu. É do soldado e da mulher que vai fingir que é sua mãe. Eles tentando ajudar e você dando chilique como um bebezinho chorão. Ajeita logo essa camisa e para de amolar sua irmã, senão você vai estragar a festa de todo mundo.

Letícia não tinha condições de saber que a situação fora salva, mais uma vez, por um menino que ela não via. Ao gritar com a irmã, ao atirar a raiva em direção a ela, Thomas sentira medo de estar agindo como o monstro, o pai. Tentara explicar isso, em pensamento, ao amigo, nos dois quarteirões que percorreram, quase correndo, até a igreja, mas Sem Nome não o deixou concluir a ideia, andando daquele seu jeito leve e fácil, sempre na frente deles.

— Besteira. Se você começar a usar a semelhança com ele como pretexto todas as vezes que perder a cabeça ou ficar com medo, vai acabar se ferrando, como dizem vocês. Anda mais rápido que a solteirona que ensina a palavra de Deus já está a fim de comer teu fígado. Mal passado.

Felício, ladeado pelas duas mulheres, a menina de mãos úmidas e a puta que alugara para o papel de Amanda, sorriu para Thomas quando ele olhou para o banco. O menino lembrava Sinval. Louco para ser cuidado, para ter alguém resolvendo as coisas. "Fazendo o trabalho sujo", pensou.

O trabalho que Letícia fizera, uma semana antes, procurando-o, ligando insistentemente para sua casa até encontrá-lo. Convencendo-o a montar a farsa que garantiria as aparências. Para o irmão e para a mãe. Ela também era medrosa, Felício reconhecia os sintomas: o olhar que não encarava, as mãos que se torciam, as costas caídas enquanto pedia, insistia para que ele interferisse de alguma forma.

Levou três dias para achar a mulher, procurando nas noites, pelas ruas do Centro, pelos bares que costumava frequentar. A fotografia de Amanda na carteira, a história inventada: uma ex-amante a quem ele não podia negar nada, muito doida, estava doente, muito, uma doença horrorosa, não queria que os amigos dos filhos soubessem, estava pele e osso. Ele pagaria bem pela representação e pela tinta no cabelo, indispensável. Os dela eram louros, tingidos, a mulher engoliu a história, mas resistiu à pintura. "Preto envelhece", argumentara.

— Que nada, você fica gostosa de qualquer jeito — disse galante, sem o menor tesão.

— Qual é a doença da tal mulher? — perguntou ela desconfiada e avaliativa. Ele desconversara, deixando-a pensar que era AIDS. Não queria gastar duas vezes, bastava o que pagaria pela ida à igreja. As roupas escolhidas por Letícia eram perfeitas, roupas de mãe, essas ele não precisou pagar, mas a mulher cobrou os tubos pelo cabelo. Ela ficava melhor de preto, era verdade, mas ele não estava com disposição de comer ninguém no meio daquela confusão.

Letícia fizera questão de conhecer a mulher, para conferir a semelhança, apesar de Felício protestar. Como o protesto àquela altura era inútil, ele a levara tarde da noite no lugar onde a dona fazia ponto.

O início do encontro foi constrangedor, num botequim meio vazio, na Marquês de Pombal. Letícia, porém, tinha um jeito sério de mostrar interesse genuíno e, parece, conseguiu despertar o instinto maternal da mulher com seus comentários apaixonados a respeito de como Amanda se vestia, do seu tipo de corte de cabelo. Letícia falava quase com fervor, como se a mãe estivesse morta, de morte recente. As duas acabaram chorando um pouco, olhando as fotos que Letícia tinha trazido na bolsa. Na hora em que Felício se afastou para pagar as cervejas de uma e o refrigerante da outra, a mulher tomou a mão de Letícia e disse numa voz baixa e preocupada:

— Vou te dar um conselho, benzinho, só porque você tem idade para ser minha filha. Cuidado com esse "tio". Ele pode ser muito apaixonado por tua mãe, mas ela está doente, quem sabe está feia, não estou dizendo que está, mas essa doença é horrorosa, e você é uma gracinha, jovem demais para esse homem, e se ele coloca a mão em você, já viu...

Letícia ficou olhando espantada para ela, o rosto vermelho, um calor na barriga como o que sentia quando sonhava debaixo do chuveiro, sem saber como responder à inesperada especulação sobre Felício e sobre a doença "horrorosa" da mãe.

— Você está esquisita. A mulher te assustou? — A pergunta paternal irritou Letícia.

— Que doença horrorosa é essa que você inventou para minha mãe? A mulher estava morrendo de pena da gente.

— Eu não inventei nada — respondeu zangado. — Ela parece acreditar que é AIDS, é a pior doença que ela conhece, e eu deixei que pensasse. Não me meto nos pensamentos dos outros.

Ela ficou olhando para seu perfil, a cicatriz ficava do outro lado, não dava para ver. Sentiu remorso do comentário abusado, ele não tinha nada a ver com a história deles, não precisava estar fazendo aquele esforço todo. A voz da mulher ressoava dentro de sua cabeça: "Se esse tio coloca a mão em você." De novo, o calor e o medo.

Ela ainda pensava nisso enquanto via o irmão passar segurando a vela que simbolizava a luz da Eucaristia. A cerimônia comoveu Letícia, apesar de achar missa um ritual longo demais. Perdera o hábito de ir à igreja no convívio com o padrasto, nem sabia como ele consentira, um dia, em batizar o filho. A cerimônia comoveu também a mulher sentada ao lado de Felício, arrependida de ter cobrado pela caridade, preocupada em ter assustado a menina com seus comentários, consolando-se por estar acordada àquela hora, dando graças a Deus por se manter livre da doença pavorosa, aquela da qual não devia se pronunciar nem o nome. Não com a vida que levava.

A catequista se aproximou deles, ao final, arrependida e curiosa. Letícia, tensa, se encarregou das apresentações.

— Minha mãe, Amanda, meu tio Sinval. — O nome foi sugerido por Felício, quando, finalmente, resolvera ajudar.

— Seus filhos são preciosos, dona Amanda. É difícil encontrar hoje em dia uma adolescente tão responsável como essa menina.

— Eu tenho sorte, pelo menos nisso. Se a senhora imaginasse como eu tenho sofrido, a vida que eu levo... — A mulher estava quase chorosa, a mão de Felício atalhou o comentário, não era preciso exagerar na representação.

— Foi um prazer conhecê-la, mas nós temos um almoço em família agora. Muito obrigado por tudo — disse Felício segurando Thomas pelo ombro e guiando sua fictícia família para fora da igreja.

"Ficaram zangados comigo", pensou a catequista com autocomiseração. "Por mais que se faça, nunca se satisfaz essa gente."

Ela não podia imaginar o quanto aquela gente preferia estar longe dali. Especialmente Letícia, que via Catarina se aproximar com a irmã, a gordinha que fizera par com Thomas, e acenava para que esperassem.

— Uma colega quer cumprimentar a gente. Ela conhece minha mãe, vai estragar tudo — cochichou agoniada para Felício.

O sinal para o táxi resolveu o dilema. Letícia mais uma vez admirou a rapidez de reflexos do ex-PM. Quando Catarina chegou perto, eles já tinham entrado no táxi e partido.

FELÍCIO ESPERAVA LEVAR UM TEMPO GRANDE sem ter notícias dos irmãos. Na segunda-feira depois da primeira comunhão, para seu espanto, encontrou Letícia na porta, ao chegar às dez da noite. A garota havia chorado e agora estava na escada, sentada abraçada aos joelhos, o cabelo preto e liso cobrindo os olhos inchados, parecia ter dormido enquanto esperava.

Ele subira pela escada, com o passo leve do vício de evitar emboscadas — nunca usava o elevador, para não indicar que estava chegando, quase um fantasma em seu próprio território. Ela não percebeu sua chegada, o que deu tempo a ele de observar, mais uma vez, as pernas longas e as roupas sem graça que ela usava. Ajoelhou ao seu lado em silêncio e ficou esperando a má notícia.

Só podia ser má notícia a presença dela àquela hora. Meninas não visitam estranhos no meio da noite, a mãe devia ter ensinado. Quanto a mãe teria ensinado àquela adolescente bonita antes de embarcar numa aventura e deixar para trás os filhos?

— Eu tinha que vir — murmurou Letícia. — Não sabia se ia aguentar se não viesse.

Não adiantava conversarem no corredor, conformou-se Felício, levantando e fazendo sinal para a menina segui-lo. Era mais ajuizado pensar nela como uma garotinha, ignorar as pernas, a bunda e os seios de mulher jovem.

— Você já jantou? — perguntou depois de fechar a porta enquanto ela se adiantava pela sala.

— Comi um sanduíche com um amigo — disse, avaliando-o com um olhar meio vago, meio provocativo.

— Aconteceu alguma coisa especial, algum problema? — Ele preferiu desconhecer o jeito estranho e se concentrar no aspecto material da situação.

Dera o endereço de casa para Letícia num impulso, para o caso de uma emergência séria, algo pior do que cerimônias católicas sem mãe. Devia ter acontecido algum fato novo, talvez o padrasto tivesse achado o rastro. Letícia não falava, continuava calada, em pé, com aquele ar estranho, como se estivesse tonta, os olhos de choro. Felício tirou o paletó e a gravata, jogou-os no sofá.

— Você está doente, Letícia? Alguma notícia ruim de sua mãe? O que foi que houve afinal, menina?

— Felício. Eu gosto desse nome. Já te disse isso? — Ela rodou de braços abertos, no meio da sala pequena, um pássaro moreno e, aparentemente, machucado. — Eu não sou mais uma menina, sabia, sargento? Não preciso lhe chamar de senhor, Felício. Você me liberou disso. Nem de guarda como eu chamei no dia em que você roubou o dinheiro do Mark. Você também não é mais sargento, agora anda de terno, é guardião de banqueiro, não é mesmo? Será difícil assaltar um banco? Eu podia roubar também, ao invés de sair das aulas de inglês para economizar dinheiro. Aulas de inglês para quê? Não vamos mesmo para os Estados Unidos...

Felício agarrou-a antes que caísse em cima da mesa de centro de tampo de vidro, cheia de poeira e jornais.

— Você bebeu, Letícia. Ou usou coisa pior. Que amigo é esse com quem você saiu?

— Ele tentou me ferir de novo, Felício. — A voz dela saía rouca e fraca. — O pior é que no início eu gostei, quase tanto quanto gosto quando acaricio o meu corpo no chuveiro. Eu faço isso. Fico pensando em homens, muitos homens, me maltratando, me surrando enquanto me acaricio debaixo d'água. É bom, é muito gostoso... — De novo o tom de abandono nas confidências. — Eu devo ser como a minha mãe, Felício, devo gostar de homens que não prestam. Deve ser por isso que eu entrei no carro dele outra vez, sabendo que não era só para comer um sanduíche, sabendo que ele é sujo como o Mark.

Ele a sentou no sofá e ela ficou chorando enquanto Felício tentava digerir o choque daquelas revelações. E controlar a excitação que causavam. Ele nunca conversava com mulheres sobre sexo, nunca imaginara o que pensavam quando se masturbavam. Toda sua experiência se resumia em ouvir queixas e trepar, no máximo conversas maliciosas com mulheres mais alegres, antes das trepadas.

— Quem é esse vagabundo? O que ele fez com você? Ele te deu alguma coisa para beber, para cheirar? — O interrogatório era ríspido, rápido e irritado.

— Você não entendeu, Felício. O problema não é o que ele fez. O problema é que eu gosto de ser maltratada, como minha mãe.

— Besteira, você é uma criança, não entende nada disso. O cara está se aproveitando, deve ter percebido que você não tem experiência, vê que você não tem pai, não tem um homem para te defender, vai se fazendo. Um dia, você vai me dar razão, isso vai passar, tudo se ajeita. Anda, me diz quem é o fulano e o que ele fez.

Letícia olhou o rosto dele, furioso, e levantou-se cambaleando até encostar na parede.

— O que ele fez? Eu vou mostrar. — Ela desabotoou a blusa de malha larga e velha que a mãe usara um dia e os seios brancos e redondos surgiram com as marcas de dentadas perto dos mamilos, os chupões roxos como hematomas quando ela baixou o sutiã até a cintura. — Foi isso o que ele fez, sargento Felício, e não adianta você ir atrás dele e surrá-lo como surrou Mark, porque eu gostei. Depois fiquei com medo, mas no início eu gostei. Aí, quando comecei a resistir, ele fez mais. — Ela abriu a calça jeans e Felício pôde ver as marcas de socos e unhas na altura dos quadris. Letícia chorava quieta, os olhos e os punhos fechados, a cabeça virada para o lado, pregada na parede, a roupa aberta mostrando as marcas.

— Você não tem culpa. Uma porção de mulheres se envolve com homens assim porque não conhecem outros. Quantos namorados você já teve? Um dia vai encontrar um homem que te trate bem e vai gostar mais ainda. Anda, veste essa roupa, eu vou te levar em casa. Para de chorar e arruma essa roupa, Letícia.

Ele se aproximou para fechar a blusa, e ela o encarou, o rosto molhado, os olhos mais velhos do que da vez que se encontraram no metrô, muito mais velhos do que quando ele a socorrera pela primeira vez sendo surrada por Mark, nos intervalos em que o inglês queimava o próprio filho pequeno.

— Mostra para mim, Felício, como um homem trata bem uma mulher. — Ela abraçou o seu pescoço e não permitiu que ele a afastasse. — Mostra, senão eu vou ficar sem saber qual é a diferença.

Era a hora do recuo. Ele sabia disso, ela talvez não. Sentira essa sensação pela primeira vez quando agarrara o revólver, chorando de raiva, o revólver velho comprado a pretexto de defender a ele e ao irmão de estranhos, mas reservado, dentro dele, mesmo que não soubesse, para aquele momento, o de enfrentar o padrasto e vingar a morte da mãe.

A sensação era como um sino badalando rápido. O tempo justo para não apertar o gatilho. A chance de não ultrapassar a fronteira que separava o justo, o certo, o martírio, do desconhecido representado pela transgressão.

Mais uma vez, ele não deu atenção ao aviso. Levou Letícia no colo para a cama ampla de solteirão, onde nenhuma mulher deitara antes porque ele preferia comer as estranhas em motéis baratos. Ficou vestido, porque tinha medo de não resistir e machucá-la ou assustá-la ainda mais se tirasse a roupa.

Todas as vezes que ela avançava as mãos magras e pequenas para os botões da camisa social ou tentava desafivelar o cinto da calça dele, ele desviava o corpo e voltava a sugar os seios de cabra, o umbigo, o rego da bunda, a boceta onde o vagabundo do colega de escola não conseguira entrar.

Ficou apreciando o prazer dela em seus dedos e língua, os gemidos, os espasmos, até Letícia, exausta, se encostar nele e pegar no sono. Depois, entrou debaixo do chuveiro frio e imaginou-se comendo a pequena bunda arrebitada e ela gritando "mais, Felício, me enraba mais fundo" e gozou encostado nos azulejos do banheiro.

Eram duas horas da manhã quando ela finalmente acordou e sorriu para ele sentado numa cadeira ao lado da cama, vestido com o *jogging* que usava para correr com o patrão antes de irem para o trabalho. Ele a olhou sério, examinando as marcas do outro, mais escuras do que quando ela chegara. A irritação voltou.

— Letícia, se alguém não der uma lição nesse cara, ele vai continuar atacando você.

— Eu pensei que você ia perguntar se tinha conseguido provar para mim que é melhor do que o Gustavo.

— Eu pensei que você estava preocupada com a sua situação e de seu irmão, sozinhos numa selva escura — disse, severo, Felício.

— Thomas! — Ela pulou da cama assustada. — Eu esqueci completamente, ele deve estar em pânico.

Ela começou a catar as roupas pelo quarto, e ele não pôde deixar de se sentir excitado com as costas nuas e com os seios semicobertos pelos cabelos longos enquanto Letícia procurava as roupas.

— Você não quer tomar um banho antes de eu te levar em casa?

— Você me daria o banho? — Ela abaixou os braços que seguravam as roupas e os olhos sérios o encaravam com uma expressão de triunfo tímido.

— Letícia, você sabe quantos anos eu tenho?

— Trinta e quatro daqui a uns dias. Sagitário. Você vai me dar o banho? — Ela sorria e ele não conseguiu deixar de sorrir também.

— Não posso, potranquinha. Eu não dou banho em meninas virgens de 16 anos.

— Quase 17. Em janeiro. Primeiro dia de Aquário. — Ela sentou na cama e calçou as meias, pensativa. — Não sabia que podia ser gostoso assim.

Ela colocou o sutiã e a blusa, os dois se examinando. Com a calcinha e o jeans na mão, ela rodeou a cama e chegou junto a ele.

— Mais um pouquinho?

Ele fez menção de levantar da cadeira, mas ela foi mais rápida e sentou no seu colo, as pernas rodeando os quadris dele.

— Posso pegar em você, só um instante?

— Não, não pode — disse Felício tentando afastá-la.

— Deixa. O Gustavo quis me obrigar a segurar nele antes de eu fugir, deixa.

— Você é meio torturadora, sabia? — resmungou ele enquanto Letícia introduzia a mão por dentro da calça do *jogging*.

Ela gemia no pescoço dele, gemido de gata, a mão inexperiente provocando um gozo fulminante.

V ERA OBSERVOU DA JANELA O HOMEM à espera de um táxi. Nunca outro como esse. Nenhum mais terno, generoso, sensível. O amante dos sonhos, aquele que pensara só existir nos livros de Barbara Cartland. Comentara com ele, meio encabulada, a semelhança com os heróis românticos da escritora. "A avó da madrasta da quase rainha", ele riu dela com ternura, antes de amá-la de novo, desta vez com mais vigor, quase com violência, mas só quase porque um homem bom como ele seria incapaz de machucar uma mulher, pensava ela enquanto arquejava de susto e de gozo.

Ele entra no táxi, mas antes olha para a janela do apartamento de onde saiu, acena e sorri, e mais uma vez ela pensa que aquele homem merece toda a ajuda do mundo, não apenas o auxílio burocrático que Fernanda lhe dera, limitando-se a confirmar que os filhos haviam estudado durante um ano em escolas da região. Ele havia ficado deprimido, confessara a Vera na primeira vez que tomaram café juntos, com a desconfiança da coordenadora. Ele só queria encontrar os filhos, a ex-mulher não tinha o direito de privá-lo do convívio com as crianças.

— Por que o senhor não procura a polícia? Eles podem colocar as fotos das crianças em cartazes de desaparecidos.

— Eu não quero prejudicar a mãe deles — dissera com um olhar magoado. — Só desejo ver meus filhos de novo. E, por favor, não me trate com essa formalidade. Há tempos não me sinto tão à vontade conversando com uma mulher. A desilusão foi muito dura.

Era um homem especial não só na cama. Sabia escutar, admirava a capacidade de Vera contar de forma inteligente os casos enfadonhos que ocorriam na secretaria.

— Nunca uma mulher me divertiu tanto com histórias de trabalho. Deve ser por causa dessa abordagem tão humana que você faz dos problemas dos alunos, dos colegas. Quer dizer que para transferir a filha de uma escola para outra a mãe só precisou de uma declaração de vaga? É fácil conseguir?

Ele custou a se abrir sobre a ex-mulher. Sobre as traições, ele só contou na cama, depois de amá-la quase que com devoção.

— Ela não gostava de fazer amor comigo. Dizia que eu era suave demais, preferia homens rudes, como um desconhecido que a abordara na oficina onde eu consertava o nosso carro. Não gostava que eu fizesse assim. — Ele baixava a cabeça sobre seu seio e demonstrava. — Ou assim...

Suave era o termo certo, um elogio, não um insulto como pretendia a tal Amanda Figueiredo a quem Vera já odiava. Era um vampiro suave, língua e dentes afiados na medida. A ex-mulher devia ser louca para preferir outro qualquer, conhecido ou não. Uma vaca frígida provavelmente. Por um amante daqueles, ela era capaz de qualquer coisa. Inclusive seguir a pista das crianças, Thomas e Letícia, pelas escolas da cidade.

Já descobrira muita coisa. Três anos de vida escolar foram fáceis. A mãe seguia um padrão. Cada filho numa escola pública diferente. O menino perto de casa, a irmã em outro bairro. Saens Peña, Vila Isabel, Bairro de Fátima. As declarações de vaga terminavam no ano anterior. A menina concluíra a oitava série no Centro, boa aluna, morena, magra e bonita, as cores dela e o sobrenome desmentiam o parentesco com Mark, ela percebera e suspeitara desde o momento em que localizara a primeira escola. Ele acabara confessando, nu em seus braços, a cabeça no ombro como um menino a ser protegido, que a primeira filha não era dele. A criara como se fosse, a menina o adorava, mas era filha de outro.

A generosidade dele em amar a filha de Amanda, deixar tudo para trás a fim de ir procurá-la ao invés de buscar apenas o próprio filho, comovia Vera mais do que tudo. Conhecia histórias terríveis de padrastos e madrastas em sua carreira de professora, histórias de deixar para trás qualquer conto de fadas, fazê-los parecer pálida cópia da realidade.

— Como foi que você descobriu que ela veio com as crianças para o Rio? — Vera desviou o assunto, com medo de chorar e constrangê-lo.

— Foi quase um acidente. Eu, de tempos em tempos, ligava para os amigos, os parentes, até para uns conhecidos dela nos Estados Unidos eu ligava. Há uns três meses, a filha de uma prima que mora em Ribeirão Preto me contou que Amanda trabalhava num hotel em Copacabana. Eu telefonei para todos os hotéis até achar.

— Então não é difícil conseguir o endereço dela.

— Eu tentei, mas o endereço que ela deu era falso.

— Gente, que mulher maquiavélica! Como foi que você descobriu o bairro, como chegou até nós?

— Comprei um mapa da cidade, um guia turístico, e fui eliminando as possibilidades. Ela não iria para o subúrbio; não teria dinheiro para morar na Barra, ainda mais sem carro; medrosa do jeito que é, evitaria as áreas muito próximas de favelas...

— Meu Deus, você daria um bom estrategista militar! Nem parece um professor de literatura.

Ele a olhou pensativo, o sorriso meio zombeteiro.

— Quem sabe eu não fui um guerreiro em outra vida e nesta vim domesticado?

Ela riu deliciada com a hipótese improvável, mudando o foco para o assunto que sabia estar lhe preocupando.

— Amanhã, quer dizer, hoje mais tarde, eu vou até a escola em que Letícia terminou a oitava série. Tentar descobrir para onde eles foram.

— Você faria isso por mim? — O sorriso dele era maravilhoso também, o sorriso aberto e confiante de um homem que se entrega.

— Eu faria qualquer coisa por você — respondeu Vera, orgulhosa.

Fernanda reclamaria de seu atraso, ela que chegava tarde todos os dias por causa das brigas com a filha adolescente, mas não fazia mal. O cargo de assistente era usado tantas vezes para favores políticos, desta vez seria usado para descobrir os filhos perdidos do homem por quem ela estava apaixonada.

Chegaram na porta do prédio na Bento Lisboa às três da manhã. A rua estava deserta, mendigos dormiam debaixo da marquise de uma agência de automóveis. Felício estendeu a mão:

— As chaves.

— Não tenho, eu deixei minha bolsa no carro do Gustavo quando fugi.

— Mais essa.

Ele remexeu no porta-luvas e fez sinal para que ela ficasse no carro. Portão antigo, fácil de abrir. A porta do apartamento foi um pouco mais difícil, mas não impossível para a prática de Felício de entrar em lugares mal guardados. Na sala escura ele teve a impressão de ver um menino ruivo e risonho, mas não era ninguém. Impressão.

— Seu irmão está acordado? — perguntou baixo quando Letícia voltou do quarto para onde se dirigiu assim que chegou.

— Está dormindo como um anjo.

— Tive a impressão de ter visto alguém de cabelo vermelho aqui na sala. Se cuida, vê se falta à aula, descansa um pouco. Como é que você vai fazer com a bolsa?

— Eu pego na escola.

— Fica longe daquele patife.

— Pode deixar, eu agora não tenho mais medo. Sei que existe coisa melhor — cochichou ela maliciosa.

Ele se curvou e deu um beijo rápido na testa de Letícia, ignorando a boca oferecida.

— Me liga quando precisar. Juízo.

Ela esperou Felício sair para passar o trinco que Thomas havia esquecido e foi dormir, sem ver o menino de cabelos vermelhos que fazia uma reverência irônica na porta do quarto à sua passagem.

Quinze dias antes da fronteira.

A secretária tivera uma manhã cheia, envolvida com notas, listagens de recuperação, programas de formatura, e foi sem a menor paciência que anotou o nome da aluna a quem a mulher, ao telefone, pedia para dar o recado. Só a insistência fez com que ela checasse no computador para descobrir a turma. Entediada, informou que Letícia Figueiredo da turma 1006 estudava de manhã, impossível estar na escola àquela hora. A mulher não pareceu desapontada, disse que não fazia mal, procuraria a sobrinha — era a tia — em casa. "Se podia procurar em casa, não existia urgência do recado", pensou a secretária mal-humorada.

Ela estava enganada. Letícia ainda se encontrava no colégio, no pátio, dirigindo-se para Gustavo fumando e rindo, no centro de sua roda de amigos. Os rapazes pararam de conversar quando ela se aproximou:

— Eu quero a mochila que deixei no seu carro. — Pela primeira vez, ela sentia o quanto ele parecia imaturo no sorriso maroto. E nas espinhas.

— Quer mesmo? E se eu não quiser devolver? Ou só devolver se a gente terminar o que começou ontem?

Um dos rapazes riu alto, os outros três olhavam Letícia na expectativa.

— A gente não começou nada ontem — desafiou Letícia. — Acho melhor... — observou o rosto dele séria, avaliando o melhor ponto de ataque — acho melhor você devolver minha mochila e espremer essa espinha no seu queixo antes que vire furúnculo.

— Eu vou mostrar pra você o que é que eu vou espremer, sua vadia. — Gustavo avançou para ela enquanto os outros riam.

Letícia levou a mão à gola da blusa.

— Se você tem certeza que prefere mostrar o que faz, vamos conversar com a orientadora agora. Ela chama seu pai, eu chamo minha mãe...

Gustavo hesitou. Algumas garotas de outras turmas se aproximavam curiosas, e Letícia parecia decidida, quem sabe era meio louca aquela guria. O pai dele já andava furioso com o excesso de bebidas e de brigas. E se ela resolvesse tirar a blusa no pátio?

— Está com medo, Gustavo? — zombou o colega que rira antes.

— Medo, eu? Para que eu quero a mochila dessa garota? A gente acerta as contas depois. Vou tirar aquele troço esfarrapado do meu carro agora.

Na porta da escola, a plateia já era bem maior. Adolescentes cochichando sobre a quase briga, meio divididos entre Letícia, a novata que entrara ali no início do ano, séria a ponto da antipatia, e Gustavo com sua longa folha de turras contra os colegas e de sedução cruel contra as garotas.

— Toma sua mochila. — Ele jogou para Letícia, quase uma bolada no rosto. — E vê se me esquece.

Letícia não respondeu, sentia o estômago doer, sem saber ainda como conseguira a recente coragem. Em silêncio, atravessou por entre os colegas, uns solidários, outros rindo das conclusões que estavam formando sobre ela e Gustavo. Ela ignorou a todos e seguiu para casa, sem perceber o irmão que chegava para as aulas da tarde ou a mulher que olhava da janela da secretaria, indecisa por um momento se avisava a garota sobre o telefonema da tia. A secretária acabou desistindo, tinha muito trabalho a fazer e a outra já devia ter entrado em contato com a família. Letícia não enxergou, como sempre, o menino ruivo e sem nome que, pendurado nas grades do portão do colégio, aplaudia frenético a atuação dela.

A SECRETÁRIA DO BANQUEIRO ESCRUTINOU, mais uma vez, o segurança do patrão. "O 'cão de guarda' nunca sorriu antes", pensou espantada, quando o viu ajeitar a gravata no espelho da antessala, esperando dr. Cristiano terminar a reunião de diretoria.
— Alguém ligou para mim?
Novidade também a pergunta. Em três anos, ele recebera ligações em duas ocasiões. Uma do irmão quando sofrera uma cirurgia de emergência e outra há dias, voz de mulher intimidada e ansiosa, telefonemas insistentes.
— Ninguém ligou. Você estava esperando alguma chamada importante? — Ela não conseguia evitar a ironia meio áspera com que falava com ele, era irritante se sentir atraída por um casca-grossa como aquele, mas se sentia.
Felício olhou especulativo para a loura magra, tão diferente da atual amante do patrão. Provavelmente era ex. Era bonita, bem-tratada, devia ser boa de cama, muito menos complicada do que a que ele enfrentara de madrugada.
— Não. É que... — por um momento ele hesitou, Lorena acreditando ser por timidez, ele pesando a melhor forma de mentir — a sobrinha da minha cunhada está trabalhando aqui no Rio e eu prometi dar alguma assistência. A que ligou outro dia.
— Sei. Letícia. É bonita?
Ele sorriu de novo, dessa vez direto para ela.
— Não sei. É gordinha, sem graça — mentiu. — Se fosse magra e usasse roupas bonitas, podia até ser. Um dia.
Os dois se calaram, conscientes do elogio implícito a ela e da ligeira mudança na relação distante que vinham mantendo até agora. A saída do patrão acompanhado de outros diretores interrompeu o lance seguinte, o dela, na direção de uma ligeira abertura para o subalterno atraente.
— Dona Lorena, a senhora tome as providências para a viagem. — Cristiano Queiroz era sempre formalíssimo com qualquer empre-

gada, inclusive amante e ex-amante. Felício não cansava de admirar a competência do outro em manter as mulheres à distância.

— Vão o senhor e o Felício, eu suponho.

— E eu vou a algum lugar sem esse sujeito? Prepare os papéis que ele passa para pegar amanhã cedo.

Felício esperou o patrão entrar no elevador privativo com os outros, antes de olhar sobre o ombro para Lorena. Ela o queria. Quase certeza.

Sem Nome olhava pela janela a tempestade se armando. Os dois irmãos conversavam, Letícia e Thomas, um tentando enganar o outro na alegria de receber cartas da mãe. A farsa do gravador já havia sido encenada, repetição de uma fita, uma das primeiras.

Tempo esgotado. Começavam os trovões, logo viria a chuva torrencial como costumava ser naquela terra estranha, pensou Sem Nome, prestando atenção na conversa.

— E se ela não voltar? — Thomas ficara mais corajoso nos últimos tempos.

— Não diz isso, Thomas. Mamãe não faria uma coisa dessas com a gente.

— Mas e se ele nos achar antes dela voltar?

— Não vai acontecer. É difícil achar gente escondida numa cidade grande como essa. E ele pode ter desistido. Ter arranjado outras pessoas para atormentar. — Ela olhou para o irmão com pena. — Desculpe, eu não devia falar assim do seu pai.

— Eu queria que ele não fosse meu pai. Mas ele é e não desiste, não. O que é dele, é dele. Ele continua atrás de nós, tenho certeza.

Sem Nome acenou a cabeça para o céu cinzento concordando com a criança. Thomas tinha razão, o inglês colocara na cabeça que Amanda e o filho eram dele, viria buscar e destroçar o que considerava seu. Letícia podia tentar se embalar com lembranças que lhe dessem coragem de enfrentar aprendizes como Gustavo, mas a alegria passageira não evitaria a proximidade do mal maior. Trovões eram ouvidos mais de perto, a tempestade estava chegando.

D<small>R</small>. F<small>RANCISCO JÁ CONVERSARA SOBRE NEGÓCIOS</small> e sobre a família com o filho da forma seca e precisa que fazia parte do seu estilo. As iniciativas que deviam ser abortadas, as que mereciam crédito, os aliados a serem mantidos, os colaboradores a serem deixados de lado, a cautela necessária, os riscos. Até as companhias e preferências dos netos, passando pelas amantes do filho e novidades da nora, o velho vasculhara durante a visita. No almoço, não discutiram negócios nem ordens; a maior parte do tempo o filho gastava contando uma ou outra anedota sobre os conhecidos do pai com quem ele continuava a conviver.

Durante o café e o licor, acendendo um charuto, o velho perguntou:

— E Felício? Está servindo bem?

— Otimamente. Mais fiel do que um cachorro, a Lorena costuma dizer. Só escuta, não pede nada, parece não ter vida pessoal, família, sempre à disposição. Perfeito.

— Perfeição não existe. Nem comprada. Mas ele é o ideal mesmo. Funciona na base do reconhecimento, coisa rara hoje em dia. Eu estou perguntando porque ele me pareceu diferente, hoje, quando chegou. Como se estivesse... — Dr. Francisco levou um tempo procurando a palavra que traduzisse a impressão, como se ele estivesse examinando o terreno.

— Será? Ele me pareceu igual a todos os dias. Um pouco mais bem-humorado, talvez. Ele é uma boa companhia em viagem, caladão, mas atencioso. Para não dizer que não houve mudança, ontem, pela primeira vez, ele me pediu um adiantamento. Vou lhe dar o 13º.

— Nenhum hábito estranho, mulheres, jogo?

— Meu pai, o senhor investigou o sujeito pelo avesso, conhece há anos. Um empregado de confiança pede um agrado de vez em quando. Ele nunca pediu antes.

— Pode ser. Deve ser bobagem minha. Repete para mim a história do namorado da tua filha. Ela é muito jovem para estar apaixonada desse jeito, por melhor que seja a família.

F ELÍCIO ACORDOU QUANDO AINDA ESTAVA ESCURO, a cabeça pesada. Sonhou, de novo, com o menino ruivo e desconhecido, mas dessa vez ele não ria ou brincava. Segurava firme um revólver e atirava rápido, profissional, num alvo que ele não conseguia enxergar no sonho, só imaginar o estrago.

Quatro dias fora do Rio de Janeiro. Como estaria Letícia? Pensava nela, enquanto passava um café na cozinha, quando sentiu passos no corredor. Cedo demais para os empregados. Era o patrão verdadeiro.

— Madrugador, hem, Felício? Pressa de voltar para casa? — O velho pegou uma xícara no armário e estendeu para que ele o servisse de café.

— Não. Falta de sono. Eu acordo sempre cedo. Corro com o seu filho cinco quilômetros antes de levar as crianças para a escola.

— Senta aí. Eu quero saber de você umas novidades.

O velho ficou um tempo tomando café calado, Felício esperando ele acabar de arrumar as ideias e dar o bote. Era sempre assim que pensava no dr. Francisco: uma cobra velha e um pouco gorda, mirando o alvo, como o menino do sonho. Quase se assustou quando o outro falou.

— Você leva meus netos para a escola, todos os dias. Leva os mais velhos a festas, vai buscar. Como é o namorado que minha neta arrumou?

— Melhor o senhor perguntar para o pai dela. É filho de um amigo dele que morreu.

— Estou perguntando para você. Meu filho não conhece o tipo de gente que você conhece.

— Eu acho que o moleque não é grande coisa. Mas os pais dela sabem o que é melhor para a filha.

— Não é grande coisa como? Usa drogas, anda em más companhias?

Felício quase sentiu pena do velho. Quem não usava drogas e andava em más companhias naquela turma? Os pequenos, ainda não. A pergunta fez com que Felício se lembrasse de Letícia e seu corpo marcado por um rapaz que, ele podia estar enganado, era muito parecido com o candidato da neta do banqueiro. O patrão esperava uma resposta, o ex-sargento sentiu a cabeça pesar mais. Não gostava de homem que tinha tesão por maltratar mulher, gostava menos ainda de ser pressionado, por quem quer que fosse. Como estava sendo naquele instante.

— Eu mal conheço o rapaz, doutor. Se o senhor faz questão, ele me parece, veja bem, parece meio folgado, meio desrespeitoso, mas vai ver que é moda.

— Você já viu ou ouviu alguma coisa? Fala, rapaz, você acha que eu quero mulher da minha família servindo de idiota para quem quer que seja?

— Já ouvi ele falar alto com a menina umas duas vezes, voltando de festas. — Felício parou irritado com a expectativa implacável do outro para que continuasse. — Bebe demais. Todos eles bebem demais. Usam drogas, também. Pelo menos, maconha. Eu acho, nunca vi. É só o jeito. Dr. Cristiano não vai gostar de saber dessa conversa.

— Dr. Cristiano não tem que gostar ou deixar de gostar de nada que eu faça. Se fosse filha sua, Felício, mulher de suas relações, alguém que você quisesse muito, até onde você iria para proteger?

— Mulher de minhas relações? — Pela segunda vez nos últimos anos, Felício riu diante do banqueiro. — Eu não ligo para as mulheres de minhas relações, doutor. Elas é que sabem da vida delas. Filha minha ou alguém que eu quisesse muito — de novo o corpo marcado de Letícia surgiu em sua memória —, o senhor sabe o que eu faria. Pegava o sujeito.

— É isso que eu espero que você faça para proteger minha neta.

— Pegar, bater, matar, doutor? Ele é filho de uma família conhecida. A mãe dele é amiga íntima de sua nora. E do seu filho também. Acho até que já se deitou com ele. Matar porque ele é abusado quando sai com ela com a permissão dos pais? — Felício sentia a cabeça latejar de raiva. Era empregado, não era idiota.

— Tomara que as coisas não cheguem a esse ponto. A próxima vez que ele gritar com ela... — O banqueiro tossiu sufocado, Felício não sabia se de raiva ou de tanto desrespeitar prescrições médicas. — A primeira vez que você perceber qualquer agressão, eu quero que você destrua a vida dele. Não precisa matar. Basta armar um bom flagrante de drogas, irrepreensível. Entrega ele para a polícia, sem deixar pistas. Você sabe como fazer. E me avisa na ocasião. Quando fizer, me liga. Pode ligar a qualquer hora do dia ou da noite.

Da janela do quarto do bebê, Amanda viu a governanta sair sorrateira, casaco escuro por cima do uniforme, um embrulho embaixo do braço, o lenço amarrado no queixo, cobrindo os cabelos, como faziam as portuguesas donas de quitanda que Amanda conhecera na infância. Pela primeira vez, nas últimas 24 horas, alguma coisa que não os filhos e o medo ocupava seu pensamento.

A carta de Thomas a deixara chocada. Era uma carta fria, segura, não parecia a carta de uma criança, era mais uma carta de adulto, reivindicando sua volta, assustando-a mesmo. O filho sempre fazia um parágrafo carinhoso nas cartas de Letícia, nunca escrevera sozinho, ela achava normal, ele não tinha ainda dez anos, era menino. Estava sendo bem cuidado pela irmã, não tinha novidades para contar. Desta vez, carta e sobrescrito no envelope com a letra dele. O relato das lágrimas e do vômito de Letícia, há mais de dois meses, episódio que ela ignorava. A mulher arranjada para a primeira comunhão, as mentiras, o medo que ele tinha de que o pai os achasse, a saudade e a exigência: que a mãe voltasse, ele não queria mudar para longe, queria apenas ela por perto.

Esquecida da carta, curiosa, ficou espiando Angelina abrir o portão e entregar o embrulho ao homem que fumava, encostado ao muro de pedra. Quase não dava para ver, da casa, o que a governanta fazia.

O bebê resmungou, em seu sono, e Amanda voltou-se para o berço, para afagá-lo, perdendo por instantes o resto da cena inesperada: a governanta, tão segura e autoritária, esgueirando-se para um encontro noturno. Acalmada a criança, Amanda tentou compreender, de novo na janela, o que estava acontecendo. Não parecia um encontro amoroso, nem ao menos amigável: Angelina levantava o dedo, irritada; o homem, que de início ria, aparentemente se zangou e, agarrando o braço da governanta, a sacudiu.

Amanda se afastou da janela e sentou-se na cadeira do lado do berço, tremendo um pouco — talvez de frio, tentou se convencer, o final do outono gelava as noites. Estava chocada com o que vira, reconheceu; não podia imaginar uma mulher com o gênio de Angelina sendo sacudida por um homem. Angelina não era como ela e, no entanto, grudada ao muro, submetia-se a um homem, como ela, certa vez, se submetera a Mark.

Ela cochilou na cadeira, por instantes, e, ao acordar, não soube quem a cobrira. Provavelmente, havia sido a governanta ao entrar no quarto com uma bandeja com o seu café e a mamadeira do neném. A mamadeira era exigência de Caroline, e a única pessoa que mexia na comida da criança era a cubana. Por que a governanta não a acordara com um resmungo era um mistério, pensou Amanda ainda sonolenta.

A lembrança da carta voltou com toda força. Amanda pensava responder a carta, ou melhor, o ultimato de Thomas assim que chegasse em casa. Quando saiu do quarto do bebê e pegou o dinheiro com a governanta, a manhã de sol que a esperava mudou seu pensamento.

Thomas escrevera cinco dias antes, na quinta-feira. Ainda era terça, talvez as coisas já estivessem melhores por lá, esperaria a próxima carta ou escreveria no final de semana alguma coisa como se não tivesse lido a sua súplica, ou exigência: "Você precisa voltar. Letícia não é minha mãe. É perigoso nós dois sozinhos aqui, tenho certeza."

Ela não gostava nem de pensar nos termos adultos que ele usara, era bom mesmo não responder logo, não dar corda para um menino fazendo exigências. Contaria que o dinheiro para as duas passagens estava quase completo, faltava juntar apenas o restante e mais um pouco para eles comprarem roupas e malas novas para não chamarem atenção na alfândega.

Só de pensar em buscar os filhos e trazê-los para aquela cidadezinha adorável, a 92 milhas de Los Angeles e pouco mais de trezentas de São Francisco, já animava seu dia.

Apertou mais o casaco. Apesar do sol e de estar na Califórnia, fazia frio na rua, mas ela queria andar, gastar energia depois das 12 horas trancada em casa tomando conta do bebê moreno, acompanhando a agonia maldisfarçada da mãe dele quando entrava no quarto.

Andando, chegou ao centro de Montecito, o tempo justo para pegar o ônibus para o Transit Center. Poderia dar um passeio ao campus Santa Bárbara da Universidade da Califórnia, observar os grupos de jovens aqui e ali, conversando, fumando, trocando novidades. Letícia seria assim um dia, talvez em dois anos, se ela conseguisse trazê-la para o próximo período da *high school*. Seu sorriso ficou mais amplo, a filha não lhe preocupava, conseguiria trabalho fácil, era jeitosa com crianças, sabia organizar o serviço doméstico, a ajudaria bastante.

No Transit Center mudou de ideia, o bairro onde ficava o campus era moradia da maioria dos brasileiros, não queria fazer amizades, despertar perguntas e curiosidades, só queria juntar dinheiro para trazer os filhos. Logo.

O ônibus para Mesa estava de saída, ela entrou e se deixou ficar observando os que entravam e saíam: mexicanos, estudantes, estrangeiros. Santa Bárbara era uma cidade atraente para os que vinham de fora.

Sem perceber, estava na praia, andara muito mais do que pretendia, entretida pelos planos bons que usava como anteparo para a tristeza que se abatia sobre ela. "Estou é cansada de lutar o tempo todo, sozinha, quatro anos fugindo de Mark, vivendo para as crianças."

"Se houvesse apenas um homem para sair, tomar um café, dar uns beijos." Lembrou-se, então, de Mark que não gostava de beijar na boca, mas era um vulcão na cama. Apesar de não prestar.

Um homem de casaco verde-escuro, acolchoado, estava sentado de costas para ela e de frente para o mar na mureta que separava a calçada da areia. "Um homem! Eu pedi um homem e aí está um." Sentia-se cheia de energia, apesar da noite trabalhando. Alegre mesmo, como se uma coisa muito boa estivesse prestes a acontecer.

O homem fumava e o cheiro de cigarro forte chegou até ela quando passou por ele. A cabeça estava descoberta e o cabelo cortado rente começava a crescer e seria crespo, pensou ela, se um barbeiro não o aparasse rápido. Ele não a olhou, fitando o mar, absorto, mas ela notou a pele morena. Cubano, porto-riquenho, latino, com certeza, descendente pelo menos.

Ela seguiu mais adiante, no ponto em que o caminho enladeirava um pouco, o suficiente para deixá-la sem fôlego. Do alto ficou contemplando o mar, pensando na sorte de ter conseguido renovar seu visto de turista para os EUA e de ter passado sem problemas pela imigração. Era o visto que permitia que estivesse ali trabalhando como ilegal, juntando dinheiro para viver longe de Mark para sempre. Ele nunca os acharia ali e se não os achasse seriam felizes porque ele era o único obstáculo.

O rapaz latino se levantava para ir embora e, observando-o de um ponto mais alto, ele lhe pareceu familiar. Em segundos, ela se lembrou da cena da governanta com um homem num canto do muro, do lado de fora da casa. O casaco, o jeito de projetar o queixo, só podia ser ele.

Curiosa, Amanda apressou o passo para voltar, e o rapaz dessa vez prestou atenção na mulher que vinha em sua direção. Ele era jovem demais para ser um caso da governanta, pensou. Teria, no máximo, trinta anos, nem isso; devia ser parente, recém-chegado, quem sabe, da Flórida ou da ilha, como Angelina chamava a pátria deixada há tanto tempo. Ele tinha um olhar atrevido e ela desviou o seu quando passou por ele, caminhando mais rápido porque, apesar de atrevido, ele era atraente no rosto magro e no corpo seco de homem baixo.

Quase correndo, ela desceu a Shoreline, pegaria o primeiro ônibus que aparecesse quando chegasse próximo ao City College, ali teria mais opções, comeria alguma coisa no centro, talvez devesse responder, afinal, a carta do filho, tranquilizá-lo.

Um ônibus descia a Dr. Cliff Avenue, ela correu para pegá-lo pensando como os nomes americanos eram engraçados, quando traduzidos. Cliff, falésia.

Os dias que se seguiram foram lembrados por Letícia como dias de trégua. Não duraram muito, mas o fato de ela não saber que terminariam bruscamente permitiu que fossem especiais. A vida continuou com as mesmas tarefas sem graça, em casa e na escola, o mesmo compasso de espera, pelo fim do ano letivo, pela chegada do dinheiro para a compra das passagens para a viagem que, agora, parecia improvável. Ela não sabia por quê.

A única coisa diferente naquilo tudo era a lembrança do corpo de Felício. Não, a diferença era saber que ele a desejava. Não, também não era isso, porque ela imaginava que ele desejasse mulheres mais velhas, mais experientes, mais parecidas com ele mesmo.

O que fez aqueles dias luminosos foi a certeza de que ele se importava com ela. Para Felício, ela não era apenas um anexo da mãe que estava nos Estados Unidos e ele salvara um dia, facilitando a fuga.

Ele também não a via como irmã mais velha de um menino que ele mal conhecia, apesar de ter contribuído para o sucesso da primeira comunhão. Ele se preocupava com ela, Letícia, exclusivamente, e isso ajudava muito a enfrentar a vida. Quando ela acordava de manhã rememorava cada coisa que ele fizera em favor dela e isso lhe dava uma sensação de força que facilitava continuar o dia. A suavidade dele ao tocá-la, a tentativa de protegê-la do próprio desejo, a eficiência em garantir o que ela precisava, a ponto de abrir a porta com seus métodos de ladrão para não acordar o irmão e os vizinhos.

"Eu sou especial para ele" era o que pensava quando andava pela rua, quando chegava na escola no horário certo porque a sonolência maldita não a incomodava mais. "Sou especial para um homem mais velho, um homem perigoso, um mulato de olhos claros capaz de matar alguém, inclusive você" era o que ela queria dizer para Gustavo quando ele a abordou no dia seguinte ao episódio da mochila. Ele a pegou pelo braço, dessa vez no corredor abarrotado de alunos, certo de que a intimidaria, confiante de que ela se submeteria a ele como se submetera à violência no carro.

— E aí, garotinha, está mais calma? Eu gostei de ver sua valentia ontem exigindo a mochila. Depois eu fiquei pensando que você não queria a mochila, queria era que eu não me esquecesse de você...

— Você está enganado. Me deixa passar.

— Só se você disser a hora que vai se encontrar comigo num lugar bem gostoso.

— Professora Rita — chamou em voz bem alta. O burburinho do corredor parou para ouvir quando ela se dirigiu à orientadora educacional que passava. — O Gustavo está tentando me forçar a sair com ele.

— Que isso, garota, ficou maluca?! — Ele largou o braço dela como se queimasse.

— Ele não se convence de que eu não quero mais ficar com ele, professora. Vive insistindo — continuou Letícia no mesmo tom, se divertindo com o silêncio chocado dos colegas, a irritação manifesta da professora e o espanto de Gustavo. — Ele agora deu para me ameaçar.

O resultado de sua valentia foi a ida dos dois para a coordenação na hora do recreio, além do comentário geral no colégio. Na entrada da sala do coordenador, Gustavo ainda tentou pressionar Letícia para que se retratasse, mas ela foi taxativa:

— Se quiser eu mostro as marcas que você fez em mim e eles chamam a polícia. Que tal? — falou baixo e viu com satisfação ele empalidecer. De medo.

Uma colega mais velha, Tânia, procurou Letícia na saída. Para contar que havia saído com Gustavo e nunca tivera coragem de denunciá-lo. Como ela fizera.

— Eu estava na oitava série, era apaixonada por ele. Namoramos um ano, ele me batia, me traía com outras garotas, mas eu nunca contei isso para ninguém. Queria ter sua coragem.

"Eu não tenho coragem, eu conheci foi outro homem, um homem com idade para ser meu pai. Foi o desejo dele que me deu forças", quis responder Letícia que sentira a manhã inteira as pernas bambas e o estômago revolvido de medo com a própria atitude. Num impulso, beijou o rosto de Tânia e se afastou contente de ter servido de exemplo público para uma coisa boa, logo ela que era conhecida como a tímida da turma.

"Foi o desejo dele que me deu forças." A frase parecia resumir o que ela havia sentido no momento em que enfrentou Gustavo e em todos os momentos do período que passou a chamar, depois, de "trégua". Ela se lembrava do gosto de Felício o tempo todo, e o estado de semissonho permitia afastar os obstáculos reais ou imaginários.

Não era mais uma garotinha indefesa, à disposição dos outros. Era o que ela pensava. Durante dias acreditou nisso, apesar de Felício não entrar mais em contato e ela não sentir necessidade de procurá-lo. Ele estava lá, estaria sempre, era o que bastava. Quando precisasse, estenderia a mão para um telefone qualquer, pegaria um ônibus até sua casa.

Vera chegou ao bar trêmula de felicidade. Viera de táxi do Largo do Machado até a avenida Maracanã tamanha era a excitação por ter conseguido o que Mark desejava. Uma investigação de detetive profissional, pensava orgulhosa.

Correndo inclusive riscos. Uma vez, Fernanda quase a surpreendera ligando da Coordenadoria para um dos colégios particulares onde suspeitava podiam estar matriculados os filhos dele. A chefe escutara o nome e se lembrara de imediato do dia em que o inglês viera pedir ajuda para localizar os desaparecidos.

— Você está conversando sobre aquele inglês esquisito que esteve aqui, Vera? Ele voltou a nos procurar e você não me disse nada? — perguntou Fernanda desconfiada.

— Você me pegou em flagrante. — Vera pensou rápido numa saída. — Eu estava falando com uma amiga minha... sobre um personagem de um desses livrinhos que eu gosto tanto e você zomba. Um escocês de saiote e temperamento selvagem que viveu no século XIII.

Fernanda caiu na risada, acreditando fácil na mentira, o que fez com que Vera a desprezasse um pouquinho. Uma coisa boa que ela estava aprendendo com Mark era identificar a verdadeira natureza das pessoas. E desprezar os motivos ocultos que as levavam a querer aparentar ser mais inteligentes ou boas do que realmente eram.

— Essa sua chefe, a Fernanda, parece tão amiga, generosa, despojada, mas qual é a solidariedade que a mulher de um empreiteiro como ela pode ter com uma funcionária pública que não tem onde cair morta como você? — Estavam na Quinta da Boa Vista, numa tarde calorenta, quando ele fez o comentário.

— Também não precisa exagerar, eu não sou tão pobre assim, nem ela é tão rica — respondeu de pronto, meio ofendida, afastando a mão dele que apertava sua coxa debaixo da saia. — Não me belisca assim, dói.

— Dói? Eu estava fazendo uma massagem, dizem que é bom para celulite. — Ele deu o grande sorriso de anjo travesso que era o primeiro aviso de tesão para o corpo dela.

O primeiro, não. Tudo nele dava tesão, desde o primeiro dia em que ele havia procurado Fernanda. "Ah, pensei que você estava falando com alguém sobre aquele inglês bonitão", foi o comentário jocoso da chefe sobre ele, no dia em que despistara Fernanda. "Se não fossem os olhos arregalados de cachorro louco." Vera não sabia de onde Fernanda tirava aquelas definições. Dizer que Mark pusera olhos arregalados de cachorro louco quando reivindicava um direito dele, o direito de ver os filhos! Depois daquele comentário, ela passou a examinar os motivos ocultos de Fernanda, como Mark dizia, e a achar incoerente ela insistir em ser amiga de gente tão fora do seu meio.

Naquela tarde, na Quinta da Boa Vista, ela defendera Fernanda pró-forma, e a resposta tão despretensiosa e imediata sobre a celulite fora a única nota desagradável espetando o tesão e o prazer de Vera. Mais tarde, mesmo depois da cama, cada vez mais tempestuosa, mais cheia de gritos e gozo, uma sensação de insegurança latejava dentro dela.

Quando foi buscar a limonada que ele pediu para que fizesse, não resistiu a perguntar enquanto Mark tomava o refresco, recostado nos travesseiros:

— Você acha que eu tenho celulite demais?

— Celulite? — perguntou ele espantado como se não soubesse o significado da palavra, o que deu a Vera um momento de instantâneo alívio. — Deixa eu ver, desenrola esse lençol ridículo.

Ele pegou os óculos no criado-mudo, enquanto ela, insegura, deixava cair o lençol que lhe parecera sexy quando amarrara como uma canga, igual a foto de uma revista feminina.

— Puxa, como você tem celulite! Eu nunca tinha notado! Se não fosse você me avisar...

Ele falou rindo, ela pegou o lençol no chão, atordoada, sem saber como reagir à brincadeira e se trancou no banheiro onde, pela primeira vez desde que se sentiu conquistada, chorou sentida, num longo banho de chuveiro.

Ao sair do banho, encontrou-o já vestido, a expressão séria. Ela perguntou assustada se ele não queria tomar um banho, comer alguma coisa; ele respondeu que não, tomaria banho no hotel, precisava pensar um pouco. "Pensar em quê?" era o que ela queria perguntar em pânico, mas ele deu um beijo distraído na sua testa e se foi.

Ela ficou cinco dias sem notícias e foram — na época ela acreditou nisso — os piores cinco dias de sua vida. De início, procurou, desesperada, os indícios do que fizera de tão errado para ele sair daquele jeito. Depois, durante breves horas, ela o odiou com todas as forças, para, em seguida, lembrar cada delícia que ele lhe proporcionara, apesar de ela ter quase quarenta anos, um casamento desfeito e infeliz, estar vinte quilos acima do peso ideal e, ele tinha razão, ter as pernas entupidas de celulite. Junto com as lembranças do que era bom, vinham também os motivos que ele lhe confidenciara, as justificativas para sua eventual instabilidade. A perda dos filhos, a tortura mental imposta por Amanda, a ex-mulher.

Então, ele aparecera, de repente, no final da tarde, num carro alugado, buzinara para ela, que estava sozinha no bar perto do trabalho, desesperada com a falta de notícias dele, maldizendo a hora em que se trancara no banheiro emburrada, morta de medo de que ele não aparecesse nunca mais na sua vida.

Ele ficou olhando, em silêncio, ela pagar atrapalhada as duas cervejas que havia tomado sozinha e entrar no carro, sem graça. "Digo o quê, agora?", pensava Vera agoniada, mas ele pegou sua mão, por instantes, e apertou entre a passagem de uma marcha e outra, e ela ficou quieta, agradecendo a todos os santos pela volta dele.

No sinal fechado, ele se voltou para ela e, sem dizer palavra, segurou seu pescoço e beijou sua boca. Não durou muito, nem foi um beijo especial, porque ele enfiou a língua e ficou percorrendo a boca de Vera de um lado para o outro e terminou tão bruscamente quanto começara, mas ela acreditou ter compreendido toda a ternura envolvida naquele beijo apressado.

Mark não gostava de beijar na boca, ela já percebera. Fazia tudo para o prazer dela, era o amante mais generoso do mundo, mas desviava o rosto o tempo todo quando ela buscava seus lábios. Uma única vez, depois de chuparem um ao outro até o orgasmo dela, ele a beijara na boca, mas dizendo que ela provasse de si mesma, de uma forma quase hostil que tirara metade do gosto do recente gozo.

O beijo, porém, numa esquina, foi recebido como um pedido de desculpas que ela sabia que nunca ouviria porque ele era tímido demais, orgulhoso demais. Aquele beijo incompetente fez com que prometesse a si mesma que faria tudo o que ele quisesse a partir de então, desde que ele não a abandonasse. Iria se esforçar mais do que tudo para encontrar os filhos dele, faria tudo o que fosse preciso para tê-lo. Porque não suportaria a ausência dele de novo.

Muitas horas depois, quando ele a levava de volta para casa, depois de horas no motel na Niemayer, ele lhe deu outro presente, um pouco de seu passado.

— Eu gosto de você porque é a única mulher que eu conheço que não reclama.

— Reclamar de quê? — Vera reagiu espantada ainda sob o efeito de todas as suas dúvidas e angústias aplacadas pelo corpo dele. — Você é um amante perfeito, a conversa mais inteligente que já ouvi... Por que eu reclamaria?

O espanto era genuíno, qualquer comentário ambíguo fora debitado na conta da insegurança e paranoia que quase a fizeram perder aquele homem maravilhoso.

— Você não sabe de nada! Eu passei a vida ouvindo reclamações de mulheres. Desde pequeno.

— Você deve ter sido o garoto mais fofo do mundo! Branquinho, cabelo de fogo...

— Eu parecia com meu pai, e minha mãe o odiava, atribuía ao velho todos os males do mundo. Da guerra com os irlandeses ao câncer de pele. — Ele deu uma risada sem gosto que a fez amá-lo mais ainda. — Ela e minha irmã fizeram de tudo para tirar minha masculinidade, sempre reclamando, sempre pressionando para que eu fizesse as vontades delas.

— Que horror! O que elas faziam? Ou você prefere não contar?

— Quando eu era muito pequeno me deixavam sozinho durante horas. Minha mãe saía para trabalhar e minha irmã me prendia em casa enquanto dava em cima dos soldados que serviam no quartel perto da nossa casa. Um dia, elas me pegaram mexendo no meu pau; minha irmã foi quem viu e gritou para minha mãe, que deu de chinelo nas minhas mãos para que eu não fizesse isso nunca mais.

— Bateu de chinelo?!! Quantos anos você tinha?

— Uns quatro no máximo. E eu xinguei minha irmã de dedo-duro e minha mãe colocou pimenta na minha boca, reclamando que eu era um menino ruim, como meu pai.

— Ele também maltratava você?

— Ela dizia que ele bebia, batia nelas, quando estava em casa.
— Mark pareceu não ter ouvido a pergunta dela. — Era embarcado, passava meses sem aparecer.

— E ele batia mesmo? — Vera precisou cruzar as mãos no colo para evitar a pena de um pequeno menino inglês na mão de duas mulheres frias e violentas.

— Batia. Nunca sem motivo, mas batia. A diferença é que ele era justo. Batia nos três: nela, na minha irmã e em mim. Castigava a sujeira delas, a licenciosidade, a preguiça. Quando ele não estava perto, elas se vingavam em mim. Quando ele chegava, inventavam histórias a meu respeito, maldades que eu teria feito contra as crianças da vizinhança, má-criação na escola. Duas mentirosas.

Vera ficou calada, digerindo aquele quadro de crueldade doméstica, chocante mesmo para ela acostumada como burocrata de escola pública a dezenas de casos de crianças maltratadas.

— Eu devo estar cansando você com essas histórias tristes — disse Mark olhando para ela de relance.

— Nunca. Eu adoro escutar você. — Ela podia acrescentar: "Adoro ouvir suas histórias porque prolonga o amor da gente, faz com que não seja apenas cama", mas teve medo de assustá-lo com a impressão de que esperava mais dele do que apenas sexo. Ficou quieta, tímida, esperando que concluísse o que contava.

— Meu pai, em geral, não acreditava nelas, dizia que elas queriam me transformar num veadinho, num frouxo e isso era bom porque fazia com que eu me sentisse mais perto dele. Mas ele deixava tarefas para nós três enquanto viajava, como fazer uma cerca, construir mais um pedaço da casa, plantar alguma muda que ele havia trazido de viagem e que nunca vingava na chuva que caía o tempo todo. E aí, era muito ruim.

— Ruim como?

— Ele não admitia erros ou fracassos da nossa parte. E, mesmo quando havia algum dinheiro para chamar alguém para ajudar, eu nunca fui muito bom com trabalhos manuais. Quando elas contavam que a maior parte do trabalho havia sido feito por elas ou por alguém contratado, ele se voltava contra mim. Elas roubavam de mim até isso, a possibilidade de estar próximo do velho. Por isso eu preciso encontrar meu filho, Vera. Eu não posso permitir que duas mulheres façam com ele o que minha irmã e minha mãe fizeram comigo.

— Não vai acontecer isso, querido. Eu prometo. Nós vamos encontrar seu menino. — Passou a mão pelo cabelo, fez um carinho na base da nuca, como sabia que ele gostava.

— Preciso encontrar rápido. Às vezes, a gente perde o momento exato para fazer o que é melhor para os filhos e morre sem ter tempo de consertar. Isso aconteceu comigo e com meu pai.

Eles haviam voltado pela Grajaú-Jacarepaguá, apesar de Vera alertar que era a volta mais perigosa, a estrada ladeada por favelas, o risco de arrastões em engarrafamentos, balas perdidas, mas ele insistira com um risinho de mofa, os bandidos cariocas não lhe metiam medo. Ele preferia, estava com vontade de dirigir, cansado de andar de ônibus, táxi, metrô naqueles trinta dias de Rio de Janeiro. Ela não disse nada, pois seguir pelo caminho mais longo significava mais tempo em sua companhia. Agora, porém, estavam chegando, faltavam poucos minutos até a porta da casa dela, e Vera não sabia como ou quando ele concluiria aquelas recordações porque ele caíra no silêncio.

Ele parou o carro numa freada brusca, numa rua escura, Vera não fazia ideia de onde estavam, sabia que era perto da casa dela, mas o susto a fez esquecer o caminho.

— Você entende o que eu estou fazendo? — Ele a agarrou pelos braços, o rosto bem perto do dela, os olhos arregalados. O olhar dele fez com que se lembrasse de Fernanda dizendo que ele punha olhos de cachorro louco. Ela afastou o comentário malévolo, solidária com a dor dele.

— Claro que entendo.

— Você entende, graças a Deus você entende. — Ele a abraçou apertado, quase machucando. — Finalmente, eu encontrei uma mulher que entende minhas atitudes.

— Nenhuma outra? — Ela fez a pergunta temerosa da reação dele, mas precisava se certificar de que a exclusividade era completa, quase uma declaração de amor.

— Entender, não. — Ele se recostou no banco, exausto. — Existia uma tia solteirona, irmã mais velha da minha mãe, que me defendia. Ela me protegia sempre que estava por perto. Depois também. Quando eu fugi de casa, morei um tempo com ela; quando saí do Exército, a mesma coisa. Mas ela só ficava do meu lado, não entendia. Acho até que discordava de mim, a maioria das vezes, mas para ela era muito importante ficar contra minha mãe. Não era porque me amava, muito menos porque me entendia. Ela era diferente de você. Você é única.

Vera não precisava de mais nada. Nenhum sinal. Se ele pedisse nessa hora que ela voltasse a pé descalça para a Barra da Tijuca, ela voltaria. Como os romeiros que subiam a escadaria da Igreja da Penha de joelhos quando ela era pequena. Ela faria qualquer coisa por ele, para continuar perto dele. Qualquer coisa.

Thomas andava devagar na saída da escola, perguntando-se, sem nenhum propósito especial, por onde andaria Sem Nome. Ele estava sumido desde a véspera, quando aparecera aos pés da cama de Thomas com aquele sorriso irônico, mas carinhoso, que era sua marca registrada. Sonolento, ainda pensou em perguntar do que ele estava rindo, porém sabia que a resposta seria "de nada, eu gosto de sorrir" ou alguma outra frase vaga e meio irritante.

De qualquer forma, o menino não apareceu de manhã e sua ausência na quadra de futebol na hora do recreio despertou em Thomas uma onda de pânico como há muito não sentia. "Alguma coisa está errada, algo terrível vai acontecer, minha mãe deve estar à morte, um carro atropelou Letícia", os pensamentos aterrorizadores davam voltas dentro da cabeça dele enquanto olhava para todos os lados procurando Sem Nome. Ele teria uma explicação que o tranquilizasse, como um jóquei faria com um cavalo sensível demais que desse para resfolegar na entrada da pista. Desesperado, isolou-se um momento da quadra barulhenta no meio do pátio da escola, como o garoto havia ensinado. Respirando, barriga para fora quando entrar o ar, barriga para dentro quando sair, barriga para fora, barriga para dentro.

"Não escutar quem está além de mim, só escutar coisas boas que estão comigo, as ondas indo e vindo sem conseguir me tocar, porque eu estou seguro na areia, o chocolate quente que mamãe fez no meu último aniversário antes de viajar e nos deixar sozinhos, mas ela precisava trabalhar, ninguém ajuda uma mulher sem marido com dois filhos para cuidar, ainda mais quando esta mulher está fugindo de um monstro como meu pai, não é hora de pensar nisso, ontem eu fiz um gol contra a quarta série B, isto é o que importa, se mamãe estivesse doente alguém avisaria a gente, nos Estados Unidos eles são superorganizados, aqui eles não são, e Letícia pode ter sido pega por um ônibus atravessando a rua, por que eu fico pensando essas besteiras e esqueço de respirar? Barriga para fora, barriga para dentro, para longe de mim este medo, não aconteceu nada, não vai acontecer nada, não aconteceu..."

— Ei, Thomas, está dormindo?!! É a sua vez! Você não queria jogar? — gritava o colega, outra partida ia começar.

Ele entrou em campo esquecendo a onda que havia quase lhe arrastado para o centro infeliz que existia dentro dele. Jogando, a onda diminui até se tornar despercebida, uma poça d'água da qual ele riria com Sem Nome na hora que o encontrasse em casa, quando as aulas acabassem.

Não era Sem Nome que estava esperando por ele na portaria do prédio. O recreio e as duas aulas finais da tarde deixaram um gosto de felicidade na sua pele na volta para casa. Ele sentira medo, o medo passara sozinho, sem ajuda, apenas com o esforço dele mesmo, Thomas. Respirar um pouco e correr atrás de uma bola com outros garotos. Esse era o segredo. O fato de Sem Nome ter lhe ensinado o truque da barriga para dentro e para fora e o de "varrer" as ideias más não diminuía sua alegria de ser forte o bastante por ter conseguido a proeza. "Eu, Thomas, não sou um bebê de nove anos. Sou um garoto esperto que joga um bolão e não tem medo de monstros." Este foi seu último pensamento autônomo antes que o homem ruivo de rabo de cavalo — com o rosto que ele sabia ser parecido com o seu — se adiantasse com os braços abertos e o passo rápido em sua direção. Thomas mal teve tempo de registrar uma mulher gorda que o acompanhava, também sorridente, mas sem a rapidez do pai.

Porque era Mark, seu pai, que, finalmente, o havia achado. O pesadelo era real. E inesperado.

— Você me traiu, podia, ao menos, ter me avisado — disse Thomas ressentido para o menino invisível que não estava ali, antes de cair para a frente desmaiado.

FINAL DE TARDE, LETÍCIA ESTAVA NA BIBLIOTECA terminando um trabalho com um grupo de colegas que a haviam convidado na véspera quando viu de relance um menino ruivo, não exatamente parecido, mas com as mesmas cores de Thomas.

— Eu pensei que a essa hora todos os alunos do primeiro grau já tivessem saído — murmurou Letícia para ninguém em específico.

— E saíram. Nenhum deles fica na escola depois das cinco, são quase seis — comentou Verônica.

Letícia se calou, uma sensação distante de desconforto, e voltou a se concentrar no trabalho para ser entregue no dia seguinte. Os cabelos ruivos apareceram de novo, como se alguém que não alcançasse a parte de vidro da porta da biblioteca pulasse para se fazer notar.

— Vocês me dão licença, um minuto? — pediu ela às colegas, levantando.

Abriu a porta da biblioteca, mas lá não havia ninguém. Nem no corredor com seu assoalho lustroso de tábua corrida, nem na escada curva toda de madeira que levava à porta principal. A criança de cabelos vermelhos não teria alcançado a saída tão rápido. Ou teria? Por desencargo de consciência, chegou até o corrimão e ele estava lá, branco, sardento, de expressão soturna. Ela, do alto da escada, ficou pensando como ele conseguira descer tão rápido e silencioso a escada velha que sempre rangia. O menino olhou para ela sério, os olhos tristes como costumavam ser os olhos de Thomas quando os dois eram pequenos, antes de a mãe descobrir tudo sobre Mark. O menino olhou para ela e sumiu. Ela ainda tentou chamar, fazer um psiu, perguntar o seu nome, mas as palavras não obedeciam.

Foi aí que ela soube que alguma coisa horrível acontecera. Talvez com a mãe nos Estados Unidos. Talvez com Thomas.

— Eu preciso ir para casa, agora — disse para as colegas espantadas, recolhendo os livros enquanto falava. — Sinto muito.

— O que foi que houve? — perguntou uma das meninas, Carla.

— Eu fiquei menstruada fora de hora — mentiu Letícia.

— Eu empresto um absorvente. Sempre trago na bolsa — ofereceu Verônica. — Minha mãe me ensinou isso na minha primeira menstruação.

— Não adianta. Eu preciso ir. Estou com cólicas. — Letícia sentiu que estava com o tom de voz alto demais, agressivo, como costumava acontecer quando tinha medo.

As colegas se entreolharam inseguras e um pouco aborrecidas. "Afinal, quem aquela garota esquisita pensava que era para ser convidada a participar do grupo e deixá-las na mão na hora H?" Elas tinham o direito de ter esse pensamento, reconheceu Letícia.

— Mas falta muita coisa para terminar — reagiu Verônica. — Você não pode simplesmente assinar um trabalho que nós vamos fazer sozinhas.

— Tudo bem, então eu não assino — conformou-se Letícia já na porta.

— Você vai tirar zero, é para dividir com a nota da prova — ponderou Carla.

— Existem coisas piores do que tirar zero — respondeu Letícia, saindo.

Ela quase corria pelas ruas tentando se concentrar na ideia de que o menino ruivo era apenas um aluno retardatário de quarta série, sem relação com a sensação de desastre iminente que fazia com que desaparecesse o céu limpo, o ar quente de quase verão, as lembranças boas das coisas que ela conseguira nos últimos dias: enfrentar Gustavo, enganar a catequista na primeira comunhão de Thomas, o prazer provocado pelo esquisito segurança de banqueiro.

Todas as coisas boas estavam anuladas pela sensação de perigo, que se esvaiu subitamente como havia surgido quando ela viu o edifício velho onde morava com o irmão. Ela se encostou no poste mais próximo, tonta de alívio.

— Que bom! Não existe nenhum menino ruivo, o prédio não pegou fogo, foi só um ataque de loucura, já passou... — Ela respirou fundo, parou de falar sozinha e se dirigiu à portaria pensando que o excesso de preocupação com a mãe e com o irmão estava começando a afetar o seu juízo.

O elevador estava parado no andar onde eles moravam, o vizinho escroto devia ter subido há pouco. Ela esperou impaciente que a velha gaiola descesse. "Chego, dou um beijo em Thomas e volto para o colégio, ainda pego as garotas na biblioteca, desfaço a má impressão", pensou, enquanto percorria o pequeno corredor e procurava a chave na bolsa. A porta, porém, se abriu antes que ela a achasse.

— Minha filha querida, eu não esperava você tão cedo.

Sorrindo para ela, os olhos inquisitivos desmentindo a voz mansa, a expressão plácida, era Mark na sua melhor forma. Ele havia voltado. Letícia recuou de medo e pensou o quanto os pressentimentos são enganosos, porque fazem acreditar que tudo está bem quando o inferno se aproxima.

— A mesma covarde de sempre, hem, Thomas? — zombou Mark enquanto agarrava Letícia pelo braço com força, ainda bem-humorado — Igualzinha a sua mãe.

— Não fala mal da minha mãe, larga minha irmã, você é ruim, eu te odeio. — Letícia escutou Thomas contestando o pai, enquanto tentava desvencilhar a irmã das mãos de Mark.

Ele o afastou com um repelão ríspido o bastante para o garoto bater em algum lugar e gemer de dor. Isso a fez desistir de afundar dentro dela mesma e tentar reagir.

— Bom, todos estão aqui reunidos para ouvir as novas ordens. Quase todos. — Mark deu seu costumeiro riso de zombaria quando viu Letícia se levantar e passar o braço pelos ombros do irmão, mais uma vez protegendo-o. — Antes vocês vão me dizer onde está a mãe de vocês.

— No trabalho — falou Thomas rápido, sem olhar para Letícia.

"Bom menino, está seguindo as instruções da mamãe se mantendo perto da verdade e não estendendo a conversa", pensou Letícia.

Mark sorriu como se o filho estivesse contando uma piada que ele tivesse o dever de aplaudir, mesmo sem achar graça.

— Você já me contou essa mentira antes, Thomas. Thomas, que nome idiota! Não sei onde eu estava com a cabeça na hora em que deixei sua mãe escolher um nome desses para um filho meu. Por que você é meu filho, não é? Aquela vaca não teria coragem para me trair, pelo menos não na época que eu estava por perto...

Ele andou pela sala pequena, puxou uma cadeira, a cavalgou como gostava de fazer quando estava empreendendo uma inquirição. "Igual aos policiais durões nos filmes preto e branco que os americanos faziam na década de cinquenta", explicou uma vez para Letícia.

— Eu não vou perder a paciência. Vou fazer como os indianos recomendam. Respirar fundo, pausadamente, enquanto vocês meditam, em pé, sobre a inutilidade de tentar me enganar. Vocês sabiam que meu país dominou gente inferior como vocês durante séculos e aprendemos um bocado de técnicas com isso? Não, vocês não sabiam e também não importa. O que importa é descobrir onde e com quem a mãe de vocês está escondida. Vocês vão me contar ou eu preciso vasculhar este apartamentinho de merda para descobrir o endereço do amante daquela piranha?

Letícia, sempre encarando Mark, apertou mais o abraço ao irmão. O pai do menino percebeu o movimento e alargou o sorriso.

— Unidos mais uma vez contra mim, não é? Eu tenho todo o tempo do mundo para esperar o fim da união de vocês. Sabe, Thomas, eu tive uma irmã e tudo o que eu queria era ser unido assim com ela — confidenciou para o filho. — Muito unidos, contra tudo e contra todos. Mas ela era uma intrigante e uma puta. Sabe o que ela fez um dia, meu filho? Confraternizou com o inimigo. Eu enfrentando os caras na guerra e ela deitando com um deles só por causa dos belos cabelos pretos e do azul-escuro dos olhos. Ela me confessou isso depois que o rapaz morreu tentando fugir da prisão.

"Ele gosta de contar vantagem", pensou Letícia se encaminhando devagar para uma cadeira, sempre segurando Thomas pela mão.

— Isso, vamos sentar todos, como gente civilizada e conversar sobre os longos anos de ausência que a mãe de vocês me obrigou a suportar longe do meu filho! — comandou Mark.

— Você não pode nos obrigar a contar nada. Esta é a casa da minha mãe — reagiu Letícia.

— Quem sabe você quer pegar o telefone e chamar a polícia para me denunciar? — Mark arregalou os olhos para Letícia do jeito que indicava as ondas de fúria se aproximando mais e mais. — Vamos, ligue agora.

Ele pegou Letícia pelo braço com gentileza exagerada e mão firme e a arrastou para o telefone, fazendo com que ela largasse Thomas.

— Conte para a polícia que sua mãe escondeu meu filho de mim durante quatro anos.

— Escondeu porque você queimava a gente com cigarro, nos surrava — disse Letícia pegando o telefone.

— Você tem provas disso, minha enteada? Eu provo que sua mãe cometeu o crime de sequestro, mas você não prova o que diz. Ligue, anda. Vamos todos para a delegacia e deixamos que o Juizado de Menores resolva o caso.

— Não, Letty! — gritou Thomas. — Eles vão separar nós dois. Vão me deixar com ele.

Num segundo, Mark havia abandonado o desafio à Letícia e estava sacudindo o filho com força para depois apertar sua cabeça de encontro à parede.

— Então você prefere ficar como uma mulherzinha agarrado à beira da saia dela a ser cuidado pelo seu próprio pai? — Na força que ele usava, a gola da camisa de Thomas se rasgara e a pele mostrava os vergões do aperto de Mark.

— Larga meu irmão. — Letícia se atirou nas costas de Mark mordendo e arranhando por segundos antes de ser empurrada longe. Em seguida, ele estava chutando o corpo dela no chão, nunca no mesmo ponto, rápido e fundo o bastante para que a dor fosse terrível, mas não deixasse marcas.

— Uma coisa eu tenho que admirar em vocês dois: sabem apanhar, não se cansam. — Mark parou de bater num esforço de autocontrole que assustou Letícia mais ainda. — Vamos fazer assim: Letícia telefona para Amanda e diz que está com saudades, para ela interromper o que estiver fazendo e vir para cá.

— Minha mãe foi a Teresópolis a trabalho, só volta amanhã, ficou de buscar Thomas na escola. Vai direto pra lá — mentiu Letícia. "Tudo o que eu preciso é desse final de dia, dessa noite para fugir com Thomas."

— Maravilha. Eu estarei lá esperando Amanda, junto com vocês. Resolveremos tudo. Civilizadamente.

"Ele acreditou! Graças a Deus, ele acreditou. Nós estamos livres dele, podemos pedir ajuda", pensou Thomas.

— Está bem — disse Mark, calmo. — Eu espero. — Thomas, venha comigo para me mostrar o lugar onde eu vou dormir. Perto de você.

— Eu pensei... — Thomas gaguejava de pânico. — Eu pensei que você fosse para casa de sua amiga, para um hotel.

— Que amiga? — perguntou Letícia.

— Uma burocrata idiota que me ajudou a encontrar vocês, que é testemunha da emoção que Thomas sentiu ao reencontrar finalmente o pai e da irresponsabilidade da sua mãe em deixar o meu filho de nove anos chegar sozinho nesse pardieiro. — Ele sorriu complacente para Thomas. — Não, eu não vou para a casa dela. Eu vou ficar com você, filhinho, para sempre.

A noite passou devagar para Thomas e Letícia. Impotentes, viram Mark assumir a casa como se morasse ali desde sempre. Tudo o que ele fazia, levava os dois juntos, impedindo qualquer tentativa de Letícia ligar para Amanda (pensava ele). Ou para Felício, era o que ela planejava em segredo.

Com os dois à vista, ele arrumou a cama, colocando sua mochila em cima da cômoda. Procurou na geladeira comida e, não encontrando, obrigou os dois a acompanhá-lo à padaria onde comprou pão, presunto, leite e sonhos recheados de goiabada. Serviu o lanche como se fosse um anfitrião gentil e não um invasor odiado. Na hora de dormir levou o filho com ele até o banheiro e usou a privada sem constrangimento, como se aquela intimidade fosse comum entre eles.

— Uma coisa que eu aprendi no Exército foi a não ligar para essa bobagem de vergonha do corpo. Entre homens, tudo é normal. Nós somos iguais, eu e você, só existe diferença de pelos e tamanho — explicou, lavando as mãos sob o olhar consternado de Thomas. — É isso mesmo, não me olhe assim. Essa vida sua no meio de duas mulheres é de fazer o maior macho do mundo virar veado. Que cara é essa? Está com medo de seu próprio pai?

— Morto de medo — assentiu Thomas, cansado do esforço das últimas horas para cima e para baixo com Mark. — Eu queria que você, por favor, fosse embora. Eu sou seu filho, estou pedindo.

Por um momento, ele pensou que Mark fosse explodir. O rosto do pai se manchou um pouco, as orelhas ficaram vermelhas, quase roxas, o punho direito se fechou e levantou como se fosse investir sobre a barriga do filho. Depois, ele relaxou, respirando forte, e Thomas observou horrorizado que o pai estava usando o método que Sem Nome havia lhe ensinado, só que para usar a raiva de forma pior do que o costume. Ele suspeitava.

— Eu não vou embora, filho. Não vou abandonar você na mão daquela piranha da sua mãe. Meu pai fez isso comigo, você sabia? Fez. Me deixou com minha mãe e com minha irmã, e elas quase me destruíram. Teriam destruído, se não fosse o Exército. Mas essa é uma longa história que, um dia, vou contar toda para você.

Letícia, ele ignorou o tempo todo. Arrumou a mesa para os três, fez os sanduíches, preencheu o silêncio desconfortável com frases banais sobre o tempo e a violência no Rio, parecendo não se incomodar com a falta de resposta dos irmãos, mas em nenhum momento dirigiu a palavra à enteada.

Quando Thomas começou a cabecear de sono, Mark o pegou pela mão e levou para a cama, cobrindo-o com o cobertor já gasto e alisando os cabelos do menino com uma ternura que Letícia — e sua boa memória das cenas de tortura desde os primeiros meses de vida do irmão — mal pôde acreditar.

— Você dorme no quarto da sua mãe, pois eu não quero ter contato com nada que seja dela — determinou Mark.

— Então você não devia estar aqui. Minha mãe paga o aluguel.

— Com que dinheiro? Se vendendo para os homens que ela encontra por aí? Ou ela tem alguém que arranja os homens para ela?

— Você sabe que minha mãe não é uma prostituta. Ela trabalhou desde que meu pai ficou doente — protestou Letícia. — Ela trabalhava quando você a conheceu.

— Trabalhava, ganhava pouco, não tinha dinheiro para se arrumar, para ir ao cinema, para sair. Por isso ela me agarrou.

— Mentira sua — gritou Letícia perdendo o medo.

O dorso da mão de Mark pegou rápido o lado do seu rosto, enquanto a outra mão empurrava seu corpo para o chão.

— Você não sabe de nada sobre sua mãe, ela é uma putinha barata como qualquer outra. — Mark sentou em frente a Letícia, que soluçava com as costas na parede. — Sabe quem sua mãe me lembra? Uma prostituta que eu conheci em Dublin. Aishling. Só uma irlandesa para ter um nome desses. Aishling. Tinha um filho pequeno, quase a mesma idade que você tinha quando eu conheci sua mãe. Quando comecei a criar você.

— Você nunca me criou. Você é um monstro.

— Corajosa, a garotinha. Aishling também tinha um filho corajoso. Um filho que cantava no coro da igreja e cantava na rua pedindo esmola.

Letícia, por um momento, teve uma sensação de febre. Como um aviso de gripe, um mal-estar indeterminado que não era medo, não era por causa das pancadas, era uma coisa esquisita por dentro, avisando que um processo estranho começara. Estranho e irreversível.

Ela observou, como se estivesse de fora da cena, Mark acender um cigarro, sentar na cadeira, como se preparando para conversar com um grande amigo, ao invés de uma refém. Ela e Thomas não eram as primeiras crianças que ele atormentava? Pelo que ele contava, parecia que não.

— Eu nunca troquei uma palavra com o menino, mas fui vê-lo uma vez cantando na rua — contou Mark como se respondesse à pergunta que ela não fizera. — Era primavera em Dublin, o primeiro dia de sol de verdade, e ele estava lá cantando com uma cartola velha aos pés, recebendo moedas. O sonho da mãe era que ele fosse um cantor popular famoso, pobre-diabo, não deve ter chegado a lugar nenhum. Nem chegaria com uma mãe daquelas.

— O que aconteceu com a mãe dele? — perguntou Letícia.

— A mãe dele me pegou num *pub*, em Grafton Street, um daqueles lugares barulhentos, cheios de gente carente querendo fazer amigos. Os irlandeses são um nojo com a mania deles de falar com todo mundo, dançar com desconhecidos, dar conversa para qualquer um. Parecem com vocês brasileiros. — Mark sorriu das recordações, depois olhou para Letícia, pensativo. — Acho que eu vou contar para você o que aconteceu com a mãe do menino cantor. Para que não tenha nenhuma ideia idiota de tentar me enganar.

— Eu não quero saber de suas histórias. Eu estou com sono, quero dormir com o meu irmão.

— É claro que você não vai dormir com meu filho. Essa mulher Aishling dormia na mesma cama com o filho, num quarto alugado, numa casa de cômodos em Dublin. Ela ia para os *pubs*, depois do trabalho, e levava dinheiro contado para uma cerveja pequena. Ficava lá, escutando música, puxando conversa, pegando homem, como sua mãe.

Letícia percebeu que o pé dele estava um pouco levantado, o calcanhar apoiado no chão, mas a parte da frente preparada, como se faz quando se está prestes a bater numa mosca. "Ele quer que eu responda, para me chutar com essa botina", pensou ela, olhando apenas, de novo com distância, como se alguma coisa adormecesse sua língua e paralisasse seu corpo.

— Ela me disse que se sentia cansada e sozinha e por isso estava ali. Contou isso no segundo copo que eu paguei para ela, a vadia, como se eu fosse algum inglês babaca disposto a ser depenado por uma puta irlandesa.

— Por que você está me contando isso?

— Para você saber quem eu sou. Sua mãe conhecia essa história. Essa e a da adolescente de Bangladesh que eu encontrei no metrô. Tinha a sua idade...

— Eu sempre soube quem você é. Desde que eu era pequena. Você enganou minha mãe, a mim nunca.

A bota se abateu num golpe rápido, como ela havia previsto, sobre um dos seus pés, doendo como se um dos dedos tivesse quebrado.

— Que bom que você me conhece! E vai conhecer muito mais porque eu não vou mais sair daqui. Como é que vocês brasileiros dizem? Os incomodados que se mudem, não é? Você e sua mãe podem ir embora. Desde que deixem o meu filho.

— Eu não vou deixar meu irmão nunca. — Letícia levantou do chão, trôpega de dor. — Nunca.

— Então nós vamos nos conhecer muito bem mesmo.

Aquele fora o começo de tudo. Meses depois, Letícia fazia um esforço para relembrar os detalhes dos dias que se seguiram, mas a única coisa bem-delineada na memória era aquela primeira noite.

Depois da pisada, Mark abandonara o ar de confidente e arrastara Letícia para o segundo quarto, onde ela e Amanda dormiam, o quarto que era mantido pelos dois irmãos sempre com alguma roupa da mãe espalhada para que um visitante inesperado não pensasse que ela não dormia ali há seis meses. Ele amarrou os braços dela na beira da cama, de maneira que pudesse se mexer, mas não fugir durante a noite. E a deixara ali, até o dia seguinte, num sono entrecortado de pesadelos onde a mãe aparecia a bordo de um navio, dando tchau de longe, sorridente e bem-vestida, partindo para algum lugar com Mark e Thomas, enquanto ela, Letícia, tentava alcançá-los a nado.

Mark encaminhou as providências matutinas da casa como se estivesse num quartel ou num campo cirúrgico. Primeiro acordara o filho e obrigara o menino a tomar banho frio, a se arrumar para sair e a tomar um café reforçado. Depois acordou Letícia e dera suas breves ordens: ir ao banheiro, tomar café rápido e voltar para a cama a fim de ser novamente amarrada, até o momento de acompanhá-lo na escola para encontrar Amanda.

— E se eu não quiser? — rebelou-se Letícia.

— Se você não quiser, pode sair por aquela porta e deixar eu e meu filho vivermos em paz, sem você e sem a prostituta de sua mãezinha.

— Minha mãe não é prostituta, não xinga minha mãe — gritou Thomas avançando sobre o pai. — Você não pode amarrar minha irmã.

Mark agarrou o menino pela base da garganta, e o rosto de Thomas avermelhou-se num tom quase roxo de falta de ar.

— Vamos deixar uma coisa clara. De uma vez por todas. Sua mãe abandonou o marido, sequestrou uma criança. Se eu quiser ela vai para a cadeia e se vocês não colaborarem é isso que eu vou querer.

— Mesmo assim você não pode me amarrar — teimou Letícia. — Eu tenho que ir à escola.

— Para fugir ou pedir ajuda a algum amante da sua mãe? Para ligar para o apartamento dele onde ela deve estar agora? Não. Você fica aqui, amarrada e amordaçada, ou vai embora e eu denuncio a mãe de vocês.

Thomas e Letícia se entreolharam. As fitas e o gravador estavam guardados em lugar seguro, mas seria fácil Mark encontrá-los. Bastava uma revista bem-feita. O que ele poderia fazer contra Amanda se achasse as provas de que ela viajara e deixara os filhos sozinhos?

Não havia o que discutir. Thomas acompanhou Mark e ouviu calado quando o pai se apresentou, supersimpático, ao vizinho seboso que desceu com eles no elevador. Calado, Thomas andou com ele até a escola, chamando desesperadamente por Sem Nome dentro de sua cabeça, mas o menino desaparecera.

Na escola, Mark pediu para falar com a diretora, apresentou-se com seu melhor sorriso e lamentou a separação da ex-mulher que o deixara tanto tempo sem ver o menino. Quem o ouvisse, pensaria estar ouvindo um pai apaixonado pelo filho, pela enteada e, apesar dos pesares, pela ex-mulher. A equipe pedagógica ficou encantada com ele. Amanda há meses não aparecia na escola, trabalhava demais; o último contato tinha sido na primeira comunhão do menino, contou a professora de catecismo que trabalhava como assistente de diretoria. Mark não se incomodava de o filho seguir os rituais católicos, se incomodava?

Aquele foi o único momento em que Thomas sentiu uma ligeira mudança, uma aragem contra o pai, como se um vento — um vento não, uma brisa — tentasse romper a redoma de ar quente que Mark instalara no ambiente. A mão de Mark que estava segurando a sua se contraiu por instantes como se ele fosse responder a verdade que

Thomas supunha ser o quanto o catolicismo era uma bobagem de fracos capazes de seguir um padre na Itália em vez de atenderem a alguém de sua própria paróquia. Mas nada disso aconteceu. A resposta de Mark veio no tom cortês que já conquistara as professoras.

— Acho ótimo que ele tenha feito a primeira comunhão, que tenha se colocado sob a proteção da Igreja. Pena a mãe não ter me avisado, pois eu estaria presente.

O sinal para que os alunos do turno da manhã entrassem impediu que a professora comentasse sobre o tio. Mark pensaria que era algum amante da mãe ou, o que seria pior, se lembraria do policial mulato de olhos verdes que o espancara e roubara, permitindo com isso a fuga de Amanda e dos filhos.

Do colégio o pai o levou pela mão para um reconhecimento do bairro, exigindo em tom cortês, mas firme, que o filho o levasse aos lugares que frequentava de hábito. As respostas curtas e o ar infeliz de Thomas não o intimidavam. No final da manhã, Mark já cumprimentara os meninos com quem o filho jogava bola, a mulher grávida que levava o filho pequeno à pracinha perto do Quartel dos Bombeiros onde ele usava o escorrega junto com Sem Nome, os porteiros que o viam passar todos os dias nas redondezas.

Na volta para casa, pararam num supermercado e o pai comprou um pacote de linguiça, uma lata de molho de tomate em pedaços, tempero verde, um pacote de espaguete, tabletes de caldo de carne.

— Comida de acampamento. Não tem sentido fazermos compras maiores se sua mãe vai buscar você na escola e nós vamos resolver nossa vida hoje, de uma vez por todas — explicou Mark. — Sabe, Thomas, a coisa que eu mais quero é partir daqui sem brigas. Voltarmos os dois para São Paulo, longe dessas mulheres malucas. Eu poderia destruir a vida da sua mãe, mas não vou. Vou conversar, apenas.

Thomas não disse nada. Seria bom acreditar que esse era realmente o plano do pai, conversar apenas com Amanda, resolver a situação. Mas ele sabia que não existia solução à vista, mesmo que a mãe estivesse no Brasil. Ela nunca o entregaria para Mark e ele jamais aceitaria partilhar a guarda como os pais de outras crianças aceitavam. A disputa entre eles duraria a vida inteira. A vida inteira dele, Thomas.

Quando chegaram em casa, Letícia estava chorando, os braços machucados da tentativa de se soltar. Mark a desamarrou com um sorriso irônico e a empurrou para a cozinha onde ela ficou sob suas vistas enquanto ele preparava o espaguete. Ele não falou com nenhum dos dois, apenas deu ordem para que Thomas se arrumasse para a escola e não chegasse perto do telefone.

A massa ficou gostosa, reconheceu Thomas em silêncio, estendendo o prato para o pai colocar mais. Muito mais gostosa do que a feita por Amanda, quando estava na casa, ou por Letícia naqueles quase seis meses em que viviam sozinhos. Letícia mal tocou na comida, mas Mark não comentou nada. Era como se ele estivesse longe dali, pensando em outras coisas. Quando Letícia se levantou, o prato pela metade, ele voltou a si.

— Você não vai deixar no prato comida comprada com o meu dinheiro. Coma tudo ou não levanta dessa mesa — ordenou.

Letícia tornou a sentar e se forçou a comer. Thomas, sabendo que ela odiava linguiça, não pôde deixar de lembrar as vezes que a irmã fazia a mesma coisa com ele. "Coma que a mamãe precisa trabalhar muito para a gente ter comida em casa."

— Você tem dez minutos para lavar os pratos enquanto nós escovamos os dentes. Depois, você volta para a cama e eu vou levar meu filho na escola. Não se preocupe que num instante estarei de volta.

— Eu não sou sua empregada para você falar comigo desse jeito — rebelou-se Letícia.

— Você está ficando muito cansativa com esse jeito de ofendida, quando a vítima dos crimes da sua mãe sou eu. Você pode ir embora, agora, e eu denuncio sua mãe à polícia. Pode ir embora com sua mãe quando ela chegar na escola, hoje à tarde, e assinar um documento abrindo mão da guarda do meu filho.

— Por que minha mãe faria isso? — perguntou Letícia.

— Porque, se ela não assinar, eu vou fazer de tudo para ela ser presa por sequestro. Mesmo na bagunça que é esse país, acho que eu consigo. Vocês não acham?

Letícia tirou os pratos da mesa e foi para a cozinha com a louça. Era essencial conseguir chegar perto do telefone para ligar para Felício. Nesse momento, pensou em como era absurda a situação de não terem um telefone para contatar a mãe nos Estados Unidos. "Passem um telegrama, se for urgente; não é bom ligarem para a casa onde eu trabalho, a governanta é fogo." Pela primeira vez, Letícia achava que preservar o emprego da mãe não era o mais importante.

A chegada de Thomas com o pai no início das aulas causou sensação entre os colegas e as mães que estavam por ali. A notícia de que o menino tinha um pai estrangeiro com quem a mãe não permitia que tivesse contato já era conhecida pelos comentários do pessoal que estudava de manhã e pelos colegas de futebol do menino. A simpatia tímida de Mark, cumprimentando e pedindo licença para passar com o filho, aumentou a boa impressão que aquela história romântica causava. O sinal para entrar livrou Thomas do que classificava como falsidade do pai, mas o obrigou a enfrentar os comentários dos colegas.

— Cara, é verdade que seu pai voltou? — cochichou um colega de peladas na hora do recreio, um dos amigos conquistados depois de Sem Nome.

— Como é que sua mãe tem coragem de deixar um homem tão bonito? — perguntou uma gordinha espevitada, baixo o bastante para a professora não ouvir, mas alto o suficiente para provocar o riso de outras meninas.

Ele não respondeu. Não adiantava. Mark sabia ser encantador quando queria e havia conquistado todos. Ele e a irmã teriam muita dificuldade de conseguir aliados.

Dezembro de 1992, semana anterior à fronteira.

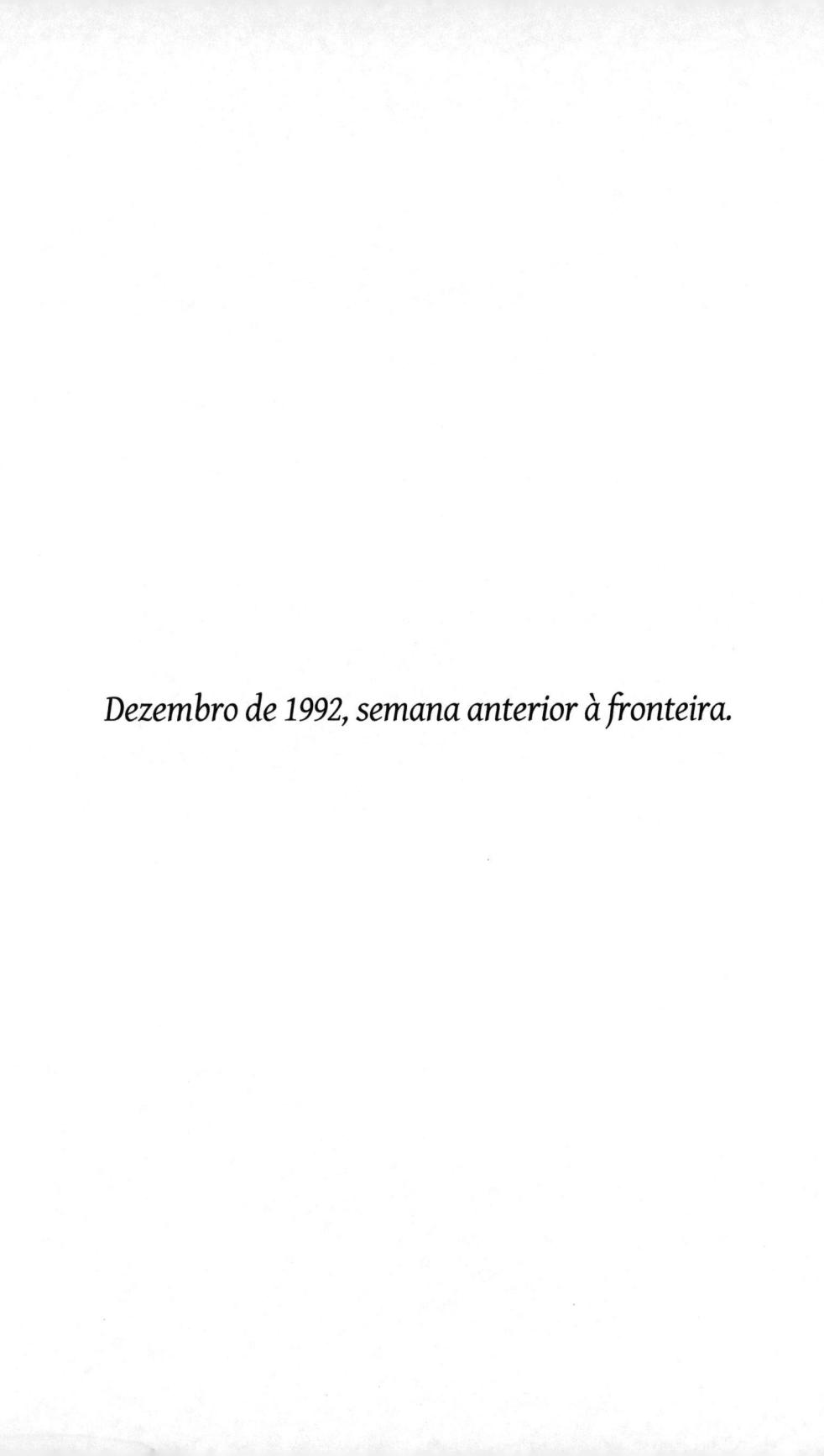

Letícia esperava que o inferno subisse e se derramasse por cima dela e de Thomas quando Mark não encontrasse Amanda na escola. Esperava que ele revistasse o apartamento e descobrisse as fitas escondidas, o recibo da caixa postal, as evidências de que a mãe emigrara e deixara os dois ali.

O inferno, porém, tomou outra forma. Para Mark, a ausência de Amanda significava que, de alguma maneira, Letícia ou Thomas haviam avisado à mãe sobre sua chegada, e ela estava se escondendo dele, junto a um outro homem.

O fato de ela estar amarrada e Thomas na escola não eram impedimentos reais, não na cabeça dele. Ele desamarrou Letícia, levou-a consigo até a escola para buscar Thomas, trouxe os dois para casa em silêncio depois de comprovar que Amanda não apareceria.

Mark preparou cachorro-quente para os três, conversando animadamente com o filho, que não respondia, e ignorando a existência de Letícia. A preparação para dormir foi igual à da noite anterior, mas, na madrugada, ele sentou na beira da cama de Thomas e o sacudiu com força.

— Vocês me odeiam, não odeiam? São capazes de fazer qualquer coisa para me enganar, não são? Quem avisou sua mãe para que ela não aparecesse na escola?

A semana seguinte foi de repetição das mesmas perguntas, com diferenças de tom. Ele queria Amanda, de início. Para quê, não ficava claro para Thomas e Letícia. Para entregá-la à polícia por sequestro, para espancá-la a qualquer pretexto como estava fazendo com eles. Letícia não acreditava que Mark pretendia recuperar Amanda como esposa. Vera, a burocrata gorda, como ele a chamava pelas costas, ligava todos os dias, inventando solicitudes, convites, oferecimentos de ajuda, claramente apaixonada. Era sempre Mark que atendia o telefone, numa voz meiga, bem-humorada, mesmo que no momento anterior tivesse esbofeteado Letícia ou Thomas por alguma resistência.

Porque eles resistiam. Resistiam a contar onde a mãe estava, à proibição de se falarem, aos safanões de Mark quando Letícia tentava acolher Thomas.

A vantagem de Mark, porém, era total. Letícia ficava amarrada e amordaçada enquanto ele levava e buscava Thomas na escola. Só podiam usar o banheiro com a porta aberta. Se gritassem, quando apanhavam, ele aplaudiria, dizia, porque teria o auxílio da polícia para encontrar a mãe deles.

— Se você não se incomoda que a polícia saiba o que está fazendo com a gente, por que amarra minha irmã quando sai de casa? Por que não deixa que ela vá à escola? Letícia vai perder o ano, está perdendo todas as provas — tentou argumentar Thomas, no quarto ou quinto dia.

— Porque eu não quero dar à sua mãe a vantagem da iniciativa. Se Letícia avisá-la, ela pode seduzir algum delegado, mentir para ele, até mandar me matar.

— Minha mãe não mataria ninguém. Ela não acredita na violência para resolver problemas — protestou Thomas.

— Qualquer um mata, meu filho. Qualquer um. Quanto às provas de sua irmã, repetir o ano vai fazer bem para ela. É tão simples resolvermos o nosso problema. Basta que Letícia confesse que entrou em contato com a mãe de vocês e avisou Amanda para ficar longe daqui. Vocês estão protegendo aquela vagabunda, quando ela é que deveria proteger vocês. Não é ela que é a mãe?

Thomas sentiu, de novo, falta de Sem Nome. Ele teria uma resposta para aquela questão. Sentia também falta de Amanda. Talvez alguma carta dela estivesse esperando por eles na caixa postal. Não, ainda não dava para ela sentir falta de notícias. Poucos dias haviam se passado desde que o pai voltara. E Sem Nome sumira.

Mark neste dia estava calmo, havia comprado um brinquedo de aeromodelagem e forçado Thomas a sentar à mesa com ele para aprender sobre montagem de aviões, marcas, tipos. O garoto não lembrava se algum dia o pai lhe ensinara alguma coisa e, mesmo obrigado, se divertiu um pouco em aprender aquilo. Letícia dormia na frente da televisão, como criticava antes que Thomas fizesse, e eles dois estavam praticamente sozinhos.

— Amanhã, depois da escola, você vai ter uma surpresa. Só porque hoje foi um bom menino — disse Mark satisfeito guardando as peças na hora de dormir.

A surpresa era um videocassete comprado numa loja de usados, perto do apartamento em que moravam.

— Preferi não comprar novo — confidenciou para o filho. — Gastei muito dinheiro para encontrá-lo. Você não imagina o que foram esses quatro anos sem notícias. Vamos achar uma locadora boa?

Letícia pensava, mais tarde, na tentativa de reconstruir o que acontecera, que este havia sido o momento de mudança. Quando Thomas chegou em casa com Mark, carregados de fitas de vídeo, todos os filmes que Amanda nunca o levara para assistir, mais os que ela considerava inadequados para a idade dele. Porque eram violentos demais.

Aquele final de semana foi um dos piores da vida dela. No momento, parecia o pior porque ela não sabia o quanto de ruim podia acontecer ainda. Ela acordava de madrugada, de sexta para sábado, de sábado para domingo, e Mark e Thomas estavam na frente da televisão assistindo os filmes, se empanturrando de balas, e ela se sentia com febre, na agonia de admitir o quanto aquele demônio era atraente para o irmão como fora para a mãe um dia.

No domingo, à tarde, a gorda apareceu de surpresa, cansada, provavelmente, de não conseguir contato direto com Mark. Trouxe uma torta de padaria e refrigerantes e estava vestida como se fosse a uma festa onde o prêmio seria para a roupa mais sexy. Letícia chegou a sentir pena do esforço da mulher em parecer casual, como se estivesse passando por ali e tivesse resolvido dar uma subidinha. Mais tarde, quando ela foi embora, Mark disse zombeteiro para Letícia:

— Vocês mulheres são todas iguais. Cheias de artimanhas para arranjar um macho.

Na frente de Vera, porém, ele fora amistoso, alegre, exibindo o filho, o avião que construíram juntos, comentando os filmes que assistiram, evitando qualquer tentativa dela de se informar sobre Amanda ou o desenrolar dos acontecimentos. Uma hora de visita, porém, e todos os assuntos corriqueiros estavam esgotados. Até uma mulher carente e curiosa era capaz de perceber isso.

— Bom, eu vou deixar vocês em paz, só vim para saber como estavam. Quase uma semana sem notícias. Quer dizer, eu tinha certeza de que vocês estavam bem, porque sei a pessoa maravilhosa que é o pai de vocês. — Ela fez uma pausa sem graça depois do elogio e, mais sem graça ainda, já de pé, falou, num impulso de coragem: — Mark, você me acompanha até o elevador?

A onda de ar quente que Letícia, volta e meia, sentia voltou. Era uma coisa rápida e boa como o momento que antecede uma chuva de verão num dia de calor insuportável. Olhou para o irmão, Thomas estava calado, não parecia perceber a oportunidade que a saída de Mark do apartamento, com ela desamarrada, representava.

— Acompanho, sim, claro. Thomas, vem até a porta levar a Vera. Um homem sempre leva as mulheres até a porta, meu filho. Letícia, você não vai se despedir da minha amiga? Se não fosse a ajuda dela, nós não teríamos nos encontrado tão cedo.

Letícia obedeceu ao comando, estendendo a mão para a outra que insistiu em beijar o seu rosto com excesso de carinho. Thomas foi atrás de Mark no pequeno corredor e ela reconheceu, num choque, que o irmão não tinha mais a mesma repulsa pelo pai.

Ela recuou rápido até a tampa colada na parede onde ficava o telefone e discou para Felício, torcendo para que ele atendesse rápido. Dois, três, cinco toques, oito, Mark deve estar voltando, Letícia pensou agoniada, pronta para desligar, quando uma mulher atendeu, o que a deixou tão surpresa que achou que tinha ligado errado.

— De onde fala?

— Deseja falar com quem? — A voz feminina era formal, Letícia já a ouvira alguma vez, não sabia onde.

— O Felício, por favor — pediu baixo.

— Eu não estou escutando direito.

— O Felício está?

— Ele está tomando banho. Quer deixar recado?

Mark estava chamando Thomas no corredor, os dois voltariam em seguida, um desânimo pesado tomou conta dela, quase desistindo.

— Por favor, diga a ele que Letícia ligou, eu preciso... — Ela só teve tempo de desligar o telefone e correr para o outro lado da sala porque o padrasto e o irmão já estavam de volta.

— Você até que se comportou direitinho, Letícia. Eu estava preparado para algum ataque de histeria da sua parte — disse Mark.

— Ataque pra quê? Ela é sua amiga, não é? Não valia a pena denunciar você para ela. A mulher está completamente apaixonada, não sabe quem você é de verdade.

— Ah, e você sabe? Quando sua mãe fugiu, você tinha 12 anos. Deu para aprender tanto assim sobre paixão?

— Ela parece uma lesma rastejando: "Ah, como você educa bem esse menino, nunca vi um pai tão atencioso, coisa rara num homem..." — Letícia parou porque a mão de Mark já levantava em sua direção.

— Não, eu não vou bater em você. — Mark baixou a mão. — É isso que você quer, não é? Para me colocar contra o meu filho, mais uma vez. Eu na maior paciência do mundo, esperando a louca da sua mãe voltar da casa do amante para tomar conta de você, me deixar viver em paz com meu filho, e você me provocando.

— Minha mãe nunca vai deixar que você fique comigo — disse Thomas intervindo na conversa. — Eu sou filho dela também.

— Ela já está deixando. Não está aqui, está? Mas não se preocupe, Thomas. Eu aceito sua mãe de volta, aceito até essa sua irmã malcriada. Para a gente ser uma família de novo. Eu abri mão de qualquer relacionamento com outra mulher para ficar com meu filho. E sua mãe não faz isso. Deve estar, agora mesmo, com outro homem.

— Minha mãe não está com outro homem... — protestou Thomas. — Ela...

— Ela deve ter visto você rondando a casa e ficou com medo de voltar — completou Letícia rápido, colocando o braço sobre o ombro do irmão para contê-lo.

— Nem um telefonema para os filhos? Nem uma tentativa de conversar comigo? Se ela me viu na escola ou na rua, não deve estar tão longe. Como alguém pode ser tão covarde como a mãe de vocês?

— Thomas, vamos para o quarto, eu vou ler aquele gibi em inglês para você — disse Letícia.

— Ler para ele? — Mark estava furioso de novo. — Thomas tem quase dez anos e você trata meu filho como se ele fosse um bebê. Ainda falta ver uns dois vídeos dos que ele escolheu na locadora e hoje é dia de dormir cedo, amanhã tem aula, não é mesmo, Thomas? Como gente normal faz.

Letícia e Mark olharam para Thomas, que baixou os olhos, desconfortável.

— Eu prefiro acabar de assistir os vídeos, Letty, se você não se incomoda.

Ele virou as costas para os dois e deitou no sofá desanimado com a disputa. Mark pegou uma cadeira e sentou perto. Quem olhasse de fora veria uma cena comum de uma família comum num domingo qualquer. Letícia, porém, estava dentro da cena e voltou para o quarto derrotada pela inutilidade de brigar pelo irmão.

Thomas ouviu a porta do quarto ser fechada e perguntou para o pai, sem desviar o olhar da televisão:

— Minha irmã devia estar na escola também como gente normal, não é?

— Você quer que sua irmã vá para a escola? É só me contar onde sua mãe está — respondeu Mark.

Thomas não respondeu. Não podia trair Amanda. Nem por Letícia.

AMANDA SENTOU NUMA DAS MESAS EM FRENTE ao supermercado Ralphs, na Chapala Avenue. A mesa era perto da fonte porque era a única que estava vazia no sol de final de outono. Gotas respingavam nela, mas ali não precisaria se sentir obrigada a cumprimentar ou, o que era pior, entabular conversa com alguém.

Uma senhora de cabelos brancos e unhas vermelhas tomava a sopa comprada a 3,99 dólares numa mesa próxima. Duas garotas japonesas dividiam um frango assado. Um sujeito com todo jeito de *homeless*, com sua grande mochila e cobertor bem enrolado, abria com cuidado a caixa plástica e se preparava para almoçar. Talvez ele fosse um pobre orgulhoso ou um adicto fugindo da sociedade organizada, talvez fosse um viajante como ela mesma, pensou Amanda. Se fosse um viajante, a diferença seria que ele podia estar ali curtindo mais um país, mais uma cidade e não tentando se equilibrar numa fuga.

Ela acabara de gastar oito dólares numa mistura de saladas frias, camarão com cogumelos e molho Cajun, bastante pimentão e tomates, num desperdício de dinheiro que fazia aumentar seu sentimento de culpa em relação aos filhos. O garfo plástico pescava o último camarão quando ela o viu. O homem de barba por fazer e moreno que encontrara na Shoreline, na semana anterior, e que reconhecera do portão em Montecitos conversando no final da madrugada com Angelina. Ele carregava um saco plástico do Ralphs, igual ao dela, a mesma embalagem dentro, uma garrafa d'água. "Tomara que ele não sente aqui", pensou, mas com um fatalismo de criança, soube que ele viria em sua direção.

Ele sentou depois de pedir licença num inglês protocolar com sotaque hispânico e devorou a comida rápido como se há dias estivesse sem comer nada. Ele acabou de comer e bebeu metade da água antes de olhar diretamente no seu rosto e perguntar sem rodeios:

— Bom, nós nos encontramos duas vezes, em uma semana, isso deve significar alguma coisa.

Ela poderia responder "Você deve estar me confundindo com alguém" e em seguida levantar e ir embora. Aliás, poderia ter se levantado no último camarão, enquanto ele devorava sua ração de guerra, porque era assim que ele comia, como se aquela fosse a derradeira vez que alguma comida fosse colocada à sua frente. Mas ela estava instigada pela curiosidade, ou que nome tivesse aquele sentimento que a manteve colada na cadeira, assistindo-o comer e beber. Derrotada, respondeu com as palavras que eram chave para mais conhecimento do que seria sensato.

— Duas vezes, não. Eu vi você três vezes.

— É mesmo? — Ele deu um sorriso interessado e acendeu um cigarro, jogando o fósforo apagado no chão. — E quando foi a terceira?

— A primeira. No muro da casa onde trabalha Angelina, em Montecitos.

Ele a olhou avaliativo, soprando a fumaça para cima, a mão cobrindo o cigarro seguro entre o polegar e o indicador. Em algum lugar, no fundo da memória de Amanda, uma informação perdida indicava que aquela maneira de fumar era indício de alguma característica perigosa, mas ela não se lembrava do que se tratava. Algo a ver com um traço psicológico não recomendável, um teste qualquer, quem sabe americano, desses que medem personalidade pelas manias adquiridas.

— Hum, você conhece minha tia, que interessante! — Ele sorriu de novo, arregalando um pouco o olho esquerdo num movimento involuntário, como se alguma coisa o forçasse. — Agora está sendo apresentada ao lado podre da família. Prazer, meu nome é Juan Javier. JJ para os mais queridos.

— Meu nome é Amanda. — Ela apertou a mão que ele estendia num desafio e a sentiu fria e úmida. Como ficavam as mãos de Letícia quando ela estava nervosa. Afastou a lembrança, pois não queria pensar na filha agora. Não quis perguntar por que ele se classificava como lado podre. Não precisou esperar.

— Você é uma das criadas latinas que ela tiraniza, estou certo? Não é cubana, nem mexicana, magra demais, branca demais. Você é de onde? Conte-me e eu entrego para você a ficha da poderosa governanta.

— Eu sou brasileira, não sou criada, sou baby-sitter, e não sei se quero que você me entregue os podres de sua tia. Você parece não gostar dela.

— Você é quem cuida de John-John? — Ele agora estava interessado de verdade. — Como ele é? Parece com Caroline? Ela foi um bebê lindo.

— Ele é muito bonito também. Você conheceu Caroline nessa idade? Desde os quatro meses?

— Não, eu conheci Caroline com dois anos, que era a idade dela quando minha tia foi contratada, em Miami, para ser a baby-sitter da menina, no hotel onde a família estava hospedada.

— Então Angelina já foi baby-sitter! Que interessante! — disse Amanda.

— Angelina já foi baby-sitter, acompanhante do pai de Caroline quando ele ficou incapacitado depois de um acidente, escrava da viúva até ela arranjar outro marido, carcereira de Caroline quando ela se drogava. Angelina faz qualquer coisa por essa família. — Ele puxou a última tragada e amassou a guimba com força. — Vamos sair daqui? Onde está o seu carro?

— Eu não tenho carro — informou Amanda.

— Não tem carro? Você trabalha de baby-sitter em Montecitos, mora em... Espere, me deixe adivinhar. San Andrés, entre os mexicanos? — Ele sorriu quando ela balançou a cabeça afirmativamente. — E não tem carro? Como pode? São, pelo menos, cinquenta minutos de ônibus.

— Mais quarenta a pé, até a casa deles — disse Amanda. — Quando Angelina não pode mandar Hernandez me buscar.

— Nossa Senhora, você deve ter um motivo muito bom para levar uma vida dessas. Você não é maluca não, é? Fugiu de algum hospício? A única coisa que eu tenho medo na minha vida é de maluco.

— Acho que não. — Amanda estava se divertindo com ele como há muito tempo não se divertia com alguém. — Acho que você não precisa ter medo de mim por isso.

— Se eu não tiver medo de você por maluquice, não terei por nada mais. Vem comigo, então, eu tenho um carro. É só por algumas horas, mas tenho — disse ele, levantando-se. — Vou lhe mostrar a Santa Bárbara dos que não trabalham.

Muitas horas depois, na madrugada daquelas suas 24 horas de folga, Amanda se perguntava como pôde ter sido tão irresponsável. Ela aceitara a carona de um desconhecido, o que era proibido naquela cidade, num carro que uma loja disponibilizava para *test drives* — ele classificara rindo como "empréstimo" por algumas horas —, bebera Mojito no bar de um hotel de luxo e acompanhara um homem que acabara de conhecer a um quarto alugado num hotelzinho na Guatierez, onde fizeram sexo como se aquela fosse a última oportunidade de ter algum prazer na vida. Talvez a abordagem direta fosse a causa. Talvez a franqueza com que ele fazia confidências.

Primeiro em Mesa Lane, onde desceram as escadas no penhasco para apreciar mais de perto o mar.

— Naquela praia que você vê daqui, às vezes, aparecem golfinhos brincando na água — informou ele.

— Que praia é aquela?

— Arroyo Burro. Você agora está parecendo uma turista e não uma baby-sitter cansada.

— Um lugar perfeito para um piquenique — observou Amanda encantada. — Numa tarde de sol. Eu contei para você que tenho um filho de nove anos?

— Não, não contou. Acho que piquenique, crianças, comidas podem dar certo na praia, mas em Mesa Lane? Acho que programas mais pesados caem melhor — disse ele rindo. — À noite, jovens costumam fazer festas aqui com marijuana e bebida. A polícia dificilmente aparece. Sabe como é, poucos policiais, lugar de difícil acesso.

— Eu pensei que você não morasse em Santa Bárbara — estranhou Amanda.

— Eu não moro, mas Caroline me trouxe aqui, há um ano. Numa visita que fiz à minha tia Angelina. Quase a última.

— Então você e Caroline são muito próximos? — Ela se sentiu desconfortável com a informação.

— Caroline é próxima de qualquer pessoa quando usa drogas. E na época ela estava muito doida. Minha tia ficou com ódio de mim por eu ter saído com ela, achou que eu estava conspurcando a preciosa lourinha dela. Venha, vamos subir.

No carro, Amanda, pela primeira vez, tentou esclarecer sua estranheza.

— Vocês cubanos são sempre tão francos sobre a vida, o passado, as pessoas que conhecem?

— Não. — Ele riu mais uma vez, o tique do olho arregalado acompanhando a risada seca. — Nós cubanos somos exato o contrário. Escondemos o máximo que conseguimos esconder. Como é que você acha que a gente consegue sobreviver num país onde existe o mundo dos turistas comandado pelo dólar e o nosso mundo onde a moeda não vale nada e tudo é racionado e controlado?

— Como? — Ela se virou para ele curiosa.

— Escondendo coisas. Escondendo primeiro da família, depois da polícia e dos comitês de defesa da Revolução. Escondendo para conseguir dólares com os turistas para comprar roupas estrangeiras, tênis, para conseguir entrar nos locais que só os estrangeiros podem frequentar.

— Angelina fazia isso? Eu não posso acreditar.

— Angelina, acho que não. Ela saiu de Cuba cedo, veio para os Estados Unidos com um amante mexicano, um professor que andou por Havana na década de setenta. Um velho que ensinou um bocado de inglês chicano para ela.

— E eles casaram aqui?

— Casaram? — Ele se espantou com a pergunta. — Impossível para Angelina casar com um mexicano! Quer dizer, ele já era casado, mas você consegue imaginar Angelina recebendo ordens de um homem latino? Mesmo naquela época. Me lembro dela, bonita, mandona, brigando com o pai, com as amantes dele. — Ele parou o carro de novo, brincando com o tom de guia turístico. — Este, madame, é um lugar com muitas marcas mexicanas e católicas. Old Mission. Da última vez que estive em Santa Bárbara, antes de eu sair com Caroline e de minha tia me culpar pela quase overdose da garota, Angelina me trouxe aqui para rezar.

Amanda desceu do carro e olhou a grande igreja, os restos do aqueduto, a praça cheia de flores, e pensou o quanto Thomas gostaria de receber fotos daquele lugar. Se não fosse perigoso para o plano deles. Aquele cubano charmoso, Juan Javier podia ser perigoso também, tanto ou mais do que as fotos.

— E você foi culpado pela quase overdose de Caroline? — Ela aguardou temerosa pela resposta.

— Não, eu não fui culpado pela quase overdose. Ninguém precisa levar Caroline para o mau caminho; ao contrario, é preciso cuidado para que ela não nos arraste.

Eles ficaram em silêncio, admirando a igreja, cada um com seus próprios pensamentos.

— Angelina me conhece há 28 anos e não acredita em mim. É muito atrevimento meu esperar que você acredite, não é?

— Por que é que você está me contando essas coisas? Por que espera que eu acredite? — perguntou Amanda, sentindo-se dando o primeiro passo num caminho excitante e proibido.

— Porque você é brasileira e porque eu estou aqui de passagem. Porque eu preciso contar essas coisas para alguém que não seja desaprovador e que também não seja cínico. E você não parece nenhuma das duas coisas. Um pouco também porque eu quero seduzir você com a minha sinceridade. — Ele riu de novo, dessa vez com alegria, e deu um aperto em seu braço. — Estou conseguindo?

— Não sei. — A confissão dele lhe deu segurança para esconder o quanto já estava seduzida. — Ainda é cedo para avaliar isso.

— Você está só se fazendo de difícil. Se não estivesse gostando já teria me mandado embora. — Ele pegou na mão dela com carinho antes que ela protestasse. — O.k. Eu vou levar você a um lugar perfeito para a sedução, não precisa ter medo, é um lugar público. Eu posso esperar para seduzir você, só não posso esperar muito, não esqueça que Angelina me quer longe daqui logo.

— Ela quer mesmo você longe daqui?

— Quer. Eu estou apenas esperando ela levantar o dinheiro para me emprestar. — Ele arregalou o olho de novo naquele tique esquisito. — Angelina não aprova transgressores. A não ser Caroline.

De Old Mission até a próxima parada, ele lhe mostrou Hope Ranch, outro bairro rico, diferente de Montecitos, onde ela trabalhava, com grandes propriedades, pessoas andando de bicicleta, alguns a cavalo, campo de golfe.

— Lugar de milionários, não? Incrível como eles transitam como pessoas comuns, como se não precisassem temer a pobreza, os assaltos.

— Acho que não precisam mesmo. Uma empresa de segurança controla toda a área e as leis aqui são bem severas.

Eles não conversaram mais sobre coisas pessoais até chegarem ao bar do hotel El Encanto, onde ele pediu Mojitos para os dois. Amanda ficou espantada como as pessoas malvestidas como eles podiam se misturar aos hóspedes sem problemas.

— Os hóspedes também estão supermalvestidos — disse JJ depois de virar o último gole do Mojito. — Linda, se eu não entregar o carro na loja do seu conterrâneo antes de escurecer, é capaz de ele avisar a polícia. Acho que o tempo de sedução acabou. Você vem comigo?

— Eu devo ser louca — murmurou Amanda, horas depois, tentando escorregar debaixo do braço de Juan Javier que dormia abraçado a ela.

— Aonde você vai? — Ele estava completamente acordado, apesar de o movimento dela ter sido muito leve.

— Vou tentar achar o caminho para casa.

— Bobagem. Você não tem casa, sua casa é no Brasil, esqueceu?

Ele rolou para fora da cama e pegou no bolso do jeans velho o maço de Marlboro.

— Meu último cigarro. Nenhum dinheiro. Acho que preciso visitar Angelina de novo.

— Angelina sustenta você? — Amanda fez a pergunta sabendo que era tarde para tentar descobrir alguma coisa sobre ele.

— A contragosto, devo admitir. Ela odeia a ideia de que alguém da família está perto o bastante para pedir dinheiro a ela. Você está curiosa não está? Já aplacou o tesão, agora está pensando com quem se meteu e como se livrar dessa situação, não é?

— Não é nada disso — respondeu Amanda, sem graça.

— É sim. Eu conheço os sintomas. Mulher estrangeira, carente, carregando mais problemas do que consegue suportar, encontra garanhão latino. Há quanto tempo você não trepava?

— Como você se atreve? — Amanda levantou da cama, sentindo-se ridícula por estar nua na frente de alguém que falava com tamanha grosseria.

— Calma, niña, calma. Eu só fiz uma pergunta. Não quis ofender. — Ele a abraçou com força, prendendo-a junto ao seu corpo.

Amanda começou a chorar, primeiro poucas lágrimas, depois soluços grandes, como se fosse Letícia pequena ou Thomas.

— Desculpe, eu não devia ter falado dessa forma.

Em seguida, ele passou as mãos nas costas dela rápido e firme, para aquecê-la, e ela foi se acalmando e, na tranquilidade do abraço, desejando-o de novo.

— Você quer mais, não quer? Vamos, é bom, é grátis e ajuda a enfrentar o furacão — murmurou ele em espanhol, entre beijos, naquele sotaque meio mole que imaginava ser o cubano. Ela não sabia, porque Angelina só falava inglês e cubanos eram raros em Santa Bárbara.

— Merda, não tenho mais camisinha, também. — Ele a afastou um instante. — Vamos ter que fazer sem, mas eu prometo tomar cuidado, não tenha medo, garotinha...

"Mais uma loucura", pensou Amanda enquanto ele a chupava com sabedoria, deixando-a gozar primeiro e depois a virando de costas e se metendo dentro dela com força, segurando seus quadris e machucando um pouco porque as investidas eram longas e rápidas até que ele saísse e se derramasse nas suas costas, num jato quente que escorreu pelo seu corpo quando ele caiu em cima dela.

— Jesus do céu! Mulher, você é muito gostosa! — disse Juan Javier desvirando-a e olhando bem para ela.

— Dois anos — disse ela em voz baixa.

— Um cigarro! Ah, como eu queria um cigarro agora — comentou Juan. — Dois anos o quê, princesa?

— Faz dois anos. Aquilo que você perguntou — prosseguiu Amanda, encabulada.

— Ah, sim, a trepada. Dois anos sem? Nem na cadeia eu passei tanto tempo sem sexo!

— Você já esteve na cadeia?

— Três vezes. Duas em Cuba, uma aqui. Em Miami. Mas me conte, a trepada de dois anos atrás foi melhor do que essa?

— Foi horrível. Um homem no hotel que eu trabalhava achou que eu era puta.

— Você está mentindo. — Ele riu sem rancor. — Você mente um bocado, não mente?

— Claro que não minto. É verdade, ele me confundiu.

— Não é isso. Não tem dois anos que você não faz sexo.

— Tem sim. Eu até pensei em sair com um americano que começou a conversar comigo num bar em State Street quando cheguei, mas fiquei com medo.

— Medo de quê?

— Medo de que ele fosse como meu marido.

— Ah, então existe um marido. No Brasil? Você gosta dele?

— Não, eu odeio. Estou aqui fugindo dele.

— Todo mundo está aqui fugindo de alguma coisa. Você, eu, Angelina.

— Angelina não parece uma mulher que foge de alguma coisa — observou Amanda tentando se levantar.

— Fica quieta, mulher. Para que a pressa? — indagou ele, segurando-a.

— Eu quero me lavar. E tenho que acordar cedo amanhã.

— Não pode, a água em Santa Bárbara é cara — disse ele rindo e dando um beijo de leve na sua boca, antes de soltá-la. — Deixa eu passar o lençol nas suas costas. É isso que você quer limpar, não é? Eu esporrei em você, foi gostoso.

— Do que Angelina foge? — perguntou Amanda, o rosto vermelho da franqueza com que ele falava.

— Da nossa maldita família, como ela diz. Dos problemas que a gente traz para ela o tempo todo. De mim. Angelina gosta de pensar que é uma mulher muito respeitável e que os fracassados a sujam.

— Fazia tempo que você não encontrava Angelina?

— Um ano e meio, talvez. Eu estive aqui, passei dois dias, fui à igreja com ela, tomei um dinheiro emprestado, fui embora.

— E vocês brigam quando se encontram?

— Dessa vez, no dia em que você me viu no portão, ela me tratou com ódio, como se eu fosse um leproso enfurecido, perigoso. Não entendi por quê.

— Estranho, porque Angelina me parece uma pessoa justa. Difícil, porém justa. Do tipo que paga menos, mas paga.

— Pronto, você está limpa. — Ele levantou e estendeu a mão para ajudá-la a se levantar. — O que o seu marido fazia para você odiá-lo tanto? Tinha mulheres, bebia, batia em você?

— Batia em mim? Não batia apenas, ele me torturava e torturava meus filhos. Da última vez, quando eu o deixei, ele estava queimando as pernas das crianças com cigarro.

— Um cara destrutivo. — Ele arregalou os olhos para ela, numa careta brincalhona. — Eu sou considerado um cara destrutivo. Sempre fui. Não sou uma boa companhia, sabe?

Ele havia vestido o jeans e a camiseta enquanto falava e tirou um casaco de moletom da mochila que estava no chão, num canto do quarto.

— Você com isso quer dizer que a gente não deve se ver mais? — Amanda soube na hora que não devia ter feito a pergunta porque a expressão dele se fechou. — Por que você é uma pessoa destrutiva?

— Por isso e porque você está fugindo, não tem dinheiro e trabalha para Angelina e a preciosa família de Caroline. Ela vai comer o seu fígado se desconfiar que você me encontrou. Eu sou a ovelha negra da família. Ela jamais permitiria que você voltasse a cuidar do bebê se soubesse que a gente se deitou junto. Ela teria medo do contágio, você entende?

— Então por que você me pagou a bebida e me trouxe para cá? — perguntou Amanda se sentindo abandonada e ao mesmo tempo se culpando porque o alívio devia ser a sensação principal. Se ela fosse sensata.

— Eu paguei a bebida e a trouxe para cá porque você prometia ser uma boa trepada e porque quando eu estou sem cocaína gosto muito de fazer sexo — disse ele com rudeza.

— Eu não acredito que você seja tudo isso. Ex-presidiário, viciado — principiou Amanda, encarando-o. — Está dizendo isso para que eu não queira mais chegar perto de você.

— Por que vocês mulheres não conseguem aceitar que uma trepada é só uma trepada? Céus, uma mulher como você é um prato feito para Angelina tiranizar! — Ele a conferiu de cima a baixo. — Você pediu, aí vai. Eu tinha esperança também que você pudesse me render algum dinheiro até o meu próximo encontro com Angelina. Ela prometeu me dar o suficiente para eu comprar um carro e ir para bem longe, atrás de outra vida e trabalho. Agora eu fui claro o bastante?

— Completamente claro. — Amanda tirou a carteira da bolsa, buscando agir com firmeza e rapidez antes que as lágrimas chegassem. — Não vou pagar pelo sexo, mas faço questão de pagar a bebida e o táxi que nos trouxe aqui. Posso deixar vinte dólares, chega?

— Exatamente o que eu gastei, ótimo. Não pense que eu vou recusar, não tenho condições de bancar o cavalheiro latino — disse Juan Javier pegando o dinheiro.

Amanda se dirigiu à porta, as lágrimas embaçando a vista.

— Você acabou não me dizendo como é o bebê de Caroline — disse ele.

— Por que tanto interesse em Caroline? Ela também é uma boa trepada? — perguntou Amanda com raiva, sem se virar.

— Caroline? — Ele riu, mas era uma risada insegura. — A melhor trepada do mundo, com ou sem drogas. Ela é muito louca, ou era, antes de ser internada. O bebê parece com ela ou com aquele bobalhão do John?

— O bebê parece com o pai — respondeu Amanda, abrindo a porta e fugindo para o frio corredor do hotel.

Lorena já estava vestida quando Felício saiu do banho. Havia se maquiado no espelho da sala e nada na sua aparência composta indicava o desvario da última meia hora que passara na cama com o segurança do patrão.

— Você já vai? Quer que eu te deixe em algum lugar? — perguntou Felício.

— Pode deixar. Já chamei o táxi. Não se esqueça de entregar para o dr. Cristiano a maleta hoje à noite.

Ela conferiu, crítica, o jeans e a camisa social branca.

— Você ficaria bem charmoso se ampliasse o guarda-roupa.

— Eu não quero ser charmoso, prefiro ser eficiente — disse Felício, rindo. — Charmosa basta você.

Ela sorriu em resposta, passando a mão de leve no peito dele.

— Isso que a gente viveu hoje não deve influir na nossa relação profissional. Eu espero que você entenda...

— Claro que eu entendo. Apesar de ter gostado muito de pegar você, eu entendo que dona Lorena é dona Lorena.

— Você gostou de "me pegar"? — Lorena colocou a mão entre as pernas de Felício apertando de leve. — Ninguém nunca disse que foi bom "me pegar".

— É que os homens com quem você anda devem se vestir melhor do que trepam. — Felício ainda estava sorrindo, mas se sentia meio irritado já com a arrogância dela.

"Quem Lorena pensa que eu sou?", pensou. "Um panaca que se apaixona pela secretária do chefe porque é loura, trepa direitinho e usa calcinhas caras? Eu nem gosto tanto de louras assim. E nem loura verdadeira ela é."

— Trepam. Você gosta de chamar as coisas pelo pior nome, hem? Nenhuma delicadeza na palavra. Nada de eufemismos.

— Pensei que você tinha gostado. — Felício abraçou a cintura de Lorena, mantendo a distância, enquanto apalpava por debaixo da saia o corpo dela, baixando a calcinha apenas o suficiente para enfiar o dedo. — A boceta está derretida assim porque gosta de trepar, não é?

"Mas que mulato metido a gostoso, insuportável, vulgar. Ele vai contar para todo mundo, vai contar para o Cristiano o quanto eu gritei gozando...", pensou Lorena, enquanto Felício enfiava os dedos provocando desconforto, mas tesão também, muito tesão. O barulho do celular, tocando dentro da bolsa que estava pendurada ainda no ombro, despertou-a do desvario.

— O táxi chamando. Quer parar agora ou deixa ele esperando até você gozar de novo? — perguntou Felício.

— Quero mais — respondeu ela detestando a voz trêmula que ouvia...

Felício se afastou o bastante para que ela atendesse o telefone, mas sem deixar de excitá-la. Ele também estava excitado com a rapidez com que Lorena perdera a pose. Mantendo ela sempre de costas, pegou a camisinha que levava na carteira e a ajoelhou de frente para a mesa de centro, o rosto dela meio torcido de prazer e um pouco da dor da posição.

— Eu quero te ver, assim eu não consigo — gemeu Lorena. — Me beija...

— Você consegue gozar, claro que você goza. — Felício entrava e saía, controlando a própria excitação e dizendo todas as obscenidades que as costas de Lorena lhe inspiravam até que ela gozou numa tremedeira arrasadora e aí ele se permitiu gozar, não como queria, na roupa e na pele da loura, mas na segurança da camisinha porque ele também não confiava nela.

— Você me desarrumou toda — disse Lorena quando ele voltou à sala. — E não vai dar tempo de reparar o estrago, já estou atrasada para um compromisso de família.

— Bobagem, você está ótima. Nem parece que...

— Não diga — interrompeu Lorena. — Eu não gosto de ouvir o que você fala.

"Mas que desavergonhada, ela só gozou rápido dessa vez por causa das sujeiras que eu disse, e vestida fica botando banca..."

— Tá bom. Vou te acompanhar até o táxi.

— Não precisa. Prefiro ir sozinha. — Lorena colocou os óculos escuros e caminhou para a porta. — Felício, eu gostaria que você não comentasse com dr. Cristiano o que aconteceu aqui...

— Lógico, não se preocupe.

— Ah, eu me esqueci de avisar. A sobrinha da sua cunhada ligou. Quando você estava no banho.

— Que sobrinha? — espantou-se Felício.

— Letícia. Aquela com uma voz assustada. Ela não é sobrinha da sua cunhada?

— É. Eu não localizei logo, porque é tão difícil ela entrar em contato — disfarçou Felício. — Deve ser algum recado do meu irmão.

— Boa viagem para você. Não esquece a maleta.

— Você já disse isso.

Lorena fechou a porta e saiu. Felício começou a recolher os jornais velhos em cima da mesa, aquela casa era mesmo uma bagunça, mas também ele não podia adivinhar que a secretária do patrão ia aparecer num domingo para entregar a maleta com os documentos da viagem para o exterior, um pretexto muito bem armado para ser comida por um subalterno.

O que será que Letícia queria? Aquela era uma confusão certa, 16 anos, menor de idade. Eles não se viam desde a noite em que ela aparecera toda marcada por um patife da escola.

— Será que ela está se achando apaixonada por mim, um homem mais velho que ajudou duas vezes a família? É melhor deixar passar uns dias antes de ligar.

Vera pegou o ônibus do outro lado do Largo do Machado, perto do apartamento onde viviam Mark e os filhos. Domingo não funcionava o metrô e ela pegou o ônibus que a deixava a dois quarteirões de sua casa, dominada por uma tristeza cheia de autorrecriminação e culpa. "Que vergonha, por que eu tinha que ir até lá? Ele me tratou como uma conhecida prestativa, nem um abraço me deu na despedida."

Ela lembrava, em agonia, frase por frase, gesto por gesto, tentando identificar onde tinha sido o seu erro. Fazer a visita sem aviso? Mas ela havia ligado insistentemente antes, sob pretextos variados, e ele nunca retornava. Dizia cordial e solícito: "Preciso atender meu filho, ligo para você depois." E não ligava.

Talvez não devesse ter levado a torta e os refrigerantes. Mas qual o pai que não gosta que se presenteie os filhos? Ela gostaria. Se tivesse filhos.

Talvez ela estivesse exagerando a rejeição. "É isso, ele não me ligou porque estava realmente ocupado com os filhos, aquela garota esquisita e o garotinho adorável, ruivo como o pai. Mas, então, por que ele não aceitou marcar um encontro para amanhã de manhã, na hora que o filho está na escola? Por que disse que estaria ocupado, que me ligaria assim que pudesse?" De novo a tristeza tomou conta de tudo, a certeza de que ele não ligaria. Talvez estivesse voltando para a ex-mulher, Vera não tivera coragem de perguntar, mas podia ser isso. Amanda devia ter algum poder sobre ele.

Ela, Vera, tinha jogado e perdido o homem, mais uma vez. Um homem maravilhoso passara em sua vida e ela não conseguira conquistá-lo porque não fora convincente o bastante. "Quando o cavalo passa encilhado, a gente tem que montar", disse ele uma vez, contando de alguma experiência passada, em que tivera de tomar uma atitude rápida, por algum motivo.

Desceu no ponto errado, não prestou atenção na rua da própria casa, teve que voltar pela São Francisco Xavier, arrastando os pés, pensando apenas em se jogar na cama e chorar e chorar. Talvez tomar uns três comprimidos de tranquilizante ou comprar umas cervejas em algum bar aberto para engambelar a certeza de que ele não ligaria no dia seguinte, nem no outro, nem no outro, não ligaria mais. Voltaria para aquela vaca e viveriam felizes. O casal e os filhos.

A portaria do prédio foi aberta por dentro, enquanto ela, cabisbaixa, procurava as chaves.

— Vera! Por onde você andava? Estou esperando você há horas, sentada na escada, já fumei uns dez cigarros! — Era Fernanda, sua chefe, que surpreendentemente abria a portaria do seu prédio, num fim de tarde de domingo.

— Fernanda! Eu não sabia que você vinha aqui! Aconteceu alguma coisa lá no trabalho?

— Nunca acontece nada lá no trabalho, você sabe disso. Ainda mais no final de semana, quando o trabalho está fechado, não é, Vera? Venha, vamos sair daqui que a sua vizinha já me contou a vida dela inteira em troca de me deixar esperar por você na escada, imagina a sovinice, nem ao menos me ofereceu uma cadeira e um cinzeiro. Um copo d'água, pelo menos.

— Eu não sabia que você tinha voltado a fumar... — disse Vera, meio tonta, com a presença da outra, o que atrapalhava seu plano de deitar e esquecer por algumas horas como sua vida era horrível sem Mark, sem nenhum homem que lhe fizesse companhia num domingo.

— Como é que posso ficar sem fumar com tanta infelicidade?! Vamos embora, no carro eu te conto. Vamos tomar um chope que a única coisa que a gente leva da vida é a vida que a gente leva.

Vera deixou-se arrastar até o carro da outra — dessa vez um pequeno, vermelho, devia ser caro, também, mas era pequeno. A conversa prosseguia ininterrupta como se o fato de encontrar a assessora funcionasse como um botão de despejo. De problemas.

— Ela está grávida, pode uma coisa dessas? Com tanta pílula por aí, camisinha e o escambau, ela está grávida. Eu liguei para o meu ginecologista e ele me disse que deu a ela uma receita, ensinou como colocar a camisinha no parceiro. Ele fala assim "parceiro", uma forma horrível, eu sei, mas fazer o quê, o homem é médico, e, por sinal, que médico...

Fernanda manobrou e saiu cantando pneus enquanto acendia outro cigarro e perguntava para Vera aonde mesmo elas iam.

— Eu não tenho a menor ideia, Fernanda, nem sei se estou no espírito de beber alguma coisa...

— Nossa, agora que eu estou vendo, você está com uma cara horrorosa! Claro que está no espírito, vamos afogar as mágoas... Deixe-me pensar para onde vamos... 28 de Setembro, um daqueles botecos, que tal?

O que estava deixando Fernanda fervendo de raiva era a gravidez da filha de 17 anos, a que brigava com o pai todos os dias, atormentava a mãe até as lágrimas, não queria saber de estudar. Isso ela contou depois de achar um bar, sentar e pedir chope e uma porção de bolinhos de bacalhau.

— Deus me perdoe, Vera, mas a única qualidade que aquela menina tem é não gostar de drogas. Nem de bebida ela gosta.

— Não fala assim, Fernanda. Ela tem um bom coração, só é voluntariosa demais.

— Só voluntariosa?!! Ela é uma idiota completa também. Resolveu que pílula fazia mal à saúde e deixou o namorado decidir que transar com camisinha tira a sensibilidade do pau. Vê se pode, um moleque de 22 anos que não tem onde cair morto, vive às custas dos pais, resolve que camisinha é ruim e engravida a minha filha e, tem mais, o aborto é contra os princípios dele.

— Você tentou conversar com eles, com o ginecologista...

— Passei a tarde de ontem conversando com o ginecologista. — Fernanda virou o que restava do segundo chope e deu uma risada de contentamento. — Num motel.

— Fernanda! Eu pensei que você tinha parado com isso!

Fernanda deu um olhar de advertência por causa do garçom que se aproximava com os bolinhos de bacalhau e outra rodada de chope. Esperou ele se afastar para responder.

— Parado com quê? Parado de trepar? Por que eu deveria? Meu marido está brocha aos 47 anos ou desinteressado da minha pessoa, minha filha é uma megera insuportável, passo os dias tentando resolver os problemas da educação pública da cidade do Rio de Janeiro e você quer que eu não trepe? Que diabo de amiga você é?

— Fernanda, fala baixo. — Vera olhou em volta, o bar começava a encher com o pessoal que chegava para o chope da noite. — O cara é casado e é seu médico...

— E vai trazer ao mundo o meu neto, e daí? É até melhor, com tantos laços de amizade o sexo fica mais gostoso. Sabe qual é o seu problema, Vera? É não trepar. Por isso você fica tão cheia de regulamentos e preconceitos. Há quanto tempo você não pega um homem tesudo de verdade, um desses de enlouquecer?

— Há sete dias — respondeu Vera, levantando a tulipa de vidro vazia e fazendo sinal para o garçom trazer outro chope.

A cara de espanto de Fernanda lhe trouxe o primeiro momento de alegria naquele domingo horroroso, ou melhor, nos últimos sete dias. A outra lhe via como uma mulher gorda, sozinha, disponível para os amigos a qualquer hora do dia e da noite, por ser incapaz de ter vida própria. E ela era isso mesmo. Até conhecer Mark. Até aprender, com ele, a seguir a sua própria vontade e não as regras idiotas como Fernanda seguia. Se dependesse de Fernanda e suas regras, ele nunca teria encontrado os filhos e ela não teria tido aquelas noites maravilhosas de sexo.

— Eu não acredito em você. — Fernanda examinou bem o rosto, a aparência da outra. — Uma mulher bem comida não fica com a aparência arrasada que você estava hoje quando chegou em casa.

— Eu não transei com ele hoje. É por isso que eu estou arrasada. Mas transei muito nos últimos dois meses.

— Gente, e você não me contou nada! Onde, quem, como, quando... Eu quero saber de tudo.

Pela primeira vez, Vera sentiu que surpreendera Fernanda. A sensação era boa e, misturada com a ligeira embriaguez provocada pelo chope, fez com que ela desabafasse. Contou de Mark, da cama com ela, dos elogios dele à sua entrega, ao seu cheiro: "Eu nunca tive uma mulher com um cheiro tão bom, não devia nem te dizer, porque você pode aproveitar com outro homem esse elogio, mas que cheiro que você tem..."

— Nunca ninguém me elogiou tanto, me fez sentir tão especial...

— Bobagem, os homens sempre dizem essas coisas. Você é a maior e coisa e tal, e depois nem ligam no dia seguinte...

— Mark não é um desses cafajestes com quem você vai para o motel, sábado à tarde, para proteger o seu casamento e o deles — contestou Vera e, corajosa pela bebida, atacou: — Confessa que você está é com inveja do meu caso de amor...

— Mark. — Fernanda ignorou o ataque. — Mark não era aquele inglês atrás de informações sobre os filhos? Um que queria localizar as crianças, mas não estava a fim de procurar o Juizado de Menores?

— Não sei do que você está falando.

— Sabe, sim. — Fernanda se tornou severa, por instantes. — Vera, você andou ajudando aquele cara?

Vera pensou em negar, mas depois desistiu. Afinal, por que só Fernanda podia fazer o que era errado? Transar com os amigos do marido, o ginecologista, o chefe de gabinete do secretário? E se ela dissesse em voz alta isso, qual seria a reação da chefe?

— Eu ajudei sim. Você não ajudaria um homem por quem estivesse apaixonada?

— Mas você não pode estar apaixonada por um gringo que acabou de conhecer...

— Por que não? Você não se apaixonou uma vez pelo professor de história da sua filha quando ela estava na quinta série? Não ajudou o cara a ser transferido de Pedra de Guaratiba para o Leblon e ele ficou noivo de outra e não quis mais saber de você?

A bebida lhe fazia cruel. A bebida, a vontade de ter Mark, o orgulho de ter tido ele. Um dia.

— Ei, que cobra você está me saindo! O Gilberto não ficou noivo. Ele era noivo quando eu o conheci e dou graças a Deus por isso. Imagina, apaixonada do jeito que eu estava era capaz de largar o Léo, a Fernandinha, minha casa, meus jardins, meus carros, meus cachorros, por um cara meio bronco, 15 anos mais novo do que eu, só por causa do tamanho do pau dele! Já pensou?

Riram as duas, já reconciliadas, e a conversa se desviou para a vida sexual de Fernanda, suas infidelidades, seus problemas com a família e com os homens. Dentro de Vera ficou latejando a dúvida: será que a outra não teria mudado de assunto, deixado passar alguma ilegalidade na ajuda a Mark só para não ter que compartilhar, pela primeira vez, de igual para igual, com Vera, notícias de paixão?

Na portaria do edifício de Vera, quando foi deixá-la, tarde da noite, Fernanda, meio bêbada, mostrou que não mudara de opinião sobre Mark.

— Cuidado com aquele inglês. O olho de cachorro doido que ele tem não me engana. — Ela puxou o braço de Vera numa intimidade etílica. — Tem cara de mau, mas pelo menos chupa bem?

— Fernanda! — Vera se soltou da mão dela, escandalizada. — Isso é pergunta que se faça? Você parece um homem!
— Um amante meu já me disse isso! Chupa ou não chupa?
— É a terceira melhor coisa que ele faz — concedeu Vera rindo.
— Minha nossa! E quais são as duas primeiras?
— Não conto.
— Você está muito metida! Tchau, querida, até amanhã, e cuidado com aquele cara.

"O domingo não terminou tão mal assim", pensou Vera, tomando um analgésico preventivo por medo da ressaca no dia seguinte, antes de se deitar. Fernanda, com sua alegria áspera de mulher que faz o que bem entende e, se algo der errado, culpa os outros, conseguira diverti-la.

"Ela e a filha são tão parecidas. Não sei como não percebem", pensou Vera antes de pegar no sono na esperança de sonhar com Mark.

A OPORTUNIDADE DE FELÍCIO LIGAR PARA LETÍCIA custou a chegar. Na noite do domingo em que ela ligara, embarcou com o patrão para Londres. Não era comum acompanhá-lo em viagens ao exterior, mas dessa vez a filha mais velha cismara de ir junto com o pai e pediu que o namorado fosse convidado. Na sexta-feira anterior, o avô soubera, no seu telefonema semanal, que o filho e a nora haviam concordado em levar o rapaz e sugerira que Felício fosse junto.

— Mas para quê, papai? Felício nem fala inglês. Eu vou trabalhar três dias seguidos, os meninos vão ficar no hotel, no máximo vão bater perna por ali, depois eu vou levá-los até Dublin. Não tem necessidade de acompanhante. Sua neta vai ficar furiosa, o senhor conhece o gênio dela. — Cristiano falava no celular.

Felício, ao seu lado, podia adivinhar a resposta do verdadeiro patrão, o velho Francisco Queiroz.

— Está certo, o senhor é que sabe. Vou mandar Lorena providenciar tudo. — Cristiano nunca contestava o pai; se ele queria que Felício fosse, ele iria. — Você acaba de ganhar umas férias no Reino Unido, Felício. Meu pai faz questão de ter você pajeando Luciana e Thiago em Londres e Dublin. Espero não estar estragando seus planos.

— Tudo bem. Nenhum problema — respondeu Felício.

— Meu pai disse que vai lhe dar um extra pelo serviço.

— Não se preocupe.

No aeroporto, ele pensava que era até bom sair uns dias dali, para não dar corda a alguma paixonite juvenil que Letícia pudesse estar alimentando. Várias vezes teve a tentação de ligar para a menina, do aeroporto mesmo, só sua habitual sensatez lhe impediu. Nas dez horas de voo, sentado na classe econômica, ele tentava cochilar pensando nela, vaidoso por ela ter ligado, excitado com as lembranças do breve jogo na madrugada e atormentado por uma imagem recorrente de um menino ruivo e zangado que não parava de aparecer em pedaços de sonho sem que Felício entendesse de onde saíra.

A SEGUNDA-FEIRA SEGUINTE À VISITA DE VERA e ao telefonema para Felício foi de expectativa para Letícia. Ela foi acordada bruscamente, como de costume, por Mark e amarrada na cadeira enquanto ele levava Thomas até a escola. Ela pensava em como faria para se arrastar para o telefone quando Felício ligasse. Mas o telefone não tocou, apesar de todos os planos e das conversas imaginárias que ela tinha com ele enquanto esperava.

Na sua cabeça, Felício era a solução. Não a melhor, mas a que salvaria ela e Thomas sem comprometer Amanda. Era a única. Mas ele não ligou durante o tempo em que Mark esteve fora. Quando o padrasto voltou, Letícia cumpriu suas ordens de arrumar a casa e preparar o almoço, imaginando o que ele diria se o telefone tocasse e uma voz de homem perguntasse: "Letícia está?". O telefone não tocou pela manhã, não tocou no período em que ela foi amarrada de novo para que Thomas fosse buscado na escola. Tocou no horário do almoço quando os três estavam na mesa, Mark arrancando sorrisos temerosos do filho com suas histórias sobre fantasias indianas cultivadas em Londres entre os escuros que emigravam.

— Tomara que seja a vaca da sua mãe — disse Mark irritado quando interrompeu a história no sexto toque. — Para que a gente possa ir embora desta pocilga e deste calor africano. Pois não? Sim, é da casa dela — respondeu Mark ao telefone. — Ela pegou uma virose, ele não contou para a senhora? Não, a senhora está enganada, meu filho é um garoto saudável, não tem medo de nada, é um equívoco seu... — A voz de Mark ficava cada vez mais irritada, as sobrancelhas erguidas, os olhos arregalados, como se a interlocutora estivesse a sua frente. — É claro que ela vai fazer os testes, assim que estiver melhor. Eu dou muita atenção a ela, apesar de não ser minha filha, só enteada. Não, eu prefiro não conversar sobre meu relacionamento com a mãe dela pelo telefone. Não, a senhora não pode falar com ela agora, Letícia está almoçando. — Ele escutou, possesso por um instante, depois num esforço enorme, suavizou a voz. — Não vai ser preciso, acho que amanhã mesmo ela estará na escola.

Thomas e Letícia esperavam, apavorados, a consequência da conversa, fosse com quem fosse. Viram, calados e trêmulos, Mark largar o telefone e abrir e fechar as mãos, várias vezes, com a respiração ruidosa antes de olhá-los, escolhendo o alvo. Num segundo, a toalha foi puxada com violência e a comida voou no rosto de Letícia, no de Thomas, na parede.

— Você vai voltar para a escola, mas pode ter certeza de que eu vou estar de olho em você. Vou arranjar alguém para ficar de olho, quando eu não estiver por perto, e se você aprontar alguma, eu sumo com meu filho e você nunca mais vai olhar na cara do seu irmão. Agora limpe essa sujeira toda e vá para o seu quarto estudar para o maldito teste.

Letícia começou a limpar a sujeira que ele fizera, trêmula de raiva e de medo, mas ele não tinha acabado ainda. Sua fúria agora se voltava para Thomas.

— Por que você não me contou que a coordenadora do segundo grau tirou você de sala para perguntar sobre Letícia?

— Eu não quis aborrecer você. Não quis começar outra briga — disse Thomas chorando. — Foi na sexta-feira e a gente tinha combinado de assistir vídeo no fim de semana...

Por um momento, Letícia achou que ele cairia em cima do filho com suas imprecações contra homens que choram, homens que não assumem suas falhas, homens que não são homens e perdedores em geral, mas a reação de Mark foi inusitada.

— Desculpe, meu filho, eu não queria assustar você, mas é essa situação horrorosa que a sua mãe me obriga a viver. Eu vou ser o melhor pai do mundo quando a gente resolver tudo isso, você vai ver.

Letícia foi para a cozinha, sentindo que se ficasse mais um instante ali era capaz de atacar Mark, tamanho era o seu ódio.

Se alguém, algum dia, perguntasse a Felício "o que significa Londres para você?", ele responderia que a capital da Inglaterra era um lugar de gringos polidos e brasileiros mal-educados. Sem contar os jamaicanos de segunda geração, que pareciam estar sempre na esquina de Coldharbour Lane com Brixton Road.

Thiago, o namorado da filha de Cristiano, já conhecia Londres, portanto, conhecia os pontos em que podia se abastecer da droga. O primeiro passeio dos dois, na segunda-feira à noite, bagagens no hotel, foi nessa área.

Acompanhando-os a certa distância, Felício teve oportunidade de observar a compra do saquinho plástico e a pressa do vendedor em não deixá-los abrir a mercadoria para não chamar a atenção. "Aposto como isso não passa de casca de árvore para enganar os trouxas", pensou Felício.

— Estivemos em Brixton hoje, papai — contou Luciana na hora do jantar. — Perto da Eletric Avenue.

— "and then we'll take it higher" — cantarolou Cristiano. — Aquela região é considerada uma das mais perigosas de Londres. Espero que Felício não tenha desgrudado de vocês.

— Fiquei assistindo eles fazerem compras — informou Felício, seco, encarando Thiago.

— Quem diria que você fosse capaz de saber de cor a letra de Eddie Grant, Cristiano — comentou, inocente, Thiago. — É da sua época a música?

— *Electric Avenue*? É da década de oitenta. É da época em que eu dançava um bocado. Agora não, estou um velho. Só sei ganhar dinheiro e trabalhar.

— Você nunca vai ficar velho, paizinho — garantiu Luciana.

— Eu acho que tem gente que nasce jovem e tem gente que nasce velho — disse Thiago. — Vocês não acham?

Cristiano sorriu e não respondeu. Felício encarou o rapaz de cara fechada. Os dois se conheciam, Thiago e ele. A vida toda, Felício lidara com aquele tipo de pilantra. De voz macia, comportamento sonso, a certeza de que nada nem ninguém conseguiria pará-lo. Ficou imaginando se o idiota pensava que ele, o segurança do pai da namorada, enquanto comia o frango Kiev e bebia cerveja australiana em Londres, se sentia inferiorizado por seus comentários sobre juventude de espírito. Provavelmente. O jovem devia sentir que todos ficavam deslumbrados ou arrasados com suas palavras e seus atos. Felício encontrara gente como Thiago na favela, no quartel, na polícia, nas ruas. Não sentia nem atração nem desconforto pelo tipo. Só repulsa. Se pudesse, eliminaria a raça. Thiago e seus iguais sempre subestimavam quem era imune ao charme ou à crueldade que exerciam. Quando caíam, era por isso.

A tarefa de seguir Luciana e Thiago se revelou pior ainda do que ele pensava. Cristiano estava fora do hotel às oito da manhã e só voltava à noite. A filha colocava o despertador para este horário, indo então para a cama do namorado, onde ficava até as onze horas, quando saía para a rua de mau humor por causa da "sombra" que o avô havia imposto. Era assim que ela chamava Felício. O casal conversava o tempo todo em inglês e ela exigia que o segurança se mantivesse a certa distância para que ninguém imaginasse estarem os três juntos. Se pudesse, faria com ele o que fazia com outros empregados, mas nem ela tinha coragem de contestar uma ordem do avô.

Thiago, porém, podia ser porta-voz do descontentamento dos dois e arrastava a namorada rápido pelas ruas, tentando se perder de Felício. Uma noite o casal se enfiou num clube, do qual saíram os dois, horas depois, numa excitação de bebida e Ecstasy que parecia que nunca voltariam ao normal. No terceiro e último dia em Londres, o rapaz se embebedou num *pub* em Convent Garden, num final de tarde, numa mistura inconveniente de cerveja preta e gim que o levou primeiro a um agarramento escandaloso com a namorada, em total desacordo com o comportamento dos bebedores do local. Depois, quando ela, também bêbada, tentou se livrar de um aperto mais doloroso, ele puxou seus cabelos para reafirmar sua posição de dono, enquanto os assistentes se afastavam pressentindo briga.

Não houve. No instante seguinte, Thiago havia soltado Luciana e se contorcia de dor porque, num abraço aparentemente amistoso, Felício apertava seu braço como se fosse cortá-lo fora.

— Solta ele, solta! Como você se atreve a machucar meu namorado? — esganiçava-se Luciana. — Não se meta!

Felício fez sinal para o garçom e colocou duas notas de dez libras em cima da mesa em que o casal bebia, arrastando os namorados para fora do *pub*.

— Olha aqui, garota, eu não fiz a menor questão dessa viagem, vim porque essa era a vontade do seu avô. Se você quiser ser espancada em público, não me faça de assistente. Ali tem um telefone, a gente liga para ele e você fala de suas escolhas.

— Você não teria coragem. Eu falo com minha mãe e você perde seu emprego na hora.

Felício continuou agarrando os dois, cada um de um lado, e foi até o telefone público. Sabia que a diferença de fuso horário ia pegar o velho dormindo, mas sabia também o quanto aquela situação podia degenerar se deixasse por conta de Luciana ou das conversas dela com o pai. Sem perder de vista a garota que continuava não acreditando que ele levasse adiante a ameaça, teclou o código para o Brasil.

— Dr. Francisco? Lamento acordá-lo, mas sua neta Luciana acha que é melhor ficar por conta do namorado pelas ruas de Londres. Talvez o senhor prefira esclarecer as coisas diretamente com ela... — Felício deu um sorriso diante do elogio feito pelo velho sonolento. — Foi o que disse a ela, doutor, que não tenho patrão de 21 anos, mas talvez ela precise que o senhor diga. Vou passar. — Ia estendendo o telefone para Luciana, mas parou para ouvir o que o velho perguntava. — Muita bebida, alguma droga, a trata em público como se fosse uma puta e, ainda há pouco, tentou agredi-la na minha frente.

Felício se afastou um pouco, enquanto Luciana chorosa falava com o avô no telefone. Chegou a sentir um pouco de pena da garota mimada e do namorado que sem mais nenhum sinal de valentia vomitava encostado a uma parede. Os ingleses passavam e mal olhavam para os três, deviam estar acostumados a turistas sem experiência com bebida e sem autocontrole.

— Ei, meu avô quer falar com você. — Luciana estendeu o telefone com insolência e foi amparar Thiago, que começou tentando afastá-la com aspereza, mas, a um olhar de Felício, se deixou abraçar de má vontade.

— Então, Felício, qual é o quadro real das coisas? — perguntou dr. Francisco.

— Eu acho que o quadro é muito ruim. Ela dá corda para o abuso dele, parece que gosta do tipo.

— Você quer dizer que a minha neta é uma mulher como a sua mãe?

Felício registrou o ataque em silêncio. Talvez nem ataque fosse, uma pergunta exploratória apenas; o sucesso do outro consistia em avaliar as pessoas com precisão. Mesmo os parentes. Como pagava, se achava no direito de ser direto, mesmo que fosse ofensivo. Felício se lembrou de Letícia e das marcas roxas, da mãe e de seus braços magros marcados a ferro. Novamente o menino ruivo e zangado surgiu em seus pensamentos. Uma vontade louca de voltar para casa, conferir o que estaria acontecendo com Letícia depois do telefonema dela.

— Felício, eu estou esperando a resposta — disse dr. Francisco.

— Acho que é diferente, doutor. Minha mãe e mulheres como ela conhecem poucos homens e, às vezes, dão o azar de conhecer os homens errados. A sua neta está escolhendo um aprendiz de cafajeste. Como não parece ser falta de oportunidade, talvez seja por gosto. Posso estar enganado...

— Você deve ter razão, mas ela é minha neta e ainda dá tempo de mudar as escolhas. Quando você voltar, faça o que eu mandei. E pode deixar que eu mesmo vou contar para o pai dela o que aconteceu.

48 horas antes da fronteira.

L ETÍCIA ACORDOU COM O GRITO DO IRMÃO. Não podia ver, amarrada do jeito que estava, de cara para a parede e amordaçada, mas escutou o primeiro grito, o som do tapa que impediu o choro, e ouviu também a voz áspera de Mark cuspindo as instruções:

— Não grita! Você quer que os vizinhos acordem e venham saber que meu filho, meu único filho, prefere proteger aquela vagabunda que o abandonou a me contar onde ela está, o que foi que aconteceu?

O barulho durou minutos que para Letícia pareceram horas. "Agora ele vai entregar mamãe, e Mark vai conseguir nos separar porque o juiz vai dar a guarda de Thomas para o pai", foi o pensamento de agonia, escutando a surra. Mas o menino não dizia nada, só chorava com as palmadas fortes que o pai ministrava debaixo d'água.

— Eu não queria fazer isso, eu não queria, mas por que você é tão teimoso, meu filho? Por que você protege aquela mulher?

Letícia, amarrada onde estava, não via a cena, mas podia imaginá-la: Mark quase chorando, consolando o filho, e Thomas tremendo, ela esperava que de ódio com aquela encenação. "I'm sorry, I'm sorry", do jeito que ele fazia quando ela era pequena, da maneira como Amanda o surpreendera, um dia, em São Paulo, espancando-os.

Letícia dormira, em pedaços, rezando para que o novo dia amanhecesse com Mark morto e ela e Thomas livres. Nos momentos em que dormia, sonhava com o mar, azul-escuro, quase preto, e um menino ruivo como Thomas, num pequeno barco a vela. Podia vê-lo como se voasse acima da embarcação. O menino era pequeno, pouco maior do que seu irmão, e agarrava Mark pelos cabelos, empurrando a cabeça dele para dentro d'água, o que era surpreendente porque Mark era um homem grande e forte, mas ela, voando, não tinha como perguntar ao menino como conseguia afogar o padrasto.

Na manhã seguinte, uma sexta-feira, acordou com o barulho e o cheiro do café, um cheiro bom, e o irmão e o pai conversando na cozinha, Thomas rindo de alguma coisa que Mark contava.

— Letícia, meu pai disse que vai levar você na escola, quer dizer, nós vamos levar você na escola e depois vamos comprar uma mochila nova para mim e um videogame. — Ele falava entusiasmado enquanto desamarrava a irmã e tirava a mordaça.

— Thomas, como você pode ficar contente com um videogame quando ele passou a madrugada te torturando?

— Ele estava nervoso porque mamãe não volta. — O menino a olhou desconsolado. — Letícia, ele é meu pai, não é justo o que estamos fazendo com ele.

Os dois falavam baixo, mas Mark devia ter algum tipo de cronometro interno que media o tempo em que prisioneiros podiam ficar a sós porque interrompeu a conversa antes que ela pudesse argumentar que não eram eles que estavam fazendo alguma coisa com o monstro e sim o monstro que fazia alguma coisa com eles.

— Andem logo, não quero que Thomas se atrase para a escola e é o que vai acontecer se nós não deixarmos você a tempo.

— Eu posso ir sozinha — argumentou Letícia.

— Para entrar em contato com sua mãe, talvez? Eu não posso vigiar você o tempo todo, pessoalmente, mas quero lhe avisar que paguei alguém para me avisar se sair da escola. Você pode ir para onde quiser, mas não volte para cá, se fizer isso.

Nas aulas antes do recreio, Letícia tentou imaginar uma forma de ir até a caixa postal checar se havia correspondência da mãe ou até o banco tirar algum dinheiro da poupança. Quanto ela teria lá? Cem reais, talvez. Até onde poderia ir com aquele dinheiro? Para onde poderia ir sem denunciar a mãe? Procurar a prima, talvez. Em Ribeirão Preto. O que diria para ela? "Minha mãe foi para os Estados Unidos e me deixou tomando conta de meu irmão, mas o pai dele nos encontrou antes que ela voltasse." A prima faria alguma coisa adulta e responsável. Ligaria para um advogado que aconselharia a entregar Thomas para o pai e arranjar um emprego para Letícia. "Como empregadinha de madame", podia ouvir Amanda falando ressentida dos parentes.

— Quando sua avó morreu, meu pai ficou desesperado, começou a beber, fechou o armarinho, levou meses para conseguir outro trabalho, e a irmã da minha mãe, tia Tarcília, veio me buscar em São Paulo para ficar com eles. Eu tinha 17 anos, quase 18, e foram os piores meses da minha vida. Ela me obrigava a acordar cedo, brigava comigo porque eu não lavava minhas calcinhas na hora do banho, me comparava o tempo todo com a filha dela, fazia longos discursos sobre a incompetência de seus avós em me criar. Dizia que me criaram com mania de grandeza.

— O que é mania de grandeza, mamãe? — perguntou Letícia a primeira vez que escutou aquela história.

— Mania de grandeza era o nome que tia Tarcília dava ao meu desejo de estudar engenharia ou à iniciativa do seu avô em pagar um ano de intercâmbio nos Estados Unidos quando eu completei 15 anos. Ela achava que atrasar os estudos de uma filha era quase um crime.

A parte que Letícia mais gostava da história era quando a mãe contava como havia escapado da tia.

— Não consigo imaginar o que seria minha vida se eu não tivesse conhecido seu pai na biblioteca onde eu me escondia delas.

— E como era o meu pai?

— Ele era tão inteligente, charmoso, paciente. Sabia tudo sobre livros, filmes, lugares estranhos. Ele me tratava como uma rainha. Era o homem mais doce do mundo, apesar dessas qualidades não terem valor para minha tia. Ela obrigou meu pai a me buscar, assim que soube do namoro. Só para me separar dele.

— Mas não adiantou, não foi, mamãe?

— Não adiantou porque eu já estava grávida de você, minha filhinha querida, e eles tiveram que organizar meu casamento às pressas.

Letícia lembrava que sempre que a mãe contava essa história, ela abraçava Amanda com força, pensando como era feliz de ser filha de um homem doce e que tratava sua mãe como uma rainha, ao contrário do pobre do Thomas, que era filho de um monstro. Não se lembrava do pai, que havia morrido de câncer dois anos depois do seu nascimento. Não se lembrava do avô também. Amanda contava que ele "bebera" o que restava do armarinho. Não contava, porém, com raiva do pai, mas sim com pena da fraqueza que o acometera pela ausência da mulher. Com exceção da tia Tarcília, que era irmã da mãe dela, Amanda não tinha mais parentes. O avô era filho único, sua mãe emigrara para o Brasil grávida de alguém que não quis ou não pôde assumir o filho e nunca casara.

— E por que a bisa não se casou com algum brasileiro depois, alguém que cuidasse dela, mamãe? — perguntou Letícia olhando a foto antiga que Amanda guardava até o dia em que Mark, num acesso de raiva, rasgara o álbum de fotografias.

— Ela dizia que enjoara dos homens. — Amanda ria contando a birra da avó italiana. — Eram uns fracos que só davam trabalho e desgosto, e ela preferia lutar sozinha a ter um peso morto a atrapalhar.

No colégio, assistindo às aulas, Letícia rememorava as histórias da família de Amanda e pensava o quanto seria difícil achar alguma ajuda para ela e para Thomas. A não ser a ajuda de Felício, mas ele não ligara de volta. Talvez não estivesse interessado em manter contato, era provável que ele a visse como uma garota oferecida, tentando seduzir um homem mais velho. Como Mark a acusava de tentar fazer quando tinha 12 anos: "Aonde você pensa que vai com essa roupa de piranha, essa cara toda melecada de maquiagem como se fosse uma puta? Pensa que algum homem vai dar valor a uma garota oferecida como você? Só se for algum velho."

Mark disse isso quando ela estava pronta para a festa de aniversário de uma vizinha, e aquela fora apenas a primeira vez que ele a atormentou em relação a roupas ou ao uso do batom da mãe. Letícia respondera que era a mesma roupa que as colegas usavam e ainda se lembrava do barulho da mão voando no seu rosto e também de Amanda tentando contê-lo em vão. A única maneira de ir às festas era sair antes de ele chegar, deixando os gritos e as surras para depois. Com o tempo, desistira das festas e das roupas para poupar a mãe e o irmão do rescaldo. Isso fora antes da fuga, mas considerando que Felício não aparecera, não ligara de volta, talvez Mark tivesse razão e ela não passasse de uma garota oferecida.

Mark, Gustavo, Felício. Era possível que a bisavó estivesse certa em relação aos homens e não valesse a pena mesmo se interessar por eles. Letícia sentou sozinha no recreio, triste com a constatação. A lembrança de Thomas justificando o pai, no entanto, obrigava-a a procurar ajuda antes que o irmão fosse cooptado. A melhor opção ainda era Felício.

"Não importa que ele não queira saber de mim, desde que faça alguma coisa para impedir Mark de nos destruir." Pensar assim substituía a tristeza por raiva. Mas era bobagem perder tempo se sentindo mal, pois não conseguia enxergar outra pessoa capaz de afogar Mark, como fazia o menino do sonho, senão Felício.

— Oi, Letícia, você está esquisita. Mais do que o normal. Aconteceu alguma coisa? — Catarina se aproximou com duas colegas, as mesmas que Letícia deixara plantadas na biblioteca, no dia em que correra para casa com um mau pressentimento. As duas que haviam assinado o trabalho sozinhas.

— Catarina, você tem um cartão telefônico para me emprestar?

— Às vezes você parece maluca, garota. Não conversa com ninguém, a gente pergunta uma coisa e você pede um cartão emprestado? É verdade que sua mãe sumiu e seu padrasto voltou para casa?

— Catarina, eu prometo que conto tudo o que você quiser saber, mas, por favor, me empresta um cartão telefônico primeiro?

A vontade de estapear Catarina, com sua expressão zombeteira, e as outras garotas era enorme, mas Letícia não queria perder a chance de pedir ajuda.

— Gente, não precisa implorar! Claro que eu empresto, mas não vai ligar para os Estados Unidos com ele, viu? É novo, acabei de comprar.

As outras riram da brincadeira. Letícia sorriu em resposta, pegando o cartão e correndo para o telefone público no pátio. Era irônico Catarina se referir exatamente aos Estados Unidos, mas mesmo que o cartão funcionasse para ligações internacionais, não adiantaria, ela não tinha nenhum telefone de Amanda em Santa Bárbara. Para mandar um telegrama precisaria ir ao banco, pegar dinheiro, ir ao correio. E o aviso de Mark de que se ela saísse não deveria voltar mais para casa era uma ameaça muito forte. Tentou a casa de Felício, sabendo que era improvável encontrá-lo naquela hora. Ninguém atendeu. Tentou o banco.

— Felício, por favor? — perguntou Letícia para a mesma voz distante que atendera na casa dele.

— Ele não está. Quer deixar recado?

— Que horas ele volta?

— Quem deseja falar? — A voz um pouco mais autoritária.

— Letícia.

— Ah, a sobrinha da cunhada. Ele está viajando a serviço.

— Quando ele volta? — Letícia não pôde evitar o tremor na voz, a outra devia estar percebendo, mas Catarina e as amigas se aproximavam e ela se sentia desabar com aquela notícia.

— Lamento, mas não posso fornecer esta informação. — A voz agora era dura.

— Obrigada. — Letícia desligou o telefone, temendo chorar a qualquer momento.

— E aí, acabou? Nós estamos mortas de curiosidade para saber o que está acontecendo — exclamou Aline.

— Depois. Agora eu não posso falar — disse Letícia, entregando o cartão para Catarina. — Obrigada, só gastei uma chamada, local.

— Você é mesmo maluca, hem? — criticou Catarina.

O FINAL DE SEMANA EM DUBLIN FOI MENOS RUIM para Felício do que os dias que o antecederam. Cristiano, chamado às falas pelo pai, cumulava a filha de atenção e tratava Thiago com alguma frieza, contrária à sua natureza bonachona. Sentou no assento ao lado deles no voo para a Irlanda, na sexta à noite, levou os dois para jantar em Dublin, dispensando o segurança.

Felício estava mesmo doido para ficar livre de Luciana e Thiago por algumas horas. Marcou num mapa as principais indicações que lhe permitiriam voltar sozinho para o hotel e partiu por conta própria para conhecer a noite local, divertindo-se com as semelhanças de ânimo entre irlandeses e brasileiros.

"Quase um pagode carioca", pensou, vendo escoceses de saia e mulheres gordas dançando no segundo andar de um bar onde todos bebiam em pé e escutavam música ao vivo tocada por músicos desarrumados que também bebiam. "Só que eles bebem mais do que qualquer carioca que eu conheço. Deve ser o frio." Acabou bebendo um pouco, também, e a barreira da língua não impediu que risse e trocasse olhares com as mulheres branquelas, cabelos vermelhos ou pretos, não importava, a pele era sempre branca demais, que encostavam no balcão e tentavam adivinhar sua nacionalidade.

Saiu do *pub* meio bêbado, mais alegre do que qualquer outra vez que experimentara beber na vida, e foi andando pelas ruas até o hotel, apesar da chuva fina e do frio que pareciam marca registrada do fim de outono por aquelas bandas. Numa esquina, um choro persistente de criança fez com que parasse. Não havia ninguém ali, devia ser em alguma casa, mas eram tão próximos e angustiantes os gemidos de dor infantil que sua alegria alcoólica desapareceu, dando lugar a uma dor de cabeça como há muito não sentia.

Andou para cima e para baixo na rua, parando por instantes nas portas das lojas fechadas, porque era uma região de comércio, mas nada havia que indicasse gente morando com filhos naquele lugar.

Felício chegou ao hotel assombrado, com o sobretudo molhado, sentindo frio e com uma sensação de fracasso só comparável a que sentiu no dia em que, na prisão, acusado de assassinato, pensara jamais conseguir levar uma vida normal como os pobres da sua idade e origem. Tirou a roupa de qualquer jeito e se atirou na cama tentando justificar para si mesmo que aquele sentimento era causado pela bebida que sempre lhe fazia mal.

"Eu não podia fazer nada. Não achei nenhuma criança pedindo socorro", foi seu último pensamento antes de dormir.

O domingo amanheceu chuvoso, mas menos cinzento do que a véspera. Cristiano, Luciana e Thiago já estavam na van contratada com chofer para levá-los aos arredores da cidade.

— Vamos conhecer uns castelos, umas vistas maravilhosas, agir como autênticos turistas — anunciou Cristiano, animado, abraçando a filha.

— Programa de gente que junta dinheiro por dez anos para mandar os filhos para o intercâmbio de curso de inglês — resmungou Luciana olhando com raiva para Felício e entrando no carro.

"Ela está com saudades da cama do pirralho", pensou ele. Sabia que o patrão havia colocado o rapaz na antessala de sua própria suíte como se de repente resolvesse que a liberdade sexual da filha não existia. "Saudades dele e raiva de mim, que denunciei seu comportamento de vadia mirim para o avô. Dane-se, eu não dou a mínima para os ataques dela."

A manhã transcorreu sem maiores problemas, eles parando para fotografar as melhores vistas, os jardins do castelo aberto à visitação pública, o cemitério de cães que divertiu até Felício que lamentou não ter trazido uma máquina, ele também, para mandar uma foto para os sobrinhos daquele estranho hábito de dedicar lápides a animais de estimação. Comprou chocolates para Sinval e seus filhos, uma foto do castelo para a cunhada, que certamente a emoldurária e colocaria na parede para mostrar para as visitas os lugares que o irmão do marido visitava a trabalho.

Num impulso, comprou uma caixa pequena de bombons com uísque para Lorena. Fora rude com a secretária, não era de seu feitio tratar mal as mulheres, mas também não tinha o hábito de comer mulheres bem-sucedidas profissionalmente, e a hipocrisia dela o irritara. Talvez não fosse hipocrisia, e sim o desejo por um pouco mais de delicadeza que ele não soubera oferecer. Os bombons seriam seu pedido de desculpas.

Considerou se devia comprar uma caixa também para Letícia e o irmão. Afastou a ideia em seguida. Um presente os aproximaria e tudo o que eles não precisavam era esperar dele mais do que podia dar. Especialmente Letícia. Se ela soubesse que ele, num castelo na Irlanda, se detivera em escolher uma guloseima para os dois, talvez se sentisse encorajada a pensar nele como um tio benévolo. Ou algo além disso. Melhor não levar nada.

A tarde caía quando chegaram ao último ponto do passeio. Um penhasco imenso, despencando direto no mar. Todos desceram do carro para apreciar a vista.

— Cliff of Moher — anunciou Cristiano. — Estive aqui com sua mãe, Luciana, em nossa lua de mel. Era primavera na Europa, um dia de sol. Temos a foto em casa.

— Belo lugar para uma lua de mel, não é, tutuca? — disse Thiago, abraçando Luciana pelas costas.

Felício ficou meio afastado deles, abalado com a beleza do lugar, os blocos de pedras em tamanho decrescente, cobrindo parte da linha do horizonte, nenhuma praia, nenhum chão, só pedra e mar. Uma falésia perfeita, a queda dali seria terrível.

Cristiano, que fotografava a filha e o namorado, virou-se por um momento para falar com Felício, quando Luciana gritou assustada. Thiago lhe dera um empurrão leve, soltando por instantes, e a segurou no susto. Para o pai, para o segurança e para ela mesma, a sensação foi como se a queda fosse inevitável.

— Você enlouqueceu, Thiago? — berrou Cristiano, acudindo a filha que dobrava os joelhos, num início de desmaio. — Felício, me ajude aqui.

— Eu estava brincando, Cristiano. Ela se soltou da minha mão, deve ter ficado tonta — defendeu-se Thiago, ofendido.

Felício levantou Luciana nos braços, dando um breve encontrão na passagem em Thiago, que caiu de joelhos.

— Esse troglodita me empurrou de propósito. Você viu, Cristiano, viu o que ele fez?

Cristiano não respondeu, acompanhando o segurança até o carro, preocupado com a filha. Felício não tentou se defender da acusação. Por ele, teria jogado o garoto de ponta-cabeça. Ainda mais porque nos segundos em que Luciana oscilara na beira do precipício, ele viu Letícia, os longos cabelos escuros, o corpo magro, caindo em direção ao mar, e o menino ruivo dos seus sonhos chorando na borda. Como numa alucinação.

Fronteira.

VERA APARECEU NO DOMINGO, NO FINAL DA TARDE, de surpresa, como fizera no domingo anterior. Chegou com um jeito decidido e desesperado de tímido que resolve invadir uma festa a todo custo. Trazia dessa vez salgadinhos e cerveja gelada, em latinhas, um bolo inglês e refrigerantes. "Para as crianças", anunciou, abrindo os embrulhos, logo depois dos cumprimentos, como se a comida fosse seu salvo-conduto.

— Você sempre exagerada, não é, Vera? Para que tanta comida? Por isso você está gorda desse jeito. Anda, Letícia, vai buscar uns pratos e talheres para nós não contribuirmos para que a Vera fique mais gorda e mais triste.

"Se a gorda tivesse alguma dignidade", pensou Letícia, "sairia naquele instante". Mas ela era do tipo que defendia o princípio de "quem tem vergonha, não envergonha o outro" e fez de conta que não percebeu a grosseria de Mark naquele momento, nem os outros ataques verbais desfechados por ele na meia hora seguinte. Conforme ele bebia a cerveja, ia se tornando mais violento nas críticas disfarçadas com a voz macia, mas suas críticas eram uma sucessão de pequenos socos no adversário, e quando Letícia levantou para recolher os pratos, Vera era um ser humano espancado, desfibrado, na lona.

Da cozinha, Letícia ouviu Vera tentar uma última saída honrosa, alinhando frases sobre como ficava contente de saber que os três estavam bem, quando Mark a interrompeu.

— Eu estou muito feliz de você ter nos fornecido uma diversão extra nesse final de domingo melancólico — dizia Mark com a voz zombeteira.

Foi ali que Letícia percebeu que a oportunidade de se livrar dele não se repetiria. Ele estava relaxado pelo álcool e pela sensação de impunidade, estava mais fácil de ser acertado do que jamais estaria.

Ela deixou a torneira da pia aberta e, com muito cuidado, entrou no quarto e pegou a pequena arma na mochila. "Parece arma de mulher, mas faz um estrago", se gabara Mark para Thomas.

No instante em que voltou para a sala, seguindo as instruções que Mark havia passado para o filho, apertou o gatilho. Letícia não sentiu nada. Medo, dúvida, nenhum sentimento atrapalhou a firmeza com que atirou no padrasto. Sentiu apenas calor, como se um vento quente tivesse entrado pela janela e se concentrado à sua volta.

Não podia esperar, porém, a reação da mulher gorda e humilhada que se atirou em cima de Mark para salvá-lo, quando ouviu o primeiro tiro. Não fosse ela, Letícia teria esvaziado o revólver e ele certamente teria morrido. Mas a mulher manteve o corpo na frente do homem ferido, gritando como uma louca, e Letícia não queria matá-la também.

Ainda dava tempo de escaparem, avaliou Letícia depois. Talvez não conseguissem ir para muito longe, mas podiam ter tentado. Thomas, no entanto, não conseguiu.

A MANHÃ DE SEGUNDA-FEIRA ESTAVA ENSOLARADA, apesar de fria, e Amanda arrumou John-John para o passeio habitual, prestando agora mais atenção ao corpo do bebê, que ria para ela o tempo todo. Idêntico ao corpo do pai.

— Ele vai ser um menino moreno — murmurou, enquanto lhe vestia o macacão.

— Os avós do pai dele eram irlandeses. Cabelos pretos — disse Angelina que chegara por trás dela, sem que Amanda percebesse.

— É mesmo? — perguntou Amanda, educada.

Estava decidida a não contrariá-la. A lembrança de Juan Javier em sua mente: "Uma mulher como você é um prato feito para gente como Angelina."

— Ele vai ser um homem bonito.

— Vai sim. E um homem bom. Eu vou cuidar disso. — Ela tomou o bebê das mãos de Amanda, atirando-o para cima e rindo das suas risadas.

— Angelina, sua bruxa, o que você está fazendo com meu filho? — disse uma voz esganiçada, da porta.

Amanda e Angelina se viraram. Caroline, descabelada e descalça, estendia os braços para o bebê. Angelina passou a criança para Amanda e se encaminhou para a moça, abraçando-a, apesar da resistência e saindo com ela, murmurando palavras tranquilizadoras, numa mistura de espanhol e inglês.

Amanda precisou ficar com o menino durante um bom tempo depois do seu horário porque Caroline se deixou acalmar por minutos, mas arranjou um jeito, logo que Angelina voltou para o quarto da criança, de sair pelo portão, de camisola. Um vizinho avisou por telefone, e o motorista e a governanta foram atrás dela. Conseguiram achá-la, não muito longe dali, e ficaram tentando convencê-la a voltar.

Quando Angelina voltou para dentro de casa, ao meio-dia, estava arrasada, descabelada, com marcas de unha pelos braços, a aparência de uma mulher derrotada. Em silêncio, Amanda passou um pouco de café forte, colocou numa xícara e entregou na mão da governanta.

— Precisei ligar do celular, de dentro do carro, para os paramédicos da clínica de reabilitação. Eles vieram buscá-la; ela está internada de novo.

Amanda assentiu.

— A mãe e o marido ficaram lá, esperando ela acordar do efeito dos sedativos — continuou Angelina em voz baixa. — Eu voltei porque tenho uma coisa importante para fazer, uma coisa que se não for feita agora pode trazer grandes problemas futuros.

Amanda estava exausta depois de uma noite quase sem dormir, chateada por ter sido tão fácil de levar para cama por Juan Javier, encantada com as lembranças do sexo copioso que fizera com ele, culpada por se sentir leve como há muito tempo não se sentia. O que existiria de tão importante para Angelina fazer que se tornava maior do que estar com Caroline? Só podia ser alguma coisa relacionada ao bebê.

— Eu prometi a um parente meu que está passando por Santa Bárbara entregar uma encomenda para ele levar para o México. Eu gostaria que você a entregasse. Sei que não faz parte de suas atribuições, mas Hernandez está por conta da mãe de Caroline e isso precisa ser feito hoje.

— Ele não pode vir buscar aqui? — perguntou Amanda.

— Não, eu prefiro que não. Não quero misturar minhas questões familiares com trabalho, ainda mais nesse momento de sofrimento.

— Tudo bem. Eu entrego a encomenda para o seu parente... — Por um momento, Amanda quase disse "seu sobrinho" em vez de parente, revelando que conhecia Juan Javier.

— É mais do que isso. Eu preciso que você encontre com ele longe daqui. De preferência em outro estado, distante o suficiente para que ele siga em frente e não volte mais.

— Por quê? — Amanda não quis deixar de perguntar.

— Eu pago pelo seu serviço, pago bem, inclusive, mas não quero que você faça perguntas. — Angelina voltara a ser fria e mandona, e Amanda se arrependeu de ter tentado saber mais. — Você encontra com ele num lugar que eu vou combinar, entrega uma determinada quantia para ele e volta.

— E quem fica com John-John?

— Eu fico, a faxineira fica, não se preocupe. O importante é você entregar o dinheiro a ele fora da cidade. Eu lhe pago quinhentos dólares pela tarefa.

O dinheiro extra ajudaria a completar as passagens das crianças, decidiu-se Amanda. É claro que Angelina queria o sobrinho longe de Caroline e do filho o mais rápido possível. Ela sentia-se tão feliz que decidiu ligar para o Rio de Janeiro e contar para Letícia e Thomas a boa-nova.

— Está certo, eu vou. Chego em casa, ligo para os meus filhos e pego o primeiro ônibus.

— Não é preciso, você liga daqui.

Foi assim que Amanda soube o que acontecera com Letícia. Ela ligou de Montecito para o Rio de Janeiro, na hora do almoço, premida pelo medo de Angelina de que algo interferisse na sua decisão de afastar Juan Javier de Caroline e do filho.

Angelina havia oferecido o telefone da cozinha e, mesmo sabendo que a governanta não poderia entender o que ela falasse em português, Amanda se ressentiu de que a outra não saísse de perto para lhe garantir um mínimo de privacidade.

Uma voz estranha atendeu o telefone no terceiro toque. Voz de mulher com sono. Não era Letícia. Com uma sensação ruim, Amanda perguntou o número.

— Não tenho a menor ideia do número, não moro aqui — respondeu a mulher mal-humorada. — Você deseja falar com quem?

— Com Letícia.

— Letícia está presa, deu um tiro no padrasto — esclareceu, impaciente, a mulher. — Você é amiga dela?

— Sou mãe... de uma colega dela de escola. — Por um momento de pânico, Amanda percebeu que quase dissera a verdade. — Que horror, quando foi que aconteceu isso?

— Ontem no final da tarde.

— Ele morreu? — perguntou Amanda.

— Não, graças a Deus, não. Mas acho que vai ficar aleijado. Os médicos operaram a madrugada toda.

— E o irmão de Letícia, Thomas? Posso falar com ele?

— Ele está dormindo. Ficou horas no hospital esperando notícias do pai. Quando soube que estava fora de perigo, eu o arrastei para casa, ele não queria vir.

Amanda pensou não ter entendido a frase. Como Thomas podia ter ficado preocupado com o pai? Aquela mulher era uma idiota. De onde teria surgido?

— Um horror essa história toda — disse, esperando que a outra acreditasse que era sincera. — A senhora é amiga do pai dele?

— Eu? Deus me livre! Sou muito amiga da namorada dele, a Vera. Ele a conheceu quando estava procurando o filho que foi sequestrado pela mãe há quatro anos. Você conhece a mãe deles?

— Conheço — disse Amanda, percebendo que Angelina começava a achar estranho aquele telefonema internacional tão sem o clima alegre que seria de se esperar quando uma mãe que está distante dos filhos tem a oportunidade de falar com eles de graça. — Quer dizer, conheço da porta do colégio, minha filha caçula fez primeira comunhão com Thomas.

Foi a primeira mentira que lhe veio à cabeça. Para todos os efeitos, a mãe estava com os filhos na primeira comunhão. Estava na carta de Thomas, a que recebera há mais de 15 dias, na qual o menino mandava que ela voltasse imediatamente.

— Pois é, a mãe está em maus lençóis, acusada de sequestro, a filha presa e ninguém sabe, ninguém viu essa mulher. Uma cadela total, e ainda tem filho ingrato que se queixa da mãe que cuida.

Aquele era um bom resumo de como a situação seria entendida pela polícia, pelos vizinhos, pelos colegas dos filhos, pensou Amanda despedindo-se e prometendo ligar outra hora para falar com Thomas. Tomara que a polícia não revistasse o apartamento. Se revistasse, talvez achasse alguma pista de onde ela estava, talvez um dos filhos tivesse desobedecido a medida de segurança. Talvez Mark se recuperasse e ficasse aleijado mesmo, e a sua vingança seria terrível. Contra ela.

— Resolveu as coisas com seus filhos? — perguntou Angelina. — Posso telefonar e combinar tudo?

— Eu estava aqui pensando, Angelina, que essa não é uma boa ideia — disse Amanda, tentando arranjar uma saída rápida em meio ao pânico que ameaçava dominá-la.

— O que não é uma boa ideia? — perguntou a outra, ríspida.

— Eu sair do estado, entregar o dinheiro ao seu parente e voltar para cá depois.

As duas mulheres ficaram se olhando em silêncio, sabendo as duas que provavelmente não se veriam mais, porque Amanda estava certa: a tarefa que Angelina lhe encarregava era a de levar Juan Javier para longe de Caroline e do filho. Não dava para atravessar a fronteira e voltar, simplesmente. Era atravessar e seguir em frente.

— Espere aí, alguma coisa deu errado no Brasil e, por algum motivo, você não quer ficar aqui — afirmou Angelina com voz de suspeita.

Lembrando-se do comentário de Juan Javier sobre a força da tia, Amanda negou ofendida.

— Nenhum problema no Brasil. Só tenho o pressentimento de que seria melhor para todos se eu não voltasse para cá depois de entregar o dinheiro para o seu parente.

— Você não faz ideia de como está certa, dessa vez — disse Angelina com a expressão fechada.

Amanda sabia que ela pensava na semelhança entre o bebê e Juan Javier e no risco dela como baby-sitter descobrir o quanto eram parecidos quando conhecesse o rapaz. Não sabia que ela já o conhecia. Não podia saber por que Amanda precisava se afastar dali o mais rápido possível, ficar longe até saber o que estava acontecendo com a filha, sem entregar o seu paradeiro. Ficou quieta enquanto Angelina combinava por telefone, num bate-boca áspero com o sobrinho, a ida dele, naquele mesmo dia, para o outro lado do país, se quisesse colocar a mão em dois mil dólares, que era o máximo que ela lhe daria. Foi uma negociação dura. Amanda ouviu de longe os gritos porque o bebê começara a chorar e ela precisou pegá-lo no colo e acalmá-lo. Voltou com ele para a cozinha a tempo de ouvir o final da conversa.

— É você que não pode voltar para Havana, é você que não pode voltar para Miami ou para qualquer outro lugar onde teria o apoio da família. É pegar ou largar — gritou Angelina batendo o telefone.

Amanda ficou quieta, sem saber como reagir.

— Canalha, três vezes, canalha! — exclamou Angelina. Seu rosto contraído de raiva se estendeu num sorriso ao ver o bebê acordado no colo de Amanda.

Angelina se transformou ao olhar o filho de Caroline.

— Me dê aqui a criança. — Ela pegou o menino que já foi para o seu colo sorrindo. — Sou capaz de tudo por você, niño, tudo. — Angelina voltou-se para Amanda. — Você é uma mulher de sorte. Acabou de ganhar uma passagem aérea para Boston, uma carta de referências e dois mil dólares de bônus.

Amanda admirou a firmeza da mulher.

— Você é muito determinada, não é, Angelina?

A cubana olhou para ela por cima da cabeça do bebê.

— Por quê? — perguntou, fria.

— Acho que é porque poucas pessoas têm coragem para definir um caminho que afete gente do próprio sangue.

— Não se subestime, mulher. Você diz isso, mas está aqui, em outro país, deixando dois filhos para trás.

Na manhã seguinte, Amanda estava em Boston, esperando Juan Javier no aeroporto, com os dois mil dólares para serem entregues a ele e a mesma quantia para ela, escondida no fundo da mala. Graças à determinação de Angelina e ao medo que a impulsionava a sair rápido do lugar onde poderia ser achada. Se os filhos a denunciassem, pensou ela, a polícia poderia dar um alerta internacional. Iria para a cadeia, ali mesmo nos Estados Unidos. Seria deportada para o Brasil. A cada hora que passava seu medo aumentava.

Ele sorriu quando a viu sentada, com a mala do lado, no saguão do aeroporto.

— Que bom que a velha bruxa mandou você me entregar o dinheiro. Estou espantado é de você ter aceitado a tarefa, porque ela não vai querer lhe ver mais por perto depois do seu contato com a banda podre da família.

— Eu sei que ela está enganada a seu respeito.

— Não está não, querida. Ela está certa. Mas já que você veio até aqui, não há por que nós não aproveitarmos a sua estadia.

Quando ele a abraçou, esfregando o rosto no seu pescoço, sem ligar para as pessoas em volta, Amanda se sentiu reconfortada. Tinha um homem ao seu lado para ajudá-la a superar aquele momento difícil. Letícia era menor de idade, não podia ser condenada por aquele tiro, ainda mais quando contasse quem era o padrasto. Tudo ia dar certo. Crianças costumam ter um anjo da guarda forte, consolou a si mesma, aceitando que Juan Javier lhe pegasse a mão como se fossem namorados.

A chegada, na terça-feira, de Cristiano, a filha, o namorado e Felício tinha tudo para ser mais um desembarque comum, mas algum incidente fazia com que a fila se tornasse mais lenta, os agentes da alfândega fossem mais exigentes nas revistas das malas e a impaciência tomasse conta dos que esperavam.

Felício desembarcara primeiro, como sempre fazia, e estava com a bagagem de Cristiano e Luciana no carrinho, enquanto pai, filha e o quase genro compravam no Free Shop um presente para a mãe de Thiago.

Quando os três voltaram, Thiago olhou o carrinho e reclamou:

— Minha mala não está aí.

— Sua mala não apareceu, eu peguei as outras — respondeu Felício, frio.

— Agora eu vou ter que entrar no final da fila — disse Thiago.

— Eu vou para lá com você — ofereceu Luciana, olhando irritada para Felício.

— Você vai ficar aqui e passar com a gente — disse Cristiano. — Seu avô veio de Minas, está nos esperando em casa.

— Mas Thiago vai ficar sozinho?

— Eu pego um táxi — disse o rapaz de maus modos. — Estou dispensando o grude. — Ele praticamente arrancou o tíquete da mão de Felício.

— Espera, Thiago — pediu Luciana.

O rapaz se afastou emburrado para a esteira onde a sua mala rolava sozinha.

— Isso é maneira de você tratar o filho de uma amiga sua e meu namorado? — reclamou ela para o pai. — O que a mãe dele vai dizer de nós?

Cristiano dissera aquelas mesmas palavras para o pai, pelo telefone, antes de embarcar em Londres. O pai ligara de Minas para avisar que estava esperando pelo filho e pela neta no Rio de Janeiro e que eles dessem um jeito de largar aquele cafajeste do Thiago no aeroporto, pois não queria ver as fuças do sujeito.

— Mas, papai, a mãe dele é amiga da minha mulher, o pai foi meu companheiro de golfe durante anos, nós devemos à família dezenas de gentilezas... — tentara argumentar Cristiano.

— O falecido marido vivia pendurado no nosso banco, e ela nos deve um empréstimo tomado para sustentar um luxo que ela não pode mais bancar. Talvez você esteja confundindo negócios com sentimentos, Cristiano.

Cristiano se calou, sabendo que aquele comentário era uma advertência. Ele era o único membro da família que trabalhava no banco; cunhados, primos faziam de tudo, há muitos anos, para ter um cargo, uma oportunidade, e o pai impedia, gostava da estrutura profissionalizada, gostava de trabalhar com estranhos que podia demitir a hora que quisesse, sem remorsos e aporrinhações.

Devido à sua natureza mais para conciliadora nas relações pessoais, Cristiano planejara deixar o rapaz em casa antes, para assim não ter que ser grosseiro. Se ele insistisse em ir com Luciana, daria uma desculpa ou diria a verdade: o pai estava em casa, quase não saía da fazenda, não gostaria de ver pessoas de fora da família antes de conversar com o filho e a neta.

Cristiano não contava, porém, com o obstáculo da mala. Felício havia dito que a mala não aparecera. Por que mentiria? Cristiano argumentou com a filha que cochichava a desaprovação ao guarda-costas, sem se preocupar se Felício ouvia ou não. De qualquer forma, Thiago era bem grandinho para pegar um táxi por sua própria conta. Eles passaram sem problemas pela alfândega, mas Luciana foi resmungando até o carro que Felício já tinha providenciado que estivesse à espera deles.

A abertura de presentes, a visita de dr. Francisco e o almoço mantiveram pai e filha ocupados por um bom par de horas. Depois, Luciana foi dormir para se recuperar da viagem e Cristiano partiu para o banco com Felício.

Lorena esperava os dois com uma lista de pendências para o patrão e de incumbências para Felício, que ali tinha também a tarefa de resolver pequenos problemas profissionais ou pessoais para Cristiano.

Ela não lhe disse que Letícia tinha ligado porque não havia um recado, apenas uma voz jovem perguntando por ele. Mesmo que houvesse um recado, Lorena não sabia se daria porque os dias que Felício passara fora para ela significaram uma imersão em lembranças tão marcantes que, certas horas, ela se masturbava no banheiro, morta de tesão e vergonha. Qualquer coisa ligada a ele, depois daquela meia hora de sexo despudorado, lhe despertava interesse e ciúme, admitiu afinal, derrotada.

A chegada dele, ela tinha esperanças, liquidaria aquele clima, mas não foi o que aconteceu. Ele estava cansado, mas cheirava a banho recém-tomado com sabonete de supermercado quando se inclinou sobre a sua mesa para pegar a lista de tarefas e deixar uma pequena caixa de bombons irlandeses.

Se Felício não tivesse se lembrado dela e comprado os chocolates, o que havia acontecido entre os dois no domingo em que ele viajara teria ficado perdido em memórias de sexo inusitado, porque feito com um empregado, um homem inferior a ela socialmente. O presente fazia com que ele ascendesse em sua imaginação, por mais que se considerasse racional e fria, ao status de pretendente. Ela abriu um sorriso de promessas quando lhe entregou a lista.

Felício ainda não havia voltado quando começaram a pipocar os telefonemas dando conta do escândalo. A bagagem de Thiago trazia uma barra grande de haxixe prensado, escondida entre as roupas sujas. Na mochila, quarenta comprimidos de Ecstasy. Ele saíra direto do aeroporto para a delegacia, autuado em flagrante por tráfico de entorpecentes. Sua arrogância irritou os policiais federais além da medida, ao insistir que alguém armara aquilo para cima dele, talvez um dos policiais mesmo para passar carregamento de algum colega. Um chegou a lhe dar um tabefe e foi contido por outro que argumentou que o moleque poderia mesmo ter costas quentes, já que dizia ter viajado com o banqueiro Cristiano Queiroz, ser noivo da filha dele, e que sua mãe era amiga de desembargadores e políticos.

Esses detalhes não foram transmitidos para Lorena, ela só soube dias depois, quando a mãe de Thiago, que não conseguia nunca falar com Cristiano — sempre providencialmente em reuniões —, desabafou os detalhes do acontecido.

Na tarde da prisão, o que Lorena soube foi que a acusação contra o rapaz era de tráfico e que Cristiano queria todo o empenho da assessoria de imprensa do banco para manter ele e sua família longe de qualquer repercussão.

Luciana viajou para a fazenda com o avô, a mãe e os irmãos menores no mesmo dia. Dr. Francisco era muito carinhoso com os netos, mas foi duro e claro ao enumerar do que ela escapara pela sorte de não estar com Thiago na hora do flagrante. Pela primeira vez na vida, Luciana sentiu que sua origem e posição não podiam protegê-la de tudo. Teve medo.

Na quinta-feira, Thomas foi ouvido pelo Juiz de Menores, na presença de Vera, de uma assistente social, do advogado do consulado e da defensora pública.

Vera esteve sempre com ele ou com Mark naqueles cinco dias depois do tiro. Quando estava com Mark no hospital, pedia a Fernanda que ficasse com Thomas. "Minha melhor amiga", Vera a apresentara a Thomas. As duas eram bem diferentes, mas pareciam estar verdadeiramente condoídas por sua situação e concordavam num ponto: Amanda era uma desalmada.

O juiz era um homem gordo, com um sorriso simpático, e tentara, de saída, deixar Thomas à vontade:

— Nós vamos lhe fazer umas perguntas para entender melhor a situação e se precisar interromper, fique à vontade, compreendeu? Aquela senhora que está ali é a assistente social que por acaso também é psicóloga. Esse senhor de terno é o advogado do consulado que precisa estar aqui não só porque seu pai é inglês, mas também porque você tem dupla nacionalidade. Essa moça bonita aqui do meu lado é a defensora da sua irmã. Aliás, por falar nisso, onde está a acusada?

Ouvir falar em Letícia embrulhou o estômago de Thomas. Não sabia o que diria se a irmã aparecesse na sua frente agora.

— A ré não pôde vir. O abrigo não conseguiu condução.

— Esse pessoal... — murmurou o juiz sem sorrir. — Vamos adiante então.

O juiz começou com coisas simples como nome, endereço, idade, nome dos pais, coisas que Thomas podia responder sem medo.

— Thomas, você estava em casa no domingo passado à tarde com seu pai e com sua irmã?

— Com eles e com a tia Vera. — Ele apontou para Vera que lhe retribuiu com um sorriso terno. — Amiga do meu pai.

— Você viu seu pai recentemente, Thomas?

— Vejo todos os dias, no hospital.

— Você sabe por que seu pai está no hospital, Thomas?

— Porque minha irmã atirou nele.

— Como foi que isso aconteceu? — perguntou o juiz.

— Meu pai e eu estávamos levando a tia Vera no elevador, minha irmã apareceu na porta do quarto com a arma do meu pai e atirou nele.

— Você não tem nenhuma dúvida de que foi sua irmã quem atirou no seu pai?

Os olhos de Thomas se encheram de lágrimas.

— Foi minha irmã que atirou no meu pai.

— Thomas, antes disso, sua irmã havia tido algum comportamento violento? — perguntou a defensora.

— Ela alguma vez bateu em você? — perguntou o advogado do consulado, recebendo um olhar de desaprovação da defensora.

— Ela me beliscava quando eu não queria comer, quando não fazia dever, dava tapa na cabeça — disse Thomas.

— Sua mãe batia em você? — perguntou a assistente social.

— Minha mãe nunca bateu em mim — respondeu Thomas. — Letícia ficava nervosa quando as coisas não davam certo e descontava em mim.

— Thomas, depois que seu pai chegou no apartamento, ele dormia onde? — perguntou a defensora.

— No meu quarto e de Letícia. Ele disse para Letícia dormir no quarto que era de minha mãe.

— Algum dia, alguma noite, você viu seu pai se dirigir ao quarto onde sua irmã estava? — tornou a defensora. — Você alguma vez viu seu pai beijar sua irmã ou tentar de alguma forma... — A defensora escolhia palavras, todos os olhares voltados para ela. — Alguma vez seu pai tentou se aproximar de sua irmã... como de uma namorada?

— Meu pai nunca se aproximou de minha irmã. Meu pai amava minha mãe e ela o deixou e depois deixou a gente. Meu pai não faria isso com Letícia, nunca... — Thomas começou a chorar.

— Agora chega, doutora — determinou o juiz, severo. — Já entendi aonde a senhora quer chegar, mas ele é uma criança. — O juiz se voltou para Thomas. — Testemunhas disseram que sua irmã queria que você fugisse com ela, depois do tiro. Por que você não foi, Thomas?

— Eu... — As lágrimas começaram a correr pelo rosto de Thomas. — Não podia fugir com quem deu um tiro no meu pai.

Os adultos se olharam, o juiz empurrou uma caixa de lenços de papel para Thomas, que enxugou o rosto e assoou o nariz.

— Faz quanto tempo que sua mãe não aparece no apartamento? — perguntou a assistente social.

O olhar de Thomas ficou vago.

— Eu não sei.

— Tente lembrar — insistiu a mulher. — Na escola disseram que ela estava com vocês na sua primeira comunhão. Há quanto tempo ela saiu do apartamento?

— Eu não me lembro — disse Thomas aflito.

— Isso faz diferença? — perguntou o advogado do consulado.

— Faz — afirmou a assistente social. — A irmã é menor de idade, a mãe não aparece, o pai está no hospital. Ele vai para um abrigo, para um lar provisório?

— Eu não quero sair da minha casa — disse Thomas. — Quero esperar meu pai lá.

— Há quanto tempo você não via seu pai, Thomas? — perguntou o juiz.

— Não sei, há muitos anos. Mas ele está machucado e eu quero esperar por ele na minha casa.

— Meritíssimo, eu posso cuidar dele — disse Vera. — Posso cuidar dele até o pai voltar para casa.

— Thomas, você sabe o que os médicos disseram sobre o estado do seu pai? — perguntou o juiz.

— Sei. — Thomas falou dessa vez com uma voz firme. — Meu pai não vai voltar a andar. Porque minha irmã atirou nele.

O juiz olhou firme para Vera, que o encarou de volta.

— Podemos marcar outra audiência em 15 dias, torcendo pela recuperação do pai. Até lá a senhora fica com a guarda provisória — disse o juiz, decidido. — A menos que a mãe apareça.

Na sexta-feira daquela semana, as notícias sobre as drogas na bagagem de Thiago começaram a arrefecer nos jornais.

O rapaz entregara o nome de vários colegas de faculdade que faziam tráfico entre amigos, um vapor de morro, mas nada disso convencera os policiais encarregados do inquérito. A mãe dele, não conseguindo falar com Cristiano, resolveu procurar Felício no banco, apesar de o filho detestar o segurança e suspeitar, admitindo que não tinha nenhuma prova, que Felício estava por trás do que acontecera.

Era uma mulher pequena, morena e bonita, a quem Felício conhecia de vista e que parecia jovem para ter um filho de 21 anos. Parecia. Naquele momento, esperando na sala de Lorena pela chegada do motorista, estava devastada.

— Felício, dona Maria de Lourdes quer conversar com você. Vocês podem usar a sala de reuniões.

— Não é preciso, Lorena. Eu vou ser rápida. — Ela levantou, a voz era suave, mas parecia não haver dúvidas de que ia pedir uma coisa corriqueira e que ele aceitaria. — Eu queria que o senhor conversasse com o advogado do meu filho. Nós vamos tentar um *habeas corpus*, como o senhor esteve com eles o tempo todo, pode ajudar a esclarecer essa injustiça toda.

— Dona Lourdes, eu preciso conversar com o advogado do banco. Meu contrato diz expressamente que devo informar qualquer contato com autoridades ao jurídico. — Ele sabia que estava sendo mais frio do que seria normalmente. Mas não conseguia evitar.

— Acho que o senhor não está entendendo. É uma questão de justiça. O senhor não pode se negar a informar que esteve o tempo todo grudado no meu filho no exterior e que ele nunca traficou.

— Não posso afirmar isso. Seu filho ficou horas num clube sem a minha presença, dormia na própria suíte, todos os dias, não sei se saía do hotel depois, sozinho. Como eu posso dar conta dos passos dele?

— Sozinho ou acompanhado, não é mesmo? Porque, afinal, ele foi com a namorada que está com ele há três anos.

Felício teve vontade de responder que ela então tentasse conversar com a ex-quase futura nora e o deixasse em paz, mas como não era louco de fazer a sugestão óbvia, ficou quieto.

— Dona Lourdes, a senhora não quer conversar com nosso advogado? Acho que encurtaríamos caminho. — A intervenção de Lorena pareceu a Felício providencial. Mais um pouco, a mulher avançaria nele.

Quando a secretaria voltou, ele estava começando a ler um jornal que comprara na banca da esquina.

— Não dava para você ter sido um pouquinho mais diplomático?

— Não costumo sentir pena de mulheres que têm tudo e se dedicam a estragar os filhos.

— Não exagera, ela não tem culpa do filho estar preso.

— Difícil acreditar nisso. Ela vive para fazer compras quando não está na piscina com a mulher do dr. Cristiano. Prestasse atenção no filho, veria que ele era um aprendiz de meliante.

A secretária o olhou com a expressão de desaprovação mais suave do que o habitual.

— Você não devia ler um jornal de quinta categoria como esse — disse ela.

"Está pegando leve, porque está querendo dar para mim", pensou Felício quando uma manchete interna chamou sua atenção: inglês baleado por enteada não vai andar nunca mais. Ele sentiu um baque lendo o restante da pequena matéria, o tiro tinha acontecido no domingo anterior. Ali estava a repercussão.

— O que aconteceu? — perguntou Lorena preocupada. — Você parece que viu um fantasma.

"Não, eu vi foi Letícia se jogando num precipício, quando estava na Irlanda, no domingo passado."

— Nada, só má impressão com o jornal. Você precisa de mim para mais alguma coisa? Queria tratar de uns assuntos meus agora.

Ela se retraiu um pouco, como se estivesse sendo dispensada por um namorado, ele achou. Não sabia se queria levar aquilo adiante. Ela era próxima demais, sofisticada demais, solitária demais. Nesse momento, não queria de jeito nenhum. Queria saber da mulher-menina que ele subestimara. Nunca imaginou que Letícia teria coragem de fazer o que ele fizera um dia. Pois ela fizera. Com uma pontaria pior.

— Pode ir, Felício. — Lorena fez uma expressão decepcionada. — Esqueci de lhe dizer, aquela moça, Letícia, ligou para você. Na sexta passada.

Ele saiu sem dizer nada, e Lorena se sentiu péssima, como se tivesse feito alguma coisa errada.

Felício parou o carro numa vaga do Largo do Machado, pagando para o flanelinha oficial que se dedicava a mastigar cumprimentos mais ou menos insultuosos para as mulheres que passavam. Normalmente, ele não ligaria, mas fez uma cara amarrada que assustou o sujeito.

"Nunca vou perder meu jeito de cana", pensou Felício. "O que esse cara me fez? Nada. É a notícia sobre Letícia, mais esse maldito processo contra o idiota do Thiago."

A mulher que atendeu o interfone o deixou subir quando disse que tinha uma encomenda para dona Amanda, mas o recebeu na porta. Era gorda, branca e trazia uma sacola na mão como se estivesse de saída. Ansiosa, zangada, parecia prestes a fazer uma besteira.

— O senhor quer entregar o quê para Amanda? Ela não mora mais aqui — informou a mulher, com ódio.

Outra mulher, essa bonita e bem-cuidada, com um vestido justo e decotado que valorizava suas curvas, surgiu na sala.

— Vera, por que você não vai para o hospital e deixa que eu atendo ao moço?

— Não temos que atender a alguém que vai entregar encomenda para aquela piranha — disse Vera.

— Vera, o menino está ouvindo. — Fernanda mostrou o irmão de Letícia, Thomas, parado no corredor. O menino não fez menção de tê-lo reconhecido.

— Desculpe, meu querido, desculpe, desculpe. — Vera correu para o menino que se deixou abraçar ainda olhando Felício. — Mas estou tão angustiada com o estado do seu pai que acabo falando na sua frente o que não devia.

Vera saiu, tocada para fora do apartamento por Fernanda. Felício ficou quieto, sabia que qualquer movimento poderia impedi-lo de descobrir o que realmente havia acontecido.

— Qual é a encomenda que você tem para a mãe do menino? — perguntou Fernanda.

— Acho que não me expressei bem. Eu tenho uma cobrança para fazer a dona Amanda, uma conta da primeira comunhão desse menino. A família me pediu ajuda naquela ocasião.

— É verdade, Thomas? Sua irmã pediu ajuda a esse homem na sua primeira comunhão?

— É, ela pediu.

— E ele ajudou?

— Ajudou. — Thomas falava baixo e sem olhar para nenhum dos dois. Felício notou que ele tinha manchas no rosto que não existiam antes, pareciam impigem. — Posso ir para o colégio agora?

— Eu levo você. Sinto muito, mas precisamos ir agora.

— Posso esperar na portaria a senhora deixar o menino no colégio?

Felício não esperava que ela concordasse, mas concordou. Thomas ficou quieto; ele não sabia se por não se importar ou por medo. Quinze minutos depois, ela estava de volta.

— De onde o senhor conhece a mãe deles?

— De São Paulo, da época em que ela era casada com o pai dele.

— Era um bom marido? — perguntou Fernanda acendendo um cigarro.

— Se a senhora chama de bom marido alguém que faz o filho de cinzeiro e surra a enteada...

— Bom, pelo menos isso ele não vai fazer mais. Ficou paraplégico, vai depender de ajuda dos outros pelo resto da vida. Como é que o senhor disse que se chama mesmo?

Ele não tinha se identificado ainda, mas disse o nome despreocupado com o que ela poderia fazer com a informação. Não acreditava que a polícia levasse a investigação adiante a ponto de envolvê-lo.

— O senhor teve alguma coisa com a mãe deles? — perguntou Fernanda.

— Nada. Eu só queria encontrá-la para cobrar uma dívida. Ela deve ter entrado em contato para saber notícias dos filhos, não?

— Não, isso é o mais incrível. Ela sumiu. O senhor consegue imaginar uma coisa dessas? A filha presa, o filho na mão desse sujeito, que uma hora parece ótimo, na outra é insano, e a mulher não aparece.

Felício a acompanhou até o carro, ficando de passar outra hora para ver se Amanda havia dado notícias e foi andando até a outra esquina, de onde voltou para o prédio. Esperou por ali algum tempo até avistar uma velha tentando abrir a portaria, carregada de sacolas.

— A senhora quer ajuda? Vou para o quarto andar — disse Felício.

A mulher aceitou, ele entrou com ela, saltou no quarto andar e foi pela escada até o apartamento onde deixara Letícia numa madrugada. Como da outra vez, não foi difícil entrar ali. Também não foi difícil revistar as poucas gavetas e colchões, Mark deve ter se mantido muito ocupado para não achar gravador, fitas e algumas cartas, escondidos debaixo do estrado duma cama de solteiro, onde, Felício suponha, Letícia dormia.

Levou menos tempo na busca do que o sujeito que contratara um dia levou para encontrar o dinheiro do inglês. Não sabia se adiantava voltar ao colégio e conversar diretamente com Thomas ou ir à polícia e entregar aquelas provas. O que ele diria? "Fui PM, sou segurança de banqueiro, me envolvi com uma adolescente filha de uma irresponsável e agora quero ajudar a menina que deu um tiro no padrasto." Não era uma boa história para contar na delegacia. Olhou a chave de uma caixa postal que estava junto com as coisas e o cartão da poupança. O cartão guardaria para Letícia, a chave poderia lhe dar informações sobre a mãe dela.

Ele voltou para o banco, depois de ter ido ao correio e limpado a caixa postal. Lorena estava de saída e espantou-se ao vê-lo.

— Você fala inglês bem, não fala? — perguntou sem delongas.

— Claro que falo — respondeu ela.

— Você pode ligar para Los Angeles e conseguir informações sobre uma pessoa para mim?

Ela ficou olhando para ele, avaliando, pensou Felício, se deveria enquadrá-lo como um subalterno atrevido ou se deveria considerá-lo um homem com quem poderia transar mais uma vez se fizesse aquela gentileza.

— Me dá o número.

Bastou dois telefonemas para que ele soubesse que Amanda provavelmente estava em Boston, trabalhando como babá. Pelo menos ela levara referências de uma tal de Angelina que era governanta de uma casa em Santa Bárbara, Califórnia.

— Essa Angelina me garantiu que Amanda ligou para o Brasil, para o Rio de Janeiro, antes de partir para Boston — disse Lorena depois de pedir um momento de espera para quem falava ao telefone.

— Basta essa informação?

— Quero que você diga que aconteceu uma emergência com Thomas, o filho de Amanda, e que você precisa do número do celular dela. Você pode fazer isso?

Lorena o olhou em silêncio, pegou o telefone de novo.

Ela fez o que ele pediu e talvez um pouco mais porque do outro lado alguém lhe deu um número de telefone. Ela anotou no papel com o nome Amanda Figueiredo.

— Você daria uma boa policial — observou Felício. — Conseguiu apurar um bocado de coisa em meia hora.

— E não consegui ainda descobrir nada de você. — Ela pegou o blazer no encosto da cadeira. — Essa Amanda é alguma namorada? Um caso antigo?

— Nunca. Eu não gosto de mulher maluca. Muito menos de mulher irresponsável — disse Felício pegando o papel da mão dela.

— De que tipo de mulher você gosta? — Ela sorriu, um meio sorriso, seduzida.

— Gosto de mulher que resolve as coisas para homem que gosta de trepar com ela.

— Nossa, você não podia dizer a primeira parte e me convidar para tomar um café depois, um drinque?

— Não. Eu tive más notícias em excesso hoje para ser gentil. Agradeço a sua ajuda, mas, se quiser, eu realmente gostaria de estar com você agora, sem roupa e sem conversa.

Eles foram para o apartamento dele, sem conversarem por todo o caminho, e o silêncio dela, numa ocasião em que a maioria das mulheres que ele conhecia faria perguntas, foi a melhor coisa que poderia lhe acontecer.

Quando estacionou, Felício deu a volta e abriu a porta do carro para ela, como faria para o chefe, a mulher, até para as crianças. Fez isso ainda em silêncio. Ele estava se sentindo culpado, preocupado com Letícia, enojado da cara da mãe dela, da cara da mãe do namorado da filha do patrão, do mundo onde existiam mães tão diferentes da sua. Quando chegaram na sala do apartamento, ele achou que aquilo não ia funcionar.

— Eu não tenho nada para oferecer a você, sinto muito, os bombons foram a única coisa que comprei — falou, sem graça.

— Você está enganado. — Ela empurrou-o de leve contra a parede sorrindo. — Você tem tudo o que eu quero.

Daquela vez a iniciativa da transa foi toda dela, numa surpreendente voracidade que fez com que Felício passasse a ver Lorena de maneira completamente diferente.

— Eu nunca imaginaria que você fosse capaz de tanta coisa na cama — comentou Felício quando a abraçou depois, a cabeça dele nos seios dela. — É por isso que você está como secretária do homem há anos? Todas caem, menos você.

Ela riu, não parecendo ofendida pela possibilidade de ter o emprego por ter sido algum dia amante do chefe.

— Imagina, eu nunca transei com o Cristiano. Dr. Francisco jamais permitiria que ele fizesse qualquer avanço comigo.

— Por quê? — Felício se ajeitou para olhá-la diretamente. — Você teve alguma coisa com dr. Francisco?

— Eu, não. Minha mãe foi amante dele durante quarenta anos.

Ela levantou e começou a se vestir, sem vergonha do próprio corpo que sabia bonito, confiante agora de que o homem deitado na cama não se arrependeria do sexo.

— Para que a pressa? Foi tão bom. — Felício levantou-se, agora relaxado, afastado o temor de não conseguir ir adiante com ela naquela noite.

— Eu sei que você precisa ligar para uma maluca em Boston e sinceramente não quero escutar. Amanhã a gente se fala.

Felício não discutiu, colocou a roupa, levou-a no táxi, beijou-a na boca antes de ela entrar. Ela tinha razão. Precisava falar com uma maluca em Boston.

O TOQUE DO CELULAR DE AMANDA ACORDOU Juan Javier, que a cutucou para que ela acordasse para falar com uma mulher que perguntava, em inglês, se ela estava. Amanda murmurou:
— Quem é?
— Uma mulher falando em inglês com sotaque diferente.
Devia ser mais uma cliente que a agência estava mandando. Amanda atendeu esperançosa. Não era. A mulher passou a ligação imediatamente para Felício, que ligara através da telefonista internacional. Custaria mais, mas não havia como Amanda recuar.
— Claro que me lembro do senhor. Sim, já soube, eu liguei para lá na segunda passada. — Ela procurava falar baixo, mas o quarto que Juan Javier alugara era pequeno, não tinha como evitar que ele ouvisse suas respostas.
— Não, eu não posso voltar de jeito nenhum. As consequências seriam terríveis para mim. Eu não sou capaz de suportar isso — respondeu Amanda ao pedido que mais parecia uma ordem do ex-sargento de polícia.
— Ela é menor de idade, tem atenuantes, tenho certeza de que a Justiça vai considerá-las — tentou atalhar Amanda.
Ela escutou a ameaça dele de entregar à polícia o que tinha achado escondido na casa e a última carta enviada da Califórnia que encontrara na caixa postal.
— Ela nunca vai aceitar que o senhor faça isso. Aliás, qual é o seu interesse nesse caso? Isso é uma questão de família, não se meta, não me ligue mais. — Amanda desligou o telefone tremendo, voltou para cama, estava frio, abraçou Juan Javier que estava de olhos abertos. Escutara tudo.
— Dívidas, homem traído, polícia? — ele perguntou, abrigando o corpo dela num abraço.
— Minha filha adolescente se meteu numa confusão no Brasil e um amigo dela quer que eu volte para resolver — disse Amanda, sentindo com prazer que ele estava duro junto às suas coxas.
— Quantos anos sua filha tem?

— Dezessete.
— É bonita?
— É. De uma forma discreta, mas é. Talvez eu devesse voltar para o Brasil para cuidar disso.
— Voltar agora, quando você começou a trabalhar aqui e a aprender a fazer sexo gostoso comigo? De jeito nenhum.
— Você está me ensinado a fazer sexo gostoso, está? Eu não sabia de nada antes de encontrar esse professor cubano, é?
Ele rolou para cima dela.
— Ei, pra que essa carinha de preocupação? Sua filha vai se virar sozinha. Eu é que não posso ficar nesse frio sem você.

Dentro da cabeça de Letícia, desde o momento em que chegou à delegacia, o pensamento se dividiu em duas vozes.

Uma, a sua mesma, com medo, sem iniciativa.

Outra, a que a chamava de você, admoestava, dava conselhos, sugestões. Uma coisa meio maluca porque a Voz era diferente da voz dela: mais forte, mais ousada, mais fria do que ela jamais conseguiria ser. Era a segunda Voz que insistia para que ela entregasse às autoridades o telefone que podia localizar a mãe nos Estados Unidos.

Durante o dia e a noite em que ficou na delegacia do Catete, até a transferência para a especializada em menores, a Voz insistia para que dissesse a verdade, doesse a quem doesse. No caso, Amanda.

O depoimento foi um alívio. Bom porque pôde contar tudo o que Mark fazia; ruim porque não podia responder sobre Amanda e isso, ela sentiu pela expressão entediada e incrédula do escrivão, desqualificava tudo o que dizia.

— Você não sabe onde sua mãe está agora? Nem o endereço do trabalho dela? Mas onde ela ganha dinheiro para sustentar vocês?

— Já disse, ela cuida de gente velha, de crianças, à noite. É acompanhante.

— Mas esse pessoal tem endereço, telefone. Eles não ligam para marcar o horário de trabalho dela?

— Ligam, mas eu nunca estou em casa na hora — respondeu Letícia, sentindo o quanto soava pouco convincente aquela história.

— Vai ver que os acompanhantes da mãe são outros. Vai por mim, cara, essa aí é capaz de ser acompanhante também — zombou o sargento que a prendera e assistia ao depoimento.

— Fica quieto, Ávila — resmungou o escrivão. — Olha aqui, menina, sua situação está complicada. Você feriu gravemente um homem que cuidava de você, lhe sustentava sem ter nenhuma obrigação de fazer isso.

— Ele é um torturador — interrompeu Letícia.

— Toda garota que chega aqui, depois de atirar em homem, diz isso. Quem sabe vocês eram amantes e ele arranjou outra, uma mulher da mesma idade, e você ficou com ciúmes? A que foi com ele para o hospital? Quem sabe foi por isso que sua mãe abandonou vocês? Por que não suportou ser substituída pela filha?

— Como assim você não sabe onde sua mãe está? — era a pergunta repetida, por todos. Um deles, o jovem delegado, colocou o revólver em cima da mesa, o dele próprio, porque a arma com que ela atirara já havia sido levada para a perícia.

— Ela saiu um dia para trabalhar e não voltou. Deve ter visto meu padrasto chegar e ficou com medo. Ele torturava a gente, em São Paulo, o senhor pode pesquisar, minha mãe deu queixa dele há quatro anos.

— Quem sabe você matou sua mãe e ocultou o cadáver e agora está engrupindo a gente com essa história absurda? Qual mãe deixaria os filhos sozinhos correndo o risco de caírem nas mãos de um torturador? Se é que ele é torturador mesmo; toda mulher que mata aparece com essa conversa. A história não bate, conta outra. — Foi a última coisa que ela ouviu do delegado.

Na delegacia de menores, a mesma descrença. A única diferença foi a censura feita pela inspetora ao policial que a trouxera da delegacia.

— O que você andou aprontando com a garota, Marcelo? Por que ela está com esse ar catatônico?

— Vê se te enxerga, Verônica, não fiz nada. Você tem a mania de achar que a gente mexe com as de menor.

— Aqui você está protegida, minha filha, pode contar. Ele te fez alguma coisa? Quer pedir um corpo de delito?

"Não adianta", disse a Voz. "Vai ser pior ainda. A única coisa que adianta é você contar para essa mulher onde está sua mãe e que o tiro foi em legítima defesa."

— Eu estou bem, só queria poder tomar um banho — respondeu Letícia, sem olhar para o policial baixo, gordo, de olhos amarelos. Não queria nunca mais ver a cara dele, não queria nunca mais pensar nas mãos suadas, na barriga branca e gorda se esfregando nela na carceragem, esfregando aquela coisa pequena e enrugada na sua boca.

Depois do banho, depois da leitura dos seus direitos, depois da viagem no carro da polícia até o prédio na Ilha do Governador onde ficaria aguardando a audiência, depois de tudo isso, ela saiu da letargia. Ao ouvir a explicação de outra menina.

— Ah, o Marcelo? Ele fez a mesma coisa comigo. Fui pega uma vez, levando uma carga pro meu namorado, lá na Santo Amaro, e passei uma semana na carceragem aturando o Marcelo esfregando aquele pau meio mole em mim, tapando minha boca para eu não gritar, até ele conseguir me comer. Acho que é mania dele, ou cocaína. Às vezes, o pó não deixa os caras treparem direito.

Nos dias que se seguiram, Letícia examinou, internamente, dezenas de vezes a sequência dos acontecimentos. Uma das vezes em que rememorou a situação, foi contando para uma colega de cela que estava com tanto medo quanto ela. Esta incendiara um abrigo porque a mãe insistia em não acreditar que o padrasto abusava dela.

— Mas por que tu num fugiu, otária? — perguntou a menina, espantada com a burrice. Chamava-se Doralice, 13 anos, dois deles morando na rua.

— Não podia deixar meu irmão sozinho com aquele crápula.

— Agora ele tá sozinho do mesmo jeito e tu na pior — resumiu a colega, afastando-se dela.

Foi a primeira coisa que Letícia aprendeu: na cadeia ninguém gosta de ficar perto de otário. As autoridades não chamavam o abrigo de cadeia, mas era. Ali, não fazia mal ter medo, todas tinham, a não ser as muito malvadas e as loucas de pedra. Duas categorias que as outras tentavam evitar.

A Voz aparecia sempre que se aproximava das muito malvadas. "Por aí, não. Não olha nos olhos, relaxa o corpo, sai de perto." Eram quase ordens e ela obedecia. As loucas de pedra fugiam dela, não sabia o porquê. Talvez percebessem a Voz e achassem que ela sim era louca.

Mas não conseguia evitar a rejeição das outras, as que chegavam e partiam a cada chamada para a audiência. No código simples das meninas esperando encaminhamento, Letícia era a otária. Errou o alvo, não atirou na gorda, na traste que defendeu o canalha, não arrastou o irmão, não fugiu sozinha. Erros demais para uma pessoa só. Foi essa a conclusão da primeira roda de meninas quando ela contou sua história. Era mantida à distância quase como uma fonte de azar. O otário tem uma vocação irresistível para encrenca, ensinou uma das mais experientes, 16 anos, terceira medida socioeducativa. Otárias chamavam a atenção dos sádicos, que pareciam reconhecer o tipo pelo cheiro.

Ela se sentia o tempo todo tomada pela culpa e pelo medo. Thomas não resistiria, ficaria louco nas mãos daquele miserável, e ela era a responsável porque errara o tiro e estava na cadeia por causa de sua falha.

O diretor do educandário não conseguiu condução para levá-la até o juiz para assistir ao depoimento de Vera e ao de Thomas. O de Mark, não assistiria de qualquer forma, o padrasto estava no hospital, o cônsul inglês acompanhara o depoimento.

Na sexta-feira, Letícia soube, pela defensora pública, o teor dos depoimentos, e então a culpa e o medo por Thomas transformaram-se num pânico diferente.

— Não te ajudaram em nada. Eu tentei achar uma brecha, perguntei sobre o tipo de relacionamento que você teria com o seu padrasto...

— Eu não tinha nenhum relacionamento com meu padrasto, eu odeio aquele sujeito desde os seis anos de idade — repetiu Letícia, exausta.

— Foi muito destacada a frieza com que você se deixou prender. Isso impressionou mal o juiz.

— Foi a gorda que disse isso? — perguntou Letícia, sem reparar no olhar de estranheza da defensora.

— A professora Vera, a que deu socorro ao ferido e está cuidando do seu irmão, prejudicou muito o seu caso — respondeu a defensora ríspida. Chamava-se Maria Clara, a defensora, era jovem, se vestia bem, os cabelos eram lisos, brilhantes. Nas duas vezes em que esteve com Letícia, estava sempre bem maquiada, vestida com terninhos.

A severidade dela trouxe outro dado para a realidade de Letícia. Ela pensara, nas primeiras horas na delegacia, que era um alívio, de certa forma, estar ali. Não mais esperar pelo pior, porque o pior havia chegado. A lista de seus temores era infindável e o pior já estava realizado.

Não precisava mais se preocupar com a próxima forma de tortura vinda de Mark. Nem suportar o medo de não resistir e abandonar Thomas à sua própria sorte. Não precisava mais viver com a fantasia de ser cuidada, amada por Felício. Mark não podia torturá-la na cela. Thomas estava, afinal, abandonado ao próprio destino; nada do que ela fizesse protegeria o irmão. Ela havia tentado a melhor solução, que seria matar Mark, mas não foi eficiente o bastante.

Agora a jovem advogada que estava ali para defendê-la parecia dizer que ainda existia coisa pior.

— Você é do tipo de garota que fica com rapazes e dá para eles? Pode ser classificada como promíscua?

— Não, nunca, de onde a senhora tirou essa ideia?

— Do depoimento de seu padrasto à polícia. Ele diz que você tentou matá-lo porque ele impedia que você levasse uma vida desregrada como a de sua mãe.

— É mentira! — Letícia ouviu sua própria voz alta demais, tentou se controlar. — Minha mãe não leva uma vida desregrada, nunca levou. Nem eu.

— Você tem como provar isso? Colegas, amigos, enfim, não basta a sua palavra, porque afinal nós estamos tentando defender você de uma tentativa de homicídio com sequelas graves.

— Que tipo de sequela?

— Tudo indica que seu padrasto não voltará a andar. Cadeira de rodas pelo resto da vida.

Ela olhou para as próprias mãos, pesando a notícia. Não sentia nada. Mark numa cadeira de rodas, vivo, era melhor ou pior? Levantou a cabeça, a defensora a fitava de um jeito estranho.

— A senhora tem notícias do meu irmão? — Letícia esperou que a outra dissesse não ser preciso chamá-la de senhora, mas a defensora aceitou o tratamento formal como devido.

— Só o depoimento dele ao juiz. Não foi um depoimento bom para você.

— Foi contra mim? Não acredito. Thomas não falaria alguma coisa para me prejudicar.

— Ele disse que você batia nele, que vocês dois ficavam sozinhos durante muito tempo enquanto sua mãe trabalhava e que você odiava o pai dele.

— Ele falou onde minha mãe está?

— Não. Ele disse que ela um dia saiu pela porta com uma mala e foi embora.

Nenhuma mentira, Letícia tinha de reconhecer. Ele poupara a mãe, mas poupara Mark também.

— Ele só tem dez anos — disse para a advogada, que balançou a cabeça em desacordo.

— Se você teve motivos para atirar no pai dele e ele omite esses motivos, eu acho que os dez anos dele não justificam. Se ao menos sua mãe aparecesse...

— Se minha mãe aparecer, ela vai ser presa, não vai?

— Talvez, sim, talvez não, mas com certeza, se ela não aparecer, vai perder a guarda de seu irmão e a sua.

— Como foi o depoimento do padrasto?

— Eu não assisti, li apenas. Ele disse que sua mãe fugiu com vocês porque ela tinha um caso com um sargento da PM e que sua mãe inventou que ele torturava vocês para se livrar dele.

— Isso é mentira!

A defensora ficou olhando para Letícia em silêncio.

— O exame de corpo de delito que nós fizemos em São Paulo não adianta de nada?

— Seu padrasto diz que o flagrante foi forjado, sua mãe fugiu com vocês no mesmo dia e não aparece, apesar de você estar presa. Em quem você acha que o juiz vai acreditar?

Essa foi a última conversa que Letícia teve com a defensora pública que tinha casos mais graves para tratar.

Nesse período, Letícia vivia a cada dia como se fosse apresentada a mais uma face de horror, no prédio acabado e feio em que, em algumas semanas, até cinquenta meninas conviviam sem privacidade. As portas dos banheiros no abrigo onde as menores infratoras ficavam não trancavam. Era para evitar o esfrega-esfrega das meninas, as drogas, as maluquices de suicídio, explicara a garota que mandava naquela ala, no primeiro dia. Uma das coisas abjetas do confinamento, uma das mais difíceis para Letícia suportar: a falta de privacidade.

Quando aparecia uma visita institucional, elas eram enfileiradas no pátio, sentadas no chão, abraçando os joelhos. Letícia se sentia como se vivesse numa realidade paralela, com seu cabelo cortado curto.

Nos primeiros dias no educandário, Letícia tentara ser simpática com as meninas que dividiam o que chamavam quarto, mas era de verdade uma cela cinzenta, com grade na janela e sem porta. Mas não conseguiu sucesso. A única que falava com ela era a que conheceu no primeiro dia. A incendiária, como a Voz a chamava.

As outras a ignoravam ou zombavam dela quando conheciam os detalhes. Não que ela quisesse contar. Uma das meninas a cercou quando ia para o refeitório e disse que não tivesse pressa, queriam conhecê-la melhor. Elas perguntavam:

— Quantos anos você tem?
— Já deu pra quantos caras?
— Você faz programa? Ah, você estuda. Está em que série? Está aqui por quê?
— Atirou no padrasto, sei. Ele te comia à força?
— Tentou comer teu cu?
— Quantos boquetes você pagava pra ele por dia? Nenhum?
— Mas que porra de maluca tu é de atirar num cara que nunca te encostou um dedo?

Depois desse interrogatório na roda, uma delas, diante das negativas horrorizadas de Letícia, fez a pergunta fatal:

— Teu padrasto te deixou virgem para o Marcelo do pó na delegacia do Catete? Você deu pela primeira vez para o menor pau da polícia do Rio de Janeiro?

Quando Letícia começou a chorar, a menina deu o veredicto geral.

— Tu é uma otária.

A Voz lhe consolava e não permitia que ela submergisse. A antipatia das outras meninas era de se esperar e era inevitável, explicava a Voz.

Uma das seis que ficavam na cela tinha 13 anos, fazia programa desde os dez, com homens que o padrasto trazia, às vezes só para roubar, às vezes para matar. O sujeito tinha sido marido da avó; quando esta morreu, ele ficou com a mãe, e quando a mãe foi embora, ficou com a filha de dez anos. Ela fora pega pela polícia há semanas, havia perdido as contas de quantos homens ajudara a matar. O tiro mal dado de Letícia não significava nada para ela.

Outra companheira de cela tinha 15 anos, matara, mais de uma vez, a mando de um traficante de 19, que a empregava porque, apesar de ser garota, usava cueca como homem e, o mais importante, era menor de idade. O pessoal da boca era quem a aceitava de igual para igual, ela fazia questão de ressaltar, sem esperar que uma mulherzinha como Letícia entendesse. Cuspia para o lado quando dizia isso.

A Voz orientava Letícia que não olhasse nos olhos das colegas quando contassem suas histórias, apenas ouvisse, olhando para as mãos, para os pés, para onde fosse, mas não fizesse perguntas. E, principalmente, não encarasse as outras quando repetissem as histórias terríveis.

A falta de notícias de Amanda e de Thomas a deixava com a sensação de que estava dentro de uma nuvem escura sem nenhuma chance de respirar do lado de fora. Não sabia o que era pior: o escuro dentro da nuvem, o ar pesado que fazia com que respirar fosse um esforço, ou a sensação de que não existia chances reais daquilo passar.

Letícia desenvolveu um método para transitar pela nuvem. Para evitar bater com a cabeça na parede de desespero, como vira uma das internas fazer. Para fugir de confusão com as outras. Para não ser obrigada a tomar remédio, como algumas das meninas que eram imobilizadas pelas agentes e forçadas a engolir.

Para dormir, ela fechava os olhos e contava de trinta até um, voltando do início quando se perdia. Em geral, funcionava. Às vezes, o sono ia embora mesmo assim, quando a nuvem era mais forte.

Uma vez a Voz sugeriu que imaginasse sua cabeça como um sótão cheio de sujeira e velharias. Abrisse as janelas, a porta e varresse tudo para fora. Letícia se sentia uma criançona fazendo isso, sozinha, no escuro, ouvindo os murmúrios das colegas que se agarravam na cama ao lado, o choro de outra, os gritos de quem queria dormir e não conseguia.

Mas, aos poucos, se acostumou a ficar quieta, respirando, para evitar o perigo.

"Esse lugar é mais perigoso do que estar com Mark, porque existem vários como ele aqui", pensava Letícia.

"Engano seu. Aqui só ficam as vítimas. Ele é algoz. Aquela menina, ali, por exemplo, a Lea, acha que todas as mulheres são como a mãe dela, que bebia tudo o que ela conseguia esmolando ou roubando na rua. Se reclamar de alguma coisa que ela faça, avança em você. Mas é porque foi vítima tempo demais."

Letícia, apesar do medo de estar ficando maluca, ficava fascinada com as especulações da Voz.

Aos poucos, ela mesma conseguia, sozinha, antecipar acontecimentos. Antecipou que Suzanne, com dois enes, 14 anos, corpo de vinte, cairia na tristeza, logo, logo. A menina se considerava a primeira de um rapaz que estava preso no abrigo masculino, por tráfico e homicídio. Um dia, chegou presa — "apreendida", como os funcionários diziam — outra namorada do rapaz de 17. A briga foi feia entre as duas, de quase tirar pedaço, até uma guarda interferir. Suzanne murchou, mas nem assim quis sua companhia. "Não gosto de otárias", disse quando Letícia tentou consolá-la.

No 15º dia de confinamento, estava entregue à sua luta contra a nuvem de tristeza, quando surgiu uma novidade de carne e osso.

— Um tal de dr. Ernesto está aí, diz que é seu advogado — informou a inspetora que tomava conta do alojamento onde ela estava, entrando no banheiro sem avisar. — Tem maior pinta de rico. Você não parece, mas tem negócio, hem?

Não respondeu ao comentário da agente. Ela tomara horror a perguntas pessoais, de brincadeira ou a sério. Por isso, foi até a sala sem fazer nenhum comentário, esperando por alguma armadilha de Mark ou de alguém ligado a ele.

— Meu nome é Ernesto Fonseca, fui contratado por seu amigo Felício. Ele só soube do que aconteceu dias depois. Disse que esteve com seu irmão, falou com sua mãe pelo telefone e me encarregou de ajudá-la a sair dessa.

Devia ter uns 45 anos, era moreno, gordo e baixo, meio careca, tinha um rosto suado e uma barriga que escorregava por cima do cinto. Não parecia bonzinho, nem simpático, foi o primeiro pensamento de Letícia. "Você não precisa de gente boazinha, precisa de quem resolva coisas", foi o que pensou em seguida — ou o que disse em seguida a Voz com a qual ela já se conformara. Ela sentou na cadeira de fórmica e ele se sentou ao lado, bem junto, segurando seu pulso quando ela tentou se afastar receosa da proximidade.

— Aqui não existe privacidade e nós precisamos de privacidade para armar sua defesa. Confie em mim, me conte tudo, mas não confie em ninguém neste lugar. Qualquer amizade aqui tem um preço.

— Mesmo os adultos, os que tomam conta da gente? — Letícia sentiu um aperto de medo. Teria ela dito alguma coisa que não devia?

— Principalmente os adultos. Gente que faz concurso para esses lugares ou arranja um emprego aqui costuma ficar com o coração meio duro e tende a tratar todas as internas como vagabundas ou bandidas, sem exceção.

"Eu não sou vagabunda, nem bandida, sou otária", pensou Letícia com desgosto lembrando a hostilidade de umas garotas, o desprezo de outras, os safanões que levara da xerife da ala, no dia em que chegou. "Fica quieta, otária, nem um pio", dissera a fanchona, como as outras meninas a chamavam escondido. Fanchona, era bom xingá-la assim dentro da própria cabeça. Se dissesse em voz alta, era capaz de a outra queimá-la viva.

O advogado tinha um suor cheirando a cigarro e chiclete de menta e a mistura era enjoativa. Letícia se espantou por ele não sentir o próprio cheiro. Tentou se concentrar no que ele dizia.

— As coisas podem ficar muito ruins para você, Letícia.

Por um momento, os olhos dela se encheram de lágrimas. Pior do que tentar se manter à parte, enquanto as outras meninas se fechavam em rodinhas; pior do que receber gritos das agentes; pior do que o que acontecera na delegacia?

— Não é possível que as coisas possam piorar ainda mais, doutor.

— Se o juiz achar que você é uma delinquente fria e calculista que está omitindo dados da justiça e aleijou um homem por motivo fútil, você pode pegar três anos, o prazo máximo de medida socioeducativa. Três anos é pior do que os 15 dias que você está aqui.

— E se eu disser que ele nos torturava, desde pequenos?

— Você vai ter que apresentar outras testemunhas dessa história.

— Felício pode testemunhar. Ele era sargento da Polícia Militar, foi ele que nos socorreu, quando éramos pequenos.

— Ele está disposto a testemunhar a seu favor — disse o advogado, com secura. — Não devia, mais está. Vai complicar a vida dele no trabalho, mas ele está disposto a fazer isso.

Letícia sentiu que, pela primeira vez, desde o tiro, alguma coisa boa podia estar prestes a acontecer.

— Só que seu padrasto se antecipou e atribuiu a um sargento da Polícia Militar o papel de amante da sua mãe.

— A defensora me disse — murmurou Letícia.

— A presença de sua mãe é imprescindível. Ou, pelo menos, Felício precisa denunciá-la. Contar que falou com ela nos Estados Unidos e que ela se recusou a voltar.

"Deixe ele cuidar de tudo, deixe Felício contar a verdade, se não vai ser sacrificada no lugar dela. Não vai encobri-la como Thomas está fazendo com o pai, vai?", ordenou a Voz, severa.

— O senhor conseguiria permissão para Felício me visitar? — perguntou Letícia, sem graça.

— Impossível. Ele não é parente seu e pode ficar uma situação meio esquisita para você se um homem mais velho fizer visita para uma menina na sua situação. Não sei bem como, mas Felício tem provas materiais de que sua mãe foi para outro país e deixou vocês sozinhos. Se ele entregar essas provas, você fica como vítima dela, e isso pode aliviar sua situação.

— Não posso deixar ele fazer isso — disse Letícia para o advogado, a lealdade à mãe era mais forte dentro dela. — Eu não posso dizer o que minha mãe fez. Ninguém vai entender. Felício não pode apenas dizer o que testemunhou há quatro anos?

— Seu padrasto vai replicar que Felício é um dos homens que, segundo ele diz, sua mãe arranjava. Como ele e você moram no Rio, seu padrasto dirá que Felício é um dos homens que você arranjava. Você é virgem?

"A verdade, a verdade", ordenou a Voz.

— Eu era, até chegar à delegacia do Catete — disse Letícia, com a voz sumida.

— Você fez corpo de delito quando chegou no juizado? — perguntou o advogado.

Letícia negou, constrangida. Hesitou se contava ou não sobre o policial que pegava as meninas na delegacia. O advogado estava esperando. Letícia ouviu os passos da agente.

— Bom, eu vou fazer o que eu posso — concluiu o advogado, com frieza, colocando na pasta o bloco de anotações. — Três anos podem ser lentos de passar, mesmo quando se é muito jovem.

— O senhor acha que vale a pena denunciar violência de funcionários?

Ele olhou para a porta. A agente tinha chegado e colocado a cabeça para dentro da sala, curiosa; ele se aproximou mais de Letícia, ela pôde sentir de novo o cheiro enjoativo, a perna gorda dele perto da perna dela.

— Denunciar alguém do sistema com a possibilidade de passar três anos aqui dentro é suicídio. Acho melhor você contar o que aconteceu com sua mãe, se livrar com uma alegação de legítima defesa e denunciar depois — disse ele.

— Não posso — repetiu Letícia, se afastando.

O advogado se despediu frio. Letícia sentiu que não o convencera. Ficou, também, com a sensação ruim — que dali em diante se tornaria costumeira — de que, de alguma forma, ele a tratara como alguém que fosse menos. A partir daquele encontro, cada vez mais ela se sentia assim e não acreditava que aquele mal-estar fosse ter fim um dia.

A agente a pegou pelo braço para levá-la de volta. Letícia sabia que aquele contato já seria pretexto para reclamação das meninas mais esquentadas. Ela, no entanto, não queria brigar à toa. Se fosse mesmo passar três anos ali dentro, precisaria juntar toda a paciência do mundo.

FELÍCIO CHEGOU À FAZENDA, CONVOCADO por dr. Francisco, que lhe mandara alugar um carro no aeroporto. A preocupação dele era que o segurança voltasse o mais rápido possível para o Rio. Não o queria longe do filho e dos netos naquele momento.

Como 17 anos antes, Felício foi recebido na biblioteca. O ex-banqueiro estava mais velho, mais gordo, com a pele mais amarela do que ele lembrava, mas não havia diminuído a secura no trato.

— Soube que você não seguiu minhas instruções e foi testemunha de defesa daquele moleque.

— Fui testemunha — disse Felício, também seco. Dr. Francisco não lhe dissera para sentar, da mesma forma que no passado também não havia dito. — Eu disse a verdade, que não vi o Thiago comprar um quilo de droga.

— Mas também não disse que o viu comprando alguma droga — replicou o outro. — E você viu.

— Se eu dissesse, corria o risco de o advogado dele chamar sua neta para depor. Ela comprou junto com ele. O rapaz foi condenado a cinco anos e oito meses de cadeia em regime fechado.

— Merecido. Ele é um doente mental que iria de mal a pior se ficasse solto.

Os dois ficaram se olhando por um momento. Dr. Francisco foi quem desviou o olhar primeiro, indo até a janela, como se apreciasse a paisagem de suas terras tão bonitas, tão bem-cuidadas.

— Meu filho me ligou hoje cedo, depois que você veio para cá. Disse que a filha está inconsolável. Apesar de todas as minhas recomendações, ela foi visitar aquele pilantra.

Felício ficou quieto. O que ele podia dizer para o velho? Que aos vinte anos mulheres se apaixonam, mesmo por homens que as maltratam?

— Ele disse também que ela não confia mais em você. Minha nora está influenciada pela filha, os pequenos estão confusos.

Felício continuou em silêncio. Há muitos anos aprendera que pessoas com poder não gostam de ser interrompidas e que qualquer palavra poderia facilitar o que o banqueiro queria dizer. Ele não faria isso, apesar de imaginar aonde aquela conversa iria chegar.

O velho se virou para ele.

— Infelizmente, dessa vez eu vou ter que ceder a eles. Você não pode continuar trabalhando para nós.

Felício continuou quieto enquanto o outro sentava e pegava o talão de cheques.

— Eu podia inventar uma desculpa. Dizer que o estou demitindo porque usou um advogado ligado ao banco para defender uma adolescente que fez o mesmo que você fez com seu padrasto. Ou que o estou demitindo porque você está de caso com Lorena. Mas seria mentira.

Felício continuou calado, enquanto o outro acabava de preencher o cheque.

— Eu o estou demitindo porque, se não fizer isso, vou perder terreno com meus netos. — Dr. Francisco levantou os olhos do talão de cheques e, por um breve instante, Felício o viu como um velho alquebrado. Foi tão rápido que pensou ter se enganado.

— Vou lhe pagar um ano de salário para você treinar durante um mês o novo segurança e ficar os outros 11 meses de sobreaviso caso ele tenha alguma dúvida. É um rapaz de confiança, não tanto quanto você, mas é de confiança. — Ele estendeu o cheque.

Felício pegou o cheque, sem conferir, e o colocou no bolso.

— Você não vai me agradecer? — perguntou dr. Francisco, irônico.

— O senhor me ajudou e eu paguei minha dívida. Estou recebendo por serviços prestados e a prestar. Acho que nós estamos quites, dr. Francisco.

O velho sorriu sem humor.

— Espero que você tenha mais jeito com as palavras com Lorena do que você tem com os outros.

— Não tenho, doutor.

— E ela está gostando de você assim mesmo.

— Eu sei dar valor a uma mulher que gosta de mim.

— Quero que me avisem se isso for adiante. — Dr. Francisco estendeu a mão pela primeira vez desde que contratara Felício. — A falecida mãe dela foi uma funcionária leal.

Felício apertou a mão que o outro estendia e saiu. Tinha certeza de que nunca mais veria dr. Francisco na vida. Ele não era um funcionário leal, nunca fora. Era apenas um bom pagador.

Thomas voltava para o apartamento junto com Vera, apesar de detestar o seu hábito de ir buscá-lo. Na esquina da rua das Laranjeiras, ele se lembrou do menino ruivo. Às vezes, ele pensava que tinha sonhado com aquelas conversas, a visão do menino sobre a trave do gol, na escola, o incitando a jogar, a ir a festas, a mentir.

"Existem coisas piores do que mentir para fazer a primeira comunhão", Thomas tinha certeza de que o menino lhe dissera isso. Na época, havia pensado que o pior era o pai voltar. Agora ele sabia que o pior era escutar o choro de raiva do pai, dependente dos outros para tudo. Pior era saber que a mãe não tinha voltado, mesmo depois que Letícia foi presa. Mas pior, pior de tudo era saber que Letícia era a responsável por destruir a vida do pai dele.

Vera estava falando sobre isso, Thomas se forçou a prestar atenção:

— A audiência de sua irmã é amanhã. Seu pai faz questão de ir. Ele precisa ir, é a vítima. Eu tenho que ir também, como testemunha.

Ela quase disse que ele também tinha, mas Thomas a olhou com os olhos molhados e Vera continuou apressada.

— Você não precisa, já conversou com o juiz. Eu pensei em pedir para minha amiga Fernanda ficar com você, que tal?

Ela sempre perguntava o que ele achava disso ou daquilo, nunca impunha as coisas como Letícia fazia. Thomas não sabia o que seria da vida dele e da vida de seu pai sem Vera. Ele pegou na mão dela, que sorriu agradecida.

— Eu gostaria de ficar com sua amiga. Vocês não vão demorar muito, vão?

Amanda chegou à esquina do apartamento minúsculo que dividia com Juan Javier, a tempo de ver a loura sair do prédio, parar e acender um cigarro. Ela se aproximou cautelosa, tentando não ser vista. Era a mesma mulher de aparência envelhecida que trocara olhares com Juan Javier num bar onde eles às vezes tomavam o café da manhã. Naquele domingo, ele notou que Amanda percebera o contato, riu e disse:

— Aquela ali cheirou pó a noite toda.
— Como é que você sabe? — perguntou Amanda.
— A gente se reconhece pelo olhar — disse ele sorrindo.
— Mas você não cheira mais. — Amanda fez a afirmação meio temerosa de que ele a desmentisse.
— Você acha que eu gastaria minhas suadas economias para comprar pó e cheirar com uma vagabunda como aquela?

"Há quanto tempo ele me garantiu isso?", pensou Amanda. Quinze dias. Como havia garantido também que ia procurar trabalho para ajudar a mantê-los ali. "Há quanto tempo ele diz que não acha emprego?" Dois meses.

Ela subiu as escadas até o apartamento e, em vez de abrir com sua chave, bateu na porta. De dentro, Juan Javier gritou:

— Porra, Monica, entra logo, tá aberta. Não dá para você esperar um instante?

Amanda entrou, ele estava de costas para a porta, cheirando uma carreira de cocaína em cima da única mesa do apartamento.

— Você mentiu para mim o tempo todo — disse Amanda, com voz sofrida.

Ele se voltou para a porta.

— Ah, é você. Pensei que fosse outra pessoa.
— Eu fiquei aqui por sua causa. Minha filha está presa no Rio, meu filho nas mãos de um monstro e eu aqui por sua causa...

Ele aparou com a mão o que restava da cocaína, colocou no papelote, cheio pela metade, levantou da cadeira e foi em sua direção. Com o jeans desabotoado, descalço e sem camisa, ele parecia mais magro e ela sentiu o impulso que sentia sempre de abraçá-lo. Ele agarrou o rosto dela um instante como se fosse machucá-la, depois largou.

— Eu vou embora, Amanda. Você pode voltar para o Rio, para seus filhos, eu vou embora.

— Embora por quê? Eu pensei que nós estivéssemos bem. É o frio? Mas o inverno vai acabar... Se é porque você voltou para a cocaína, a gente pode procurar ajuda.

— Meu Deus, mulher, será que você não entende? Não existe "nós", eu avisei a você. Eu não voltei para a cocaína, sempre estive.

— Angelina então...

— Angelina está certa, eu não presto, mas eu te disse isso.

— Para onde você vai? — Amanda se sentou no banco, vendo ele jogar as roupas de qualquer jeito numa mala. A roupa que ela lhe dera de presente. A mala dela.

— Vou pegar emprestado, pode ser? A gente vai se ver de novo, um dia, aí te devolvo.

— Para onde você vai? — repetiu Amanda.

— Para o Arizona.

— Arizona? Mas por que o Arizona?

— Porque é quente, é perto do México, porque uma amiga tem parentes em Tucson...

— Uma amiga? Você passa o dia trancado nesse apartamento, como é que você tem uma amiga com parentes em Tucson?

Ele não respondeu, procurava os sapatos embaixo da cama, pegou a escova de dentes e o creme de barbear no banheiro.

— Você nunca passou o dia trancado em casa, como me dizia...

— Não — confirmou Juan Javier fechando a mala. — Saí para vender alguma cocaína para não gastar todo o dinheiro que Angelina mandou por você.

— Você nunca gostou de mim? — Amanda sabia que estava deixando de lado qualquer dignidade, mas não tinha importância, desde que ele ficasse.

— Claro que gostei. — Ele a abraçou apertado, sorrindo. — Não faz essa voz de garotinha, que me dá tesão e eu tenho que ir embora. Minha amiga está me esperando.

— Você ia me deixar sem uma palavra de explicação?

— Seria mais fácil assim, mas você chegou antes.

— Você vai embora com a loura do bar? A que está esperando você na esquina?

— Por que você quer saber de tudo? Vou embora e pronto.

— É com a loura? Por que a loura?

— Porque ela não faz perguntas. Porque ela trepa como Caroline. Porque ela é do meu mundo.

— Você vai atravessar o país com uma mulher que conheceu noutro dia? — Para Amanda o que ele estava fazendo não tinha lógica.

— Nós vamos de avião.

Ele saiu, fechando a porta. Amanda se aproximou da janela. A loura estava na esquina, esperando, disse alguma coisa, ele riu, os dois seguiram.

Dr. Ernesto já estava na sala de audiências quando Letícia chegou conduzida por uma das agentes do abrigo. Ele falou com a mulher, que se afastou em direção a uma colega para conversar enquanto eles não eram chamados. O advogado sentou do lado de Letícia. O mesmo cheiro enjoativo de chiclete e cigarro.

— Felício está num carro estacionado aqui perto com as fitas que sua mãe deixou, a última carta que ela mandou para vocês, na semana em que você atirou no seu padrasto. Eu busco essas provas e a gente vira o jogo aqui.

— E o juiz decreta a prisão da minha mãe?

— Vai abrir um processo contra ela. Seu padrasto certamente vai. Sua mãe não interessa agora, o importante é deixar o juiz entender sua situação, seus motivos.

— Não quero denunciar minha mãe por abandono. Ela não nos abandonou, estava tentando uma saída — teimou Letícia.

A funcionária fez sinal para que eles entrassem.

— Você tem certeza de que vai dispensar essa ajuda?

— Tenho — reiterou Letícia.

O advogado se afastou dali, para avisar a Felício que podia ir embora. Foi por pouco tempo, mas o suficiente para que Letícia precisasse entrar na sala sozinha e estivesse sentada desacompanhada quando Mark entrou com Vera. Ele disse alguma coisa para a mulher que ainda tentou dissuadi-lo, mas não adiantou. Ele manobrou a cadeira de rodas — em dois meses já estava autônomo na condução —, ficou de frente para Letícia e disse baixo:

— Você apodreceria na cadeia, se não tivesse o benefício de viver nesse país de gente de coração mole que aprova um absurdo como esse Estatuto imoral. No meu país, você seria julgada como adulta...

Por um momento, o ódio fez com que ele tentasse levantar as mãos para agarrá-la. Letícia teve medo que conseguisse, mas as mãos dele tinham sido afetadas pela paralisia e quedaram inertes nos braços da cadeira. Um funcionário se aproximou apressado.

— O senhor não pode se aproximar dela.

— Desculpe, desculpe — disse Mark, contrito, nenhum sinal de fúria no rosto. — Eu só queria entender como a menina que eu criei com tanto carinho foi capaz de uma coisa hedionda dessas.

Toda a audiência foi nessa direção. Mark trouxera declarações de professores atestando que ele levava e buscava o filho na escola, que uma vez levara Letícia. Isso além de seu longo depoimento sobre os casos de Amanda, o flagrante armado pela ex-mulher e seu cúmplice, o dinheiro que ela roubara dele. Não conseguia odiar Letícia, nem ter raiva ele conseguia, porque o mais importante fora recuperar o filho. Vera depôs como testemunha, falou dos pesadelos de Thomas, de quanto ele era amoroso e de como comentava, às vezes, do autoritarismo da irmã. Contou das conversas que tivera com as professoras de Letícia, com as colegas, todas unânimes em relatar que ela era estranha, autossuficiente, fechada. "Ficava uma fera com qualquer brincadeira, só faltava bater quando alguém a questionava", disse uma colega.

"Quem?", pensou Letícia, mas não perguntou, ficou só escutando os depoimentos, apática, sentindo-se numa armadilha. Quando chegou sua vez, contou das cordas e da mordaça, nos dias em que faltara à escola, desmentiu as ditas traições da mãe. O juiz escutava com uma expressão de tédio, achou ela, e franziu a testa quando dr. Ricardo fez a defesa, lembrando que Letícia era órfã de pai e, de certa forma, de mãe também, já que nada fizera com que Amanda viesse em socorro da filha.

— Que tipo de filha ela deve ter sido para essa mulher que não é capaz de defendê-la nessas circunstâncias, não é mesmo, doutor? — perguntou o juiz.

O advogado olhou para Letícia. "Última chance", ela ouviu a Voz dentro de sua cabeça, mas não disse nada. A mãe a amava; se não estava ali era porque não podia estar.

O advogado se calou, o juiz fez uma longa ponderação sobre o quanto era injusto que adolescentes oriundos da classe média se achassem no direito de atirar em cidadãos honestos, a partir de divergências familiares que poderiam ser resolvidas de outra forma. "Se é que existiram divergências familiares, se é que tudo não passou de um comportamento antissocial de uma adolescente que se achava no direito de usufruir do papel de tirana junto a uma criança de dez anos."

O restante do parecer, sentença, qualquer que fosse o termo jurídico, ela ouviu de longe, como se não lhe dissesse respeito. Lembrava que o juiz lamentou que o Estatuto da Criança e do Adolescente impedisse que ela fosse sentenciada por tentativa de homicídio com agravante, que seria o merecido. No entanto, ele podia garantir que ela passasse os próximos três anos em medida socioeducativa e talvez isso a ensinasse a não fazer justiça com as próprias mãos.

Ela viu todos saírem, Mark na frente, Vera empurrando sua cadeira de rodas.

"Pelo menos, ele nunca mais vai levantar a mão para o meu irmão", pensou ela, lembrando-se das mãos inertes de Mark. "Nunca mais vai bater em ninguém."

Ela esperou por algum comentário da segunda Voz que lhe acompanhava, mas, de alguma forma, aquela conexão estava encerrada. Letícia não soube o porquê.

Felício estava com os olhos abertos há muito tempo, não sabia quanto, depois do sonho com as ruas escuras de Dublin, escutando o choro de uma criança. Ele estava imóvel porque dormia ao lado de Lorena, pela terceira vez naquela semana. Ele precisava de uma mulher que não o pressionasse, que aceitasse seu jeito calado de ser e lhe desse prazer para aquietar seu desconforto. Lorena parecia se contentar com isso.

Ele desistiu de dormir, levantou em silêncio, foi para a cozinha fazer um café. Eram quatro horas. Estava cedo ainda para correr, aquele seria mais um dia vazio, porque o novo segurança estava treinado e só eventualmente precisava de alguma informação dele. Estava considerando visitar o irmão em Juiz de Fora, passar um tempo com os sobrinhos que mal conhecia, quando Lorena entrou na cozinha.

Ela vestia uma roupa comprida e macia por cima da camisola e se encaminhou para a geladeira para pegar água. Ele observou o corte novo do qual não gostara muito. Sua preferência era por mulher com cabelo para agarrar, para puxar na cama. Sorriu para ela, que retribuiu.

— Um escritório de advocacia que eu conheço está precisando de alguém para orientar seus clientes na área de segurança privada. Eu estava para falar com você quando chegou, mas não tive oportunidade.

— Tem o dedo do dr. Francisco nisso? — perguntou Felício, servindo café numa xícara para ela.

— Não. Tem o meu dedo. Você acha que meu dedo vale a pena?

Felício riu e a agarrou pelo cabelo, quase não dava.

— Você está ficando muito saidinha para uma mulher que levou quatro anos para dar para mim. Por que cortou tanto esse cabelo?

— Porque é mais fácil de arrumar — murmurou Lorena, enquanto ele a suspendia para o balcão da cozinha.

— É mais difícil de agarrar — observou ele, pegando nela por debaixo da roupa. — Você quer que eu arranje um emprego no escritório do seu amigo?

— Não é meu amigo — respondeu Lorena, arquejando sob as mãos dele. — Acho que valia a pena você conversar.

— Porque você não quer continuar trepando com um desempregado?

— Ao contrário, é porque eu quero continuar trepando com você.

— Você disse trepar, está mudando um bocado. — Ele a encaixou no seu corpo, sabendo que a posição não era confortável para ela, mas sabendo também que ela ia gostar. — O que me garante que aquele velho que lhe protege não está metido nisso?

— Para de conversa, vem mais fundo, vem.

Quando Felício acordou, depois da transa no balcão da cozinha, repetida no conforto da cama, Lorena estava acabando de se maquiar no banheiro da suíte. Ele nunca tivera uma mulher que se arrumasse com tanto capricho. Devia ser comum, entre as que frequentavam o banco, ele só não conhecera nenhuma antes.

Ela veio até a cama, passou a mão bem-cuidada pelo peito dele, deixou um cartão na cabeceira.

— É o endereço do escritório. O nome do advogado está aí, é só ligar.

— Você sabe que é fácil eu descobrir se tem a mão do dr. Francisco nisso, não sabe?

— Sei. — Lorena o olhou, especulativa. — Por que você está tão cismado com ele? Ele ajudou você, não foi?

— Ajudou, cobrou caro a ajuda, pagou extra, mas eu não quero dever mais nada. — Ele parou um instante, mas era melhor esclarecer logo. — Não quero dever nada a ninguém.

— Você não vai me dever nada — disse Lorena.

— Não quero uma mulher me controlando. Não tenho tesão por isso.

— Não vou tentar te controlar.

— Nem pensar em família. Eu não quero ter filhos.

— Condições aceitas. — Lorena sorriu para ele.

— Agora me dá um beijo antes de ir paparicar o dr. Cristiano.

Ela se levantou, ainda sorrindo.

— Não. Vai borrar minha maquiagem.

Ela se encaminhou para a porta, pegando a pasta e a bolsa que estavam na escrivaninha. Parou, virou-se então para ele e falou:

— Felício, o dr. Ricardo esteve no banco ontem e perguntou se você tinha notícias da moça, a Letícia.

Ele fechou o semblante. Ela acabara de dizer que não ia controlá-lo. Resolveu ser paciente, porque ela estava tentando ajudar e era uma excelente trepada.

— Lorena, conheci a Letícia com 12 anos, eu era policial, podia ter ajudado mais.

— Pelo que entendi, só se você desse um tiro no padrasto.

— Bom, a minha pontaria é melhor. Eu matei o meu, não foi?

— Ela vai sair um dia e você vai poder ajudar de novo.

— Você pode ter certeza que eu vou.

Ela foi embora para o trabalho e ele se levantou para sua corrida diária. Correndo na praia, Lorena morava em Copacabana, lhe ocorreu que ela deixara a pergunta sobre Letícia para o final. "Está me sondando", pensou sem rancor. "Quer saber o quanto estou envolvido com uma garota com a metade da minha idade." Ele chegou ao Leme, parou para descansar antes de começar a corrida de volta.

Era bom se ele conseguisse o emprego que Lorena sugerira. Precisava trabalhar, pois o dinheiro que dr. Francisco lhe dera pela tarefa de colocar Thiago na cadeia não ia durar para sempre. "Não sirvo mais para policial", reconheceu para si mesmo. "Hoje gosto mais de conforto do que de riscos."

Enfrentar o inverno de Boston sem Juan Javier foi uma tortura para Amanda. Sua sorte era o trabalho. A agência ali era melhor do que aquela que atendia em Los Angeles, e ela conseguiu clientes regulares com filhos pequenos com quem adorava brincar. Algumas crianças lhe lembravam Thomas, mas ela afastava a imagem. Thomas estava com o pai, e Mark aleijado não poderia mais feri-lo. O que ela podia fazer agora? Nada.

Às vezes, tinha uma pontada de preocupação, especialmente de noite, com a filha presa. "Ela é forte, eu a criei para isso, vai sobreviver", pensava. "Eu é que não sei se consigo sobreviver sem Juan Javier."

Como havia trocado de telefone, o ex-sargento Felício não conseguiria encontrá-la, só a agência e Juan Javier. Caso ele um dia se arrependesse de ter ido embora com a loura. No início da primavera, o telefone tocou com uma surpresa: Angelina. A governanta estava transpassada de dor, mas não perdera o autoritarismo. Caroline estava morta, overdose patrocinada por um traficante que conhecera nos Narcóticos Anônimos.

— Precisei ligar para todas as agências de Boston para encontrar seu telefone — disse Angelina, atalhando os pêsames de Amanda. — John-John está bem, não se preocupe com ele. O motivo de minha ligação é outro.

O parente que Angelina ajudara um dia estava de novo dando trabalho. Amanda sentiu uma onda de esperança aquecer seu coração, mas não disse nada.

— Parece que ele se separou de uma mulher com quem estava vivendo em Tucson, os dois se espancavam, um horror, ele não tem jeito. De qualquer forma, é parente, me pediu ajuda, eu ofereci pagar uma reabilitação para ele em Boston. Minha proposta é que você encontre uma clínica, pague e me mande o recibo. Vou pagar pelas horas de trabalho que você gastar, claro.

— Como se eu fosse uma agente de condicional? — Amanda não resistiu a dizer. Meses sem ver Juan Javier, sem saber dele, e Angelina o entregando em seus braços. Para que ele não conhecesse o filho biológico. Só podia ser por isso.

— Você entendeu perfeitamente. Uma agente de condicional. Não acredito que resolva por muito tempo, mas é o que eu posso fazer agora.

— Eu posso pensar e dar uma resposta depois? — perguntou Amanda.

— Não, não pode. Eu pago a você a hora dobrada, mas quero a resposta agora. Ele está no aeroporto de Phoenix neste momento, esperando que eu envie a passagem.

"É mais barato pagar a reabilitação dele e a minha hora dobrada do que deixar que ele faça um exame de DNA quando olhar o filho de Caroline. Eles teriam que sustentá-lo pelo resto da vida ou deixá-lo levar a criança", pensou Amanda.

— Está bem, mas vamos combinar então quantas horas você vai me pagar para ser baby-sitter do seu parente na reabilitação.

Após uma negociação dura, Amanda conseguiu que Angelina se comprometesse a pagar dez horas para que ela arranjasse uma clínica e duas horas por semana para que visitasse Juan Javier, para garantir que ele não fugiria.

— Se ele sonhar em vir para a Califórnia, eu quero que você me avise imediatamente. — Angelina desligou o telefone sem se despedir.

"Eu devia ter pedido a ela para assinar um contrato", concluiu Amanda, "mas sei que ela cumpre combinados quando precisa de alguém. Ela precisa de mim. E eu preciso dele."

O PRIMEIRO ANO DE LETÍCIA NA UNIDADE foi um tempo de paixonites escondidas e tristes. Primeiro encantou-se por um voluntário chamado Carlos José, professor de história, que aparecia de vez em quando e lhe dedicava uma atenção especial. Ela sonhava que sairia dali, eles namorariam, casariam, teriam filhos e voltariam para ajudar as meninas que iam parar naquele lugar horrível.

Ele era alto, magro, usava bigode e tinha mãos úmidas, ela notou no dia em que ele a agarrou depois de uma aula de história. Era totalmente ilegal aquilo. Ela se assustou enquanto ele se esfregava no seu corpo, depois de se desabotoar apressado e gozar mais apressado ainda na mão dela.

Ele passou a evitá-la daquele dia em diante, e Letícia se sentiu miserável por ter perdido alguns fiapos de conversa sobre outra coisa que não fosse crimes e dores. Ela rondou durante meses a sala onde os voluntários ficavam, tentava perguntas inteligentes que só atraíam a antipatia das poucas colegas que estavam ali de passagem, mas ele sorria e a evitava. Como se ela tivesse feito alguma coisa errada.

Um dia, ela fez um esforço e não foi à aula. Ficou no quarto escutando a conversa de duas meninas, uma das quais havia sido liberada pelo mesmo juiz que a condenara a três anos de medida socioeducativa.

— Aí eu contei que não tinha nada para comer no barraco e meus irmãos estavam com fome — disse a mais forte delas.

— Mas você não tem irmãos — comentou a menor, um corpo de menina, apesar dos 16 anos. As duas estavam num breve caso, desde que chegaram ali.

— Ele não sabe disso, idiota! Quer ou não saber como se fala com esses bacanas?

A outra se calou obediente.

— Esse juiz tem o maior dó de gente pobre que vai para o crime por fome, por falta de pai. O negócio é contar tudo de ruim que aconteceu com a gente. Na rua, na favela.

— Eu nunca vivi na rua — disse a outra menina, quase triste com esse fato.

— Inventa, mané. Ele só não perdoa otária que nem essa aí, que tinha tudo e ainda deu tiro nos outros.

Letícia ouviu calada, nem olhou para a garota que estava saindo apesar do assalto a mão armada a um supermercado de subúrbio. Ficara apenas dois meses esperando a audiência, o juiz ainda reclamara com a Unidade, com a Vara, por desrespeitarem dessa forma os direitos de uma menor.

A segunda paixonite foi pelo irmão de uma interna. Ele ia nos dias de visita, ficava de mãos dadas com a irmã mais nova, que tinha se desencaminhado, lia para ela passagens da Bíblia.

O rapaz a olhou interessado nas duas primeiras semanas, depois passou a desviar os olhos quando ela passava.

— A irmã ficou com ciúmes. Eles se pegavam em casa. Foi por isso que ela tentou envenenar a mãe, que encontrou os dois se agarrando e colocou de castigo. Por que você não tenta mulher? Três anos custam a passar — zombou a xerife da ala quando a viu cabisbaixa, olhando os dois irmãos de longe.

A terceira e última paixonite foi por uma dinamarquesa que ficou um mês ali e foi extraditada. A garota viera num intercâmbio meses antes, e, como gostava de drogas, topara fazer um carregamento Rio-São Paulo. Deu certo a primeira, ela fez outras vezes, até que um dia a polícia a pegou na rodoviária. Os primeiros dias dela na Unidade tinham sido terríveis, numa crise de abstinência de fazer dó a Letícia. As outras até riam, a vida delas era mais dura, não entendiam como a gringa preferia bater a cabeça na parede a tomar o sossega-leão que a auxiliar de enfermagem oferecia.

Letícia começou a conversar com ela em inglês, lembrava-se de alguma coisa do curso que a mãe exigia que ela fizesse. "Para quando vocês vierem morar comigo na Califórnia", escrevia nas cartas. Nem parecia que aquilo tinha acontecido há menos de um ano. "Como a vida da gente pode mudar tanto?"

— Tenho medo que me envenenem — confessou em inglês a loura alta e cheia de corpo.

Agnete ficou um mês ali, e com ela Letícia aprendeu um pouco do amor entre mulheres.

— Eu faço sexo basicamente com homens, mas gosto de mulheres também — contou a dinamarquesa. — Sexo faz falta. Droga também. Você sabe como é que eu consigo aqui?

Letícia não sabia, mas Agnete acabou descobrindo em troca de sexo com mais alguém. Isso acabou com a ligação entre elas.

"Eu não posso continuar assim, achando que amo um, me decepcionando, amando outro, outra", foi a conclusão de Letícia. "A menos que você queira fazer a vontade de Mark", concordou a Voz revivida.

Ter duas vozes dentro da cabeça deixara de incomodar Letícia. A Unidade tinha isso de bom. As outras meninas faziam coisas desvairadas, quando estavam ali, esperando a audiência, depois da audiência. Contavam vilanias inimagináveis que aconteciam do lado de fora com elas, vilanias que elas haviam feito com gente mais fraca, com gente desavisada. O pensamento se dividir em dois parecia a Letícia a coisa mais natural do mundo.

Não sabia, porém, como fazer para deixar de se apaixonar. Foi nesse momento, de balanço das suas paixões tristes, que surgiu mais uma visita.

— Letícia, meu nome é Fred, sou estagiário da dra. Vania Cerqueira. Seu amigo Felício nos pediu para tentar revisar seu processo.

Felício ainda se lembrava dela, não a abandonara ali, mandara aquele rapaz branco, alto, de óculos para tentar ajudá-la. "Por esse eu não vou me apaixonar, vou lutar junto, apenas."

Thomas levou meses para contar a alguém sobre o Sem Nome. O desaparecimento do menino ruivo, desde que Mark voltara para a vida dele, era inexplicável, ele pensava no início. Depois concluiu que mais inexplicável tinha sido o aparecimento do menino. Por isso, tinha receio de contar e as pessoas não entenderem.

As pessoas eram o pai, os professores, os colegas da escola nova, perto do apartamento da tia Vera para onde tinham se mudado depois que saiu a sentença de Letícia. Uma noite, porém, ele sonhou que estava num lugar escuro, procurando pelo menino ruivo. "Onde você se meteu?", Thomas resmungava, andando, andando num corredor que virava à direita, à esquerda, mas nunca terminava.

Na semana seguinte, sonhou de novo. Dessa vez teve tanto medo que fez xixi na cama.

— Um garoto de 11 anos! — gritou o pai, num ataque de fúria. Fúria impotente porque o tiro de Letícia deixara seus braços inertes, o máximo que conseguia era empurrar a cadeira de rodas com as próprias mãos.

Vera, nas primeiras vezes, se limitava a recolher os lençóis e colocar na máquina de lavar. O problema é que o mesmo sonho se repetia com frequência. Thomas passou a ter medo de dormir, mas acabava dormindo e molhava os lençóis de novo. Ela começou a ficar impaciente, porque a revolta de Mark se voltava também contra ela.

— Sua baleia imprestável, você não sonhava em ter um filho meu? Agora você tem e não consegue cuidar direito. É você que deixa ele beber água de noite. É você que não coloca o despertador para acordá-lo antes dessa vergonha...

Fernanda, a amiga de Vera, foi quem trouxe uma solução, impedindo que as coisas piorassem.

— Deixa que eu levo esse menino a um médico — confidenciou a Vera.

— Com que dinheiro? A pensão de Mark mal dá para a fisioterapia e os remédios.

— Deixa comigo, conheci um psiquiatra super na festa de uma amiga minha.

— Psiquiatra? Fernanda, você ficou louca de vez? Se o Mark descobre que eu deixei você levar Thomas a um psiquiatra é capaz...

— Capaz de quê? — interrompeu Fernanda. — Esse aí não é capaz de mais nada. A irmã do menino garantiu isso. Nem sei o motivo de você aturar os desaforos dele.

— Não me fala naquela vagabunda — protestou Vera.

Essa conversa foi na cozinha, numa hora em que Mark dormia depois da fisioterapia e Thomas estudava na sala. O garoto se acostumara com Vera falando da mãe e da irmã. Não se zangava. Ao contrário, contar com o apoio dela, o apartamento dela, a comida dela era um consolo. O que seria da vida dele se ficasse sozinho com o pai, aleijado para sempre, por Letícia?

Fernanda o levou ao psiquiatra numa tarde em que Mark foi com Vera ao hospital. No caminho para o consultório, Thomas contou para ela o aparecimento do menino ruivo.

— Não se preocupe, muitas crianças têm amigos invisíveis.

— Mas de repente ele sumiu — disse Thomas.

— Sumiu porque você cresceu — explicou Fernanda.

O médico era baixinho, gordo e seu olhar se desviou de Thomas, várias vezes, atraído pelo decote de Fernanda.

— Isso é ansiedade — diagnosticou o médico, rabiscando uma receita e pegando na gaveta algumas caixas de amostra grátis. — Ele vai tomar um comprimido três vezes por dia. Você, cada dia mais apetitosa, hem? Como vai sua filha?

— Fala com ele do menino — pediu Thomas, vendo se esvair sua chance de esclarecer o mistério.

— Minha filha vai bem, quem vai mal sou eu porque sem os seus remédios ela anda cada dia mais temperamental — disse Fernanda.

— Você vai mal porque quer — respondeu o médico, sorrindo. — Tanta gente disposta a fazer você feliz.

— O menino — insistiu Thomas.

— Ah, tá bom — disse Fernanda impaciente. — Luiz, ele passou uns meses vendo, conversando, seguindo os conselhos de um menino da mesma idade. Um menino que não existe, nunca existiu.

— Ver pessoas que não existem, escutar vozes, já é mais complicado do que fazer xixi na cama aos 11 anos. — O médico tornou a abrir a gaveta de amostra grátis. — Este aqui é para ele tomar à noite. Durante um mês. Na próxima vez, é bom você trazer alguém da família dele. Quando é que nós vamos ter um almoço daqueles bem demorados?

— Me espera no hall do elevador, Thomas. Só vou demorar um instantinho — disse Fernanda quando o médico foi levá-los até a porta.

Ela demorou pouco, mas saiu do consultório despenteada e com o batom que parecia ter sido esfregado nas costas da mão, Thomas notou. No elevador, cheio, Fernanda se olhou no espelho e pegou um lenço de papel da bolsa para acabar de tirar o batom.

— Não conte nada disso para seu pai — disse Fernanda, retocando a maquiagem. — Tome os remédios e vamos ver no que dá.

Os remédios deixavam Thomas com sono o dia inteiro e alheio ao que se passava ao redor. Como se as brigas de Mark e Vera não existissem, e a implicância de um ou outro colega da escola também não. Da mesma forma, os sonhos despareceram e ele parou de fazer xixi na cama. O lado ruim é que vieram as provas e as notas dele foram péssimas. Não conseguia se concentrar. Quando ele trouxe o boletim, Mark leu num silêncio frio, até começar a gritar, possesso:

— Sua única obrigação é estudar e nem isso você consegue? O que você faz trancado no quarto a tarde toda?

Thomas viu o pai dirigir a cadeira em direção ao seu quarto e ficou na sala sentado, olhando para a parede, balançando o corpo no sofá, como Letícia não gostava que ele fizesse no tempo em que viviam escondidos no outro apartamento. Vera surgiu da cozinha, mas ficou parada junto à parede, como se tivesse medo de que a ira de Mark se voltasse contra ela.

— Custava muito você tirar notas decentes na escola? Depois de tudo o que seu pai sacrificou por você...

A cadeira de rodas voltou célere do quarto. No colo de Mark as caixas de remédio, pela metade, pois não havia passado um mês ainda da consulta.

— Quem vai me explicar o que é isso?

Thomas continuou em silêncio e Vera foi obrigada a explicar antes que algum vizinho batesse na porta pedindo para parar com a gritaria.

— A Fernanda levou o Thomas ao médico... um especialista...

— Aquela vagabunda levou o meu filho num médico com quem ela está se deitando? E o charlatão passou remédios para psicótico? Você ficou insana de vez?

— A Fernanda não é vagabunda, é uma boa amiga...

— Amiga? Se dependesse da Fernanda você ia morrer sem nunca ter visto um homem. Vocês são todas iguais, umas vagabundas...

Thomas continuou ouvindo, como se não fosse com ele, mas viu quando o pai levou os remédios para o banheiro e ouviu o ruído da descarga.

— Você viu o que arranjou? — disse Vera baixinho para ele. — Fernanda é minha melhor amiga, quase que a única, e agora eu vou perdê-la porque você é um mijão.

A partir daquele dia, Thomas não urinou mais na cama. Mark colocou a cadeira de rodas do lado da cama dele junto com um despertador e, de hora em hora, acordava o filho para que fosse ao banheiro. Quando o pai voltou para o quarto e a cama que dividia com Vera, Thomas havia se acostumado a ter um sono leve e, às vezes, a não dormir completamente.

Vera não perdeu a melhor amiga porque Fernanda era imune ao que ela chamava "maldades dos outros".

— E à burrice também! — disse para Vera quando esta lhe contou, na frente de Thomas, que ele a acusara de impedir que ela tivesse um homem de verdade. — Quem é o homem de verdade? Esse traste? Deixa de ser idiota, ele depende de você para tudo.

— Para, Fernanda, ele vai ouvir.

— Que ouça! Pensa que eu tenho medo desse aleijado?

"Ela diz isso, mas baixou a voz", pensou Thomas, que da sala podia ouvir a conversa das duas na cozinha, enquanto o pai dormia a sesta.

Fernanda não tinha medo, mas não tocou mais no assunto do psiquiatra. "Um dia esse menino cresce e enfrenta o pai, você vai ver", disse para Vera. Em relação a Mark, ela fez um agrado: arranjou uma bolsa para Thomas num preparatório militar. À tarde.

— Você é metida a gostosa, mas não é tão inútil quanto eu pensava — resmungou Mark em agradecimento.

— Eu não sou metida, eu sou gostosa — disse Fernanda.

Thomas começou o curso achando que não ia gostar, mas passar o dia fora de casa não era tão ruim.

Em dezembro de 1994, um colega do cursinho onde Thomas se preparava para o colégio militar lhe ensinou a beber escondido. Desse dia em diante não teve mais dificuldade para dormir. Uns goles antes de ir para a cama e dormia a noite toda.

Maio de 1995, falésia.

A OFICIAL DE JUSTIÇA QUE TRAZIA O ALVARÁ de soltura ficou conversando com a diretora. Frederico, o ex-estagiário, que a acompanhava, esperou, ao lado de Letícia, para cumprimentá-la. O hábito de não tomar iniciativa para evitar problemas fez com que Letícia esperasse quieta, olhando pela janela Felício junto ao carro.

Ele sorriu quando Letícia saiu para o sol, ultrapassando a porta de ferro que separava o muro azul do pátio da Unidade Correcional. O cabelo dele continuava cortado rente, o que ainda lhe dava, junto com o terno, uma aparência de pugilista vestido a rigor. Como se a qualquer momento ele fosse voltar para a roupa informal que lhe caía melhor.

Frente a frente, ainda esperou que ele apertasse a mão de Frederico, sem nenhum dos movimentos planejados nos primeiros daqueles últimos 24 meses e 12 dias. Ela sonhara com ele, dia após dia, nos dois primeiros meses. Depois, deixou de lado as lembranças, ocupada em sobreviver. Vê-lo, porém, trazia tudo de volta.

O treino fez com que apenas sorrisse, tremendo um pouco, quando ele passou a mão no alto do seu cabelo mal cortado, cheio de pontas, próximo aos ombros. Não era permitido manter cabelos compridos na Unidade. Mais fáceis de puxar numa briga. Quando Felício estendeu a mão para abrir a porta do carro — não era mais o carro luxuoso do banqueiro, aquele no qual ela andara três vezes, duas ele lhe dando socorro, uma voltando da cama do ex-sargento — ela viu a aliança, larga, de ouro. Do lado esquerdo.

— O senhor não vai com a gente? — perguntou ela para Frederico, que se despedia, ainda chocada com a aliança de Felício. — Eu nem lhe agradeci direito.

— Não. Eu tenho um interrogatório no Fórum de Caxias — disse ele para Felício e voltou-se para explicar para Letícia. — Tráfico com agravante de corrupção de menores.

— Tem alguma coisa para acertar com a oficial de justiça? — perguntou Felício enquanto Letícia entrava no carro.

— Eu trouxe dinheiro comigo. Presto contas no escritório depois.

Os dois ficaram em silêncio, até saírem da Ilha do Governador. Ele olhou para ela umas duas vezes e sorriu. Ela sorria de volta, sentindo que o sorriso era tenso. Nada estava correndo como ela havia esperado.

— Eu vou levar você para o apartamento onde eu morava. Pedi emprestado ao atual segurança, que é meu amigo.

— Sei. Você não está mais trabalhando com o banqueiro?

— Não. Estou num escritório de advocacia, dou orientação de segurança aos clientes. É menos grana, mas vivo menos escravizado.

— O que aconteceu com o antigo emprego?

— É uma história que não vale a pena. Eu cumpri uma ordem, deu certo, mas as consequências não agradaram, e o patrão achou melhor eu sair. Quer dizer, o patrão de verdade, o velho, não o filho, o banqueiro. Minha mulher conhecia esse escritório de segurança empresarial, e então me contrataram.

— Você casou. — Ela controlou a voz, de novo o hábito de esconder sentimentos. — É legal sua mulher?

— Hum, hum. Eu a conheci no trabalho. Era, ainda é, secretária do meu ex-chefe, o dr. Cristiano. Comecei a sair com ela, de vez em quando, foi me ganhando aos poucos, e acabei casando — resumiu ele. — Você está diferente, Letícia.

— É o cabelo, mal cortado. As roupas.

— Pedi para uma amiga comprar umas roupas para você. Estão aí no banco de trás. Manequim 36 para a roupa e 37 para os sapatos, o Fred me disse. Você quer comprar alguma coisa antes de ir para o apartamento?

— Eu gostaria. Pelo menos de cortar o cabelo direito. Se não incomodar você, não atrasar você para algum compromisso.

— Não, eu estou por sua conta no dia de hoje.

Os dois se olharam. Ele se voltou para o caminho logo, mas ela continuou olhando para ele, sentindo, aos poucos, desvanecer o medo de estar completamente sozinha quando saísse do confinamento.

Ele atravessou o túnel, a Lagoa, o apartamento ficava no Jardim Botânico, bem no alto, ela lembrava. Mas ele a levou primeiro até um salão pequeno, numa rua transversal, esperou que ela fosse e voltasse com a notícia de que poderiam cortar seu cabelo sem marcar hora. Era dia de semana, pouco movimento.

— Eu espero. Vou até a esquina comprar um jornal — disse ele, passando a mão de novo no alto do cabelo, como se o corte do abrigo para meninas infratoras o deixasse intrigado de alguma forma.

Quando ela saiu, parecendo mais a garota que ele encontrara uma tarde no metrô da Afonso Pena, Felício a levou pelo braço até uma lanchonete e tomou um açaí, enquanto ela comia um sanduíche de maionese de frango e bebia um suco.

— Podemos ir — disse Letícia, sorrindo, quando acabou.

Minutos depois, eles entravam no apartamento que não havia mudado muito, apenas a televisão era maior e mais nova, ela notou.

Ele esperou ela fazer o reconhecimento de terreno, andando atrás dela pelo pequeno apartamento, segurando a mochila com as coisas que comprara numa das mãos. No quarto, uma cama de casal maior substituía aquela em que ela acordara, numa madrugada distante. Letícia virou para ele sorrindo, ele estendeu os braços, deixando a mochila cair.

— Bem-vinda — disse ele antes de beijá-la.

Horas mais tarde, Letícia passou a mão ao longo do peito dele.

— Você engordou.

Ele se virou para ela, afastando-a um pouco e apertando, de leve, os ossos do rosto, a clavícula, os braços.

— E você emagreceu. Está pele e osso, parece ter menos de vinte anos. Fiquei espantado com o tamanho das roupas que comprei para você.

— A gente já tem que ir embora? — perguntou Letícia.

— Não, o dia é seu, já falei.

— Você tem cigarro?

— Não. E se tivesse não te dava. Detesto o cheiro que o cigarro deixa na pele de uma mulher. Você não fumava.

— Aprendi lá dentro. A vida confinada fica mais fácil com cigarro. E o preço do cigarro era mais baixo do que o das drogas.

— Qualquer vida fica mais fácil com drogas.

— Você nunca usou drogas, Felício?

— Nunca. Sempre tive medo de misturar drogas com a raiva.

Ele passou a mão devagar nas costas dela, a bunda perfeita, como ele lembrara muitas vezes, masturbando-se no chuveiro, fazendo sexo com outras mulheres, inclusive a esposa. Tirou a mão, eles precisavam conversar.

— A única vez que eu segui minha raiva foi quando atirei em Mark.

— Não pensa mais nisso, já passou, você está solta.

— Como foi que você conseguiu que o Fred me ajudasse?

— Fiz um favor para uma advogada, então ela conferiu seu processo, tinha falhas, foi fácil a revisão. Ruim foi convencer o juiz; ele fez tudo para atrasar o processo.

— Eu sei. O Fred me disse que uma revisão dessas poderia sair em três meses, a minha durou um ano. Mas aproveitei o tempo, estudei.

— Ele me disse que você terminou o ensino médio.

— E meu irmão?

— Eu já estava estranhando você demorar tanto a perguntar por ele.

— Eu aprendi, durante todo esse tempo na Unidade, a aproveitar cada minuto bom, longe de problemas. Mas não dá para aproveitar o tempo todo. Como ele está, Felício?

— Você quer a verdade?

— Quero.

— Bom, lá vai. O garoto é completamente dominado pelo pai e aquela mulher dele.

— Que mulher?

— A que foi testemunha de acusação contra você.

— Mark se casou com aquela gorda, a Vera?

— Não casou, mas se mudou para o apartamento dela, quando saiu do hospital, e está lá até hoje.

— Prêmio por serviços prestados? Porque ela me manteve presa esse tempo todo com aquele depoimento idiota?

— Eu sabia que você ia se revoltar quando soubesse das novidades. — Ele passou a mão pelos cabelos recém-cortados, um corte bonito, ela estava quase como uma jovem normal. Só que não era.

— Thomas morar com eles é natural, mas por que você diz que ele está dominado?

— Eu procurei por ele três vezes, Letícia, buscando uma forma de convencê-lo a mudar o depoimento com o psicólogo que fez a sua avaliação para o juiz. Primeiro, foi uma dificuldade falar com ele sozinho, a mulher ia buscá-lo na escola, às vezes levava o pai de cadeira de rodas.

— Ele é prisioneiro dos dois?

— Não, isso é que é pior. Foi só nos primeiros meses essa marcação cerrada. Depois, na terceira vez que eu o procurei, o inglês e a mulher pararam de segui-lo, ele começou a ir e voltar sozinho para a escola e aí eu consegui falar com Thomas.

— E?

— E ele se recusou a denunciar o pai.

Letícia se levantou da cama e andou inquieta pelo quarto, querendo perguntar mais, sentindo enjoo das possíveis respostas, mas querendo saber.

— Talvez ele tenha ficado com medo, ele era um menino de apenas dez anos.

— Quando eu consegui falar com ele, seu irmão já tinha 11 anos, Letícia, mas não importa. Ele tem pena do pai. Acha que a mãe abandonou vocês e que você aleijou o pai dele para sempre. Ele me disse isso. "Minha irmã tirou a masculinidade do meu pai."

— Tirei? Que bom, pelo menos isso eu consegui. Nem sei como aquela mulher ainda fica com um monstro como ele.

— Fica porque ameaça o Mark, de vez em quando, quando a barra pesa, dizendo que, se ele não andar na linha, ela larga os dois, ele e o filho, na rua da amargura. Palavras do seu irmão.

— Coitado do Thomas, ele deve odiá-la.

Felício levantou da cama, foi até onde ela estava e a abraçou, mesmo sentindo sua resistência.

— Ele não a odeia, Letícia. Thomas chama Vera de tia. Ele gosta dela, tem pena, acha que os dois foram destruídos.

— Como destruídos? — Ela tentou se afastar dele, mas Felício continuou segurando forte, ela começando a chorar. — A única pessoa destruída nessa história fui eu.

— Não, não foi. Você está aqui, não está? — Felício passou a mão no rosto dela, o corte de cabelo fora um achado, ela estava de novo uma garota linda. — Ele não quer nem ouvir falar na sua mãe.

— Bom, pelo menos nisso eu concordo com ele. Você teve notícias dela?

— Continua nos Estados Unidos. Conseguiu um visto de trabalho, depois o Green Card. Está bem, trabalhando com uns ricaços. Ela entrou em contato comigo, meses depois que você foi presa, deixou um telefone para eu retornar com notícias suas. Eu liguei para ela quando soube que você ia ser solta.

— E?

— Ela disse que ia depositar um dinheiro na sua poupança. Para você visitá-la nos Estados Unidos, se quiser.

— Ela não voltou para me salvar. — De novo, Letícia tentou se separar dele, de novo, Felício a segurou.

— Ela disse que ficou com medo de ser presa, pelo sequestro de Thomas, pelo abandono de vocês. Disse que não podia voltar.

Letícia agora chorava desesperadamente, e ele lembrou o dia em que ela apareceu naquele apartamento, cheia de marcas pelo corpo feitas por um colega sádico. Era o mesmo choro.

Ela se afastou um pouco e olhou para ele, o rosto mulato, os olhos claros, a cicatriz da qual se lembrava desde a primeira vez que ele a socorrera.

— Que bom que você está aqui para me fazer esquecer essa maldita confusão, Felício — disse ela, procurando a sua boca. — Eu estou tão cansada de carregar gente nas costas, para depois descobrir que eles não ligam a mínima.

Ela começou a chorar de novo e chorava enquanto Felício a beijava, na boca, e mordia devagar, mas firme, quase doendo, suas bochechas molhadas de lágrimas, o queixo, o pescoço, e descia para os seios, chupando os bicos enquanto enfiava os dedos na boceta e na bunda que continuava arrebitada, apesar da magreza. Ele invadiu com a língua e com as mãos o corpo dela, até que Letícia parou de chorar e se atirou sobre ele, chupando-o num arrebatamento vingativo que quase o fez gozar.

— Calma, calma, potranquinha, deixa eu brincar mais um pouquinho com você. Não quero que acabe rápido assim. Quero te comer várias vezes e quero essa bundinha como prêmio.

Para Letícia o resto daquela tarde foi como o piquenique que Amanda prometera que eles fariam, um dia, no parque em Los Angeles. Ou como a festa de formatura na *high school* em Santa Bárbara que a mãe também havia prometido, sem cumprir.

Felício não permitiu que as sombras de contrariedade ou más lembranças se instalassem, trazendo-a para perto dele, sempre que a mente dela a traía, e a imagem do irmão atravessava a onda quente de prazer que se derramava de dentro dela.

Ele a trouxe de volta, do ápice de gozo e do fundo da tristeza, várias vezes, demorando a gozar, um amante lésbico, um macho quase violento, sempre junto dela.

Eles cochilavam, ela percebia, nos intervalos, porque ele a acordava de novo, o pau endurecendo junto ao corpo que ele abrigava nos braços, e começavam mais uma vez, até a promessa final: enfiar no rabo que ele dizia lindo, dizia lindo o tempo todo em que invadia, dessa vez com pressa, como uma presa muito cobiçada.

— Eu nunca mais vou transar com uma mulher na minha vida — murmurou Letícia enquanto Felício a ensaboava, debaixo do chuveiro, o banho que ela pedira no passado e que ele dava agora.

— Quer dizer que você perdeu a virgindade com uma lésbica, no reformatório que eles chamam de Unidade? — Felício riu dando um beijo rápido na sua boca.

— Não. Perdi a virgindade com um dos policiais na carceragem. Um cheirador que tomava conta das meninas e de vez em quando selecionava uma para comer. A lésbica foi depois.

Ela sentiu que Felício se contraía e o abraçou.

— Não fica assim. Faz muito tempo, foi logo nos primeiros dias da minha prisão, nem lembro mais.

— Por que você não denunciou isso, Letícia?

— Para quem? Para a defensora pública? Para o juiz? Foram dias até encontrar alguma autoridade, dias esperando ver entrar, a qualquer momento, minha mãe com um advogado, trazendo Thomas para me visitar. Eu dei graças a Deus de ter sido um só, até eu ser transferida para a Unidade. Eu morrendo de medo, as outras meninas contando histórias horríveis. Fiz bem em não denunciar, o advogado mesmo me aconselhou a ficar quieta. O primeiro que você mandou.

— Me conta tudo — pediu ele, desligando o chuveiro.

Ela contou, enrolada numa toalha grande e seca que ele tivera o cuidado de separar, ao planejar levá-la para o apartamento quando saísse da Unidade. Ele penteou seus cabelos com seu pequeno pente de bolso, tomando cuidado para não puxar com força, interrompendo o relato com beijos em alguma passagem mais difícil e a proibindo de continuar quando o relato se tornou insuportável até para ele, um ex-policial.

— Eu nunca imaginei que fosse tão difícil manter mulheres presas. Olha que eu tive um colega que dizia preferir controlar cem vagabundos numa cela do que dez mulheres, e eu achava que era babaquice dele, mas isso que você está contando...

— Eles diziam isso direto, na Unidade. Os homens que tomavam conta de nós.
— Mais homens do que mulheres?
— Mais homens. As meninas respeitavam mais os homens.
— Todas lésbicas?
— Não. Algumas eram. Chegavam de cabelo tosado, vestindo cueca debaixo da calça comprida. Outras ficavam com as mais fortes, enquanto estavam lá dentro. Quando saíam, procuravam o namorado, o que estava do lado de fora e nunca aparecia para visitar. Em geral, o cara que fazia delas cúmplices. Do tráfico, dos roubos, dos assassinatos. Às vezes, essas meninas voltavam. Uma, duas vezes, eu vi. Algumas grávidas.
— E você?
— Você quer saber quem, quantas vezes, como?
— Acho que não quero saber detalhes. Foi à força?
— Não. Algumas meninas eram forçadas. Eu não fui. Me apaixonei por um tempo por uma delas, só por um tempo, ainda bem. Se eu virasse mulher de uma sapata, se me apaixonasse por uma, estaria correndo o risco de fazer alguma besteira. As que se apaixonavam lá dentro tinham ciúmes terríveis.
— Ainda bem. Eu ia achar horrível se você saísse de lá com o nome de uma mulher tatuado a caneta nas mãos.
Letícia riu da maneira como ele falou aquilo. Algumas meninas tatuavam os nomes a caneta mesmo.
— Uma menina dinamarquesa que foi pega no aeroporto servindo de mula para o tráfico. Fazer sexo com ela tornava o cenário menos difícil.
— O primeiro advogado não ajudou muito, não foi? Ele trabalhava no escritório que atende ao banco do meu ex-patrão e estava me atendendo porque eu precisei ir depor contra um vagabundo de um riquinho, primeiro na delegacia, depois na Vara Criminal.
— É, ele não foi com a minha cara — disse Letícia. — Completamente diferente do Fred.
— Eu fiquei puto com aquele dr. Ernesto achando que se você não entregou sua mãe era porque você não queria dar certo.
— As psicólogas da unidade diziam isso. As meninas não queriam dar certo.
— Isso é babaquice do pessoal que tem dinheiro. Eles sempre pensam assim de gente que perde a primeira batalha na vida. — Ele es-

tava se lembrando do dr. Francisco se referindo à sua mãe espancada.

— Só percebi tarde demais que esse era o caso do advogado.

— Como foi que você descobriu que eu estava presa?

— Vi uma notinha no jornal, dias depois do tiro. Eu fui até a sua casa e uma mulher chamada Fernanda me contou o que havia acontecido. Mas não vamos mais falar do passado.

— Já sei. Acabou o nosso tempo, não é?

— É, acabou. São quase sete horas e, se você quer ver o seu irmão, tem que aproveitar a saída do curso que ele faz. Mas eu preciso contar uma coisa antes. Foi minha mulher que arranjou a última advogada. Ela nem sonha que nós estamos aqui, mas ela me viu preocupado e cobrou o favor que eu tinha feito para uma amiga dela.

— Então ela é uma pessoa boa e eu preciso agradecer, em vez de trepar de novo com o marido dela. É isso, não é?

— De certa forma, é.

— Vou agradecer, mas preciso ver o meu irmão antes. Amanhã eu ligo para sua mulher e agradeço, pode ser? Eu posso dormir aqui hoje?

— Eu arranjei um lugar para você ficar, na casa de umas moças na rua do Riachuelo. Elas são legais, o aluguel está pago por um mês, até você resolver sua vida.

— Acho que não aguento ficar na casa de gente que não conheço, ainda mais na casa de gente que conhece você. — Ela sorriu para ele, era um sorriso relaxado, um pouquinho triste, não amargo. — Elas são conhecidas da sua mulher também? Sabem de tudo a meu respeito?

— Elas não sabem do que aconteceu entre nós, não precisam saber e não têm nada a ver com isso. E não são conhecidas da minha mulher. São amigas minhas.

— Você transa quando tem vontade, é isso? Ou você ficou com pena de mim, dois anos e dois meses confinada... Foi assim?

— Não, potranquinha. Transei porque eu quero comer você há muito tempo, porque eu tive você dentro da minha cabeça em muitas transas com outras mulheres, porque já bati muita punheta em sua homenagem.

— Nossa!

— Falei muito, não foi? — Ele riu. — É que você me obriga a sair do meu normal. E além de tudo, eu gosto muito de você, Letícia. Eu não teria me envolvido do jeito que me envolvi se você não fosse especial.

Ela o abraçou pela cintura, de leve, ele encostou o queixo na sua cabeça, de leve também, sabiam os dois que o tempo que estava reservado a eles acabara.

— Vamos ver seu irmão?

Thomas vinha no meio de dois colegas, um moreno atarracado e outro magricelo como ele, de cabelos castanhos e óculos. Ele se destacava pela altura, pelo cabelo vermelho, pela brancura da pele. Os três davam gargalhadas de alguma brincadeira, se empurravam pela rua estreita. Letícia saiu da sombra, esperou um pouco antes da esquina, perto do posto de gasolina.

— Letty! — Thomas parou num susto, os colegas pararam também, olhando curiosos para ela.

— Quem é, cara? Você parece que pisou num buraco quente — falou o moreno atarracado.

— Me esperem no ponto de ônibus. Eu já vou.

— Tem certeza, Tom? Essa mina parece esquisita.

— Eu conheço ela, pode deixar. É assunto meu.

Letícia ficou quieta durante o diálogo deles, tremendo um pouco por dentro, sentindo as pontas dos dedos geladas e os arrepios na pele que sentia quando precisava ficar parada, sem tomar nenhuma iniciativa porque se mexer era perigoso demais.

— Nós vamos, mas se você não aparecer em dez minutos, a gente volta pra te resgatar.

Com essa promessa ou ameaça, os garotos se afastaram resmungando, olhando para trás várias vezes, até dobrarem a esquina.

— Eles te soltaram. Quando foi?

— Hoje de manhã. Thomas, você não vai me dar um abraço?

— Você passa dois anos sem me ver e começa a cobrar na mesma hora, não é, Letícia?

— Depois de dois anos eu mereço um abraço, não mereço? — Letícia não queria chorar, as coisas estavam saindo ao contrário do que ela planejara.

— Eu não sou mais um bebezinho, sabia, Letícia? Não me trata como se eu fosse.

— Eu não estou tratando, Thomas. Eu só pedi um abraço. Não vejo você há mais de dois anos, senti saudades, você nunca foi me visitar.

— Como é que eu podia visitar você? Eles deixam entrar menores na cadeia?

— Não era cadeia, Thomas. Era um abrigo, e eles deixam entrar irmão.

— Abrigo, cadeia, tanto faz. Era um lugar para quem comete crimes, e irmão deve entrar com a mãe, com tia, com um parente mais velho. Eu não tenho mãe, nem parentes, você esqueceu? Minha única parente no Rio de Janeiro deu uma de louca e se deu mal, tá lembrada?

— Eu não dei uma de louca, Thomas. Ele estava torturando a gente, eu dei um tiro num monstro.

— Monstros não existem, Letícia. Quem você chama de monstro é meu pai e foi ele que se preocupou comigo, me procurou, passou quatro anos me procurando, veio atrás de mim e você deixou ele preso numa cadeira de rodas. Você transformou meu pai num bebê.

— Thomas, nós fugimos dele, você não lembra? Ele batia na gente, gritava, queimava com cigarro, batia na mamãe...

— Ela desistiu de mim, Letícia. Desistiu de você também, não sei como se esquece disso. Você está sempre do lado errado.

Os colegas dele haviam voltado, pararam a alguma distância, conversando baixo entre si, o atarracado chamou alto:

— E aí, Tommy, vamos nessa?

— Eu tenho que ir, Letícia, meu pai e a tia ficam preocupados quando eu demoro a chegar.

— Thomas, não chama aquela mulher horrorosa de tia.

— Aquela mulher horrorosa, como você diz, está lá todos os dias e, mesmo quando eu ou meu pai fazemos alguma coisa errada, ela tem sempre um sorriso, um abraço para nós quando as coisas se acalmam.

— Eu também quero um abraço. Esperei tanto pelo dia que abraçaria você de novo.

Ele deu um abraço nela, sem jeito, só altura e ossos, diferente do menino macio que ela deixara no dia da prisão. Depois, ele andou apressado até os amigos e os três se afastaram unidos, Letícia viu enquanto começava a chorar. Thomas, no meio dos outros, gesticulava, quem sabe explicando detalhes da história.

Ela ficou soluçando até eles desaparecerem e Felício, que devia ter assistido tudo à distância, encostar o carro e levá-la com ele.

Felício escutou no silêncio zangado, do qual ela se lembrava bem, os detalhes da conversa com Thomas.

— Eu não entendo a atitude dele — lamentou Letícia. — Thomas nunca foi um garoto agressivo.

— Pode estar usando alguma droga. Aposto.

— Como drogas? Ele só tem 13 anos — disse Letícia. — Se ele está usando drogas, eu preciso ir até a casa deles...

— Você não vai na casa deles. Agora chega, Letícia. Você vai entrar comigo, descansar bastante para poder continuar a vida. Esquece esse garoto.

— Ele é meu irmão, Felício. E eu não quero ficar entre desconhecidas, mais uma vez, como fiquei esses anos, presa.

— Seu irmão escolheu um lado. Anda, hoje não é noite para você ficar sozinha. Eu não quero te deixar sozinha. Chega de papo.

As amigas de Felício eram nordestinas, tímidas, gentis e trataram Letícia como se ela fosse uma refugiada de um lugar muito ruim, distante e carente. Assim que Felício se despediu, as duas moças que iam hospedá-la ofereceram banho, comida, televisão para assistir com elas na sala. Letícia aceitou a comida e logo se viu em frente a um prato de sopa de aipim, muito gostosa, quente e apimentada de queimar a língua.

Ela tomou a sopa em silêncio enquanto uma das anfitriãs, Netinha, arrumava coisas e se movimentava pelo apartamento pequeno.

— No banheiro tem uma escova fechada. Você precisa de mais alguma coisa?

— Se uma de vocês sair cedo, eu gostaria que me chamassem.

— Eu acordo às sete e meia, trabalho perto, ali no Saara. Posso dormir mais um pouco — disse Cleusa, a mais nova. — Sete e meia está bom para você?

Letícia não precisou que ela a chamasse. Um pouco depois das cinco, o dia começando a clarear, ela foi acordada por uma presença estranha no pequeno quarto. Levantou o corpo, assustada, sem entender como o menino ruivo entrara no apartamento. Era o mesmo dos sonhos, era o mesmo que ela vira na biblioteca no dia em que Mark reaparecera. Ela estendeu a mão, ele estava sorrindo, sentado aos pés da cama, os joelhos juntos, o rosto nas mãos, pousado ali, como se não tivesse peso. Quando Letícia chegou a mão bem perto, para tocá-lo, falar com ele, o menino sumiu.

Ela sentou na cama, confusa, sem saber se tinha sonhado ou se estava ficando maluca. Examinou-se por dentro para sentir qual era a sensação que o menino lhe trazia daquela vez, como se acostumara a fazer quando estava numa armadilha. A sensação era boa. Ela deitou-se de novo, virou para o lado da parede e dormiu até que a moça veio acordá-la como prometera.

Aquele seu primeiro dia de liberdade, Letícia gastou perambulando pelo Centro da cidade. Depois pegou o metrô até o Largo do Machado, passou no seu antigo colégio, espiou os alunos novos, imaginou Gustavo já na faculdade. Catarina devia ter feito vestibular há um ano, como ela faria se tivesse continuado estudando. Acabou andando em direção à Bento Lisboa e parou na ruela antes de atravessar a rua.

Naquele prédio, ela havia morado com a mãe e o irmão por seis meses, quase o mesmo tempo que vivera escondida com Thomas. Até Mark encontrá-los e ela tentar matá-lo.

"Que pena que eu errei o tiro", pensou, sentindo os olhos quentes da tristeza de imaginar o irmão completamente sozinho nas mãos daquele louco. "Que bom que você errou o tiro, assim você sabe exatamente quem é quem nessa história e pode seguir adiante, sem levar mais tempo ainda presa." De vez em quando a Voz ainda aparecia dentro da sua cabeça.

Dois dias depois, começou a ter medo de procurar Felício de novo, telefonar para a mãe, procurar o irmão. Perguntou a Cleusa se não sabia de algum lugar onde pudesse arranjar serviço. A paraibana lhe disse, sem graça, que na loja vizinha daquela em que trabalhava precisavam de alguém. Era a loja de um árabe, uma espécie de secos e molhados, vendia nozes, amêndoas, passas, queijos, enfim, um armazém, disse a moça.

— Interessa? — perguntou.

Interessava. Letícia foi até lá no mesmo dia. O árabe escutou ela dizer que nunca tinha trabalhado, o pai havia morrido e a mãe emigrado para os Estados Unidos.

— Que mãe deixa uma garota bonita como você sozinha no Rio de Janeiro? — perguntou o velho, desconfiado.

— A minha — respondeu Letícia. E não disse mais nada, até que seu Hussane resmungasse uma aprovação.

— Vou fazer um teste com você. Um mês. E só porque a Cleusa pediu. Minha freguesa.

Em duas semanas estava aprovada. Trabalhar era bom, não lhe deixava tempo para ir atrás de Thomas, apesar de pensar nele o tempo todo. Ela precisava fazer alguma coisa, mas para isso tinha que se preparar primeiro. Ter algum dinheiro seu, um plano. O mais difícil nos primeiros dias era não ter um lugar sossegado para comer, pois não se sentia à vontade o bastante para sentar no balcão de uma lanchonete, comer entre estranhos num lugar sem gente vigiando. Não, ainda não estava preparada para socializar.

Letícia só queria ficar pronta para encontrar Thomas de novo, tentar reconquistar o amor dele. Sabia que era perigoso andar atrás do irmão, mas a ideia de que seu comportamento agressivo podia ser fruto de drogas a deixava doente de preocupação. Se a vissem procurando por ele — Vera ou algum professor do curso — poderiam denunciá-la à polícia. Ela tomara pavor à polícia, depois do acontecido na delegacia, depois de ver como eram tratadas as garotas que infringiam alguma regra na Unidade.

Um colega do trabalho, que sempre lhe dizia gracinhas simpáticas e um tanto atrevidas, fazia um curso de computação à noite, numa organização não governamental. Grátis, ele disse quando ela perguntou como funcionava. Letícia achou fácil, aprendera datilografia na Unidade numa máquina velha, no computador, com tudo digital, era mais fácil.

Um mês depois, já sabia mais do que o colega que lhe indicara o curso, mas não via como aplicar aquilo. O desânimo às vezes lhe batia. Num desses momentos de tristeza, teve o impulso de ver o irmão. "Só mais uma vez", pensou, "eu preciso ver Thomas de novo".

Mesmo sabendo do risco, ela foi ao curso onde ele estudava e esperou pela saída dos alunos. Thomas não estava entre eles.

Tímida, aproximou-se de um dos meninos, um todo compenetrado, de óculos. Puxou conversa a pretexto de buscar informações sobre o curso. Estavam ali, muitos meninos, algumas meninas, para se prepararem para os cursos militares de segundo grau. A carreira militar. Estudavam para ser oficiais, um dia. Seria ideia de Mark ou de Vera, Thomas estudar nessa escola?

Com muito jeito, Letícia perguntou sobre um menino que encontrara ali, numa outra ocasião, um ruivo, magro, alto.

— Ah, você está falando do Tommy. Ele já está aqui há dois anos, apronta muito, mas todo muito gosta dele. Quer dizer, gosta médio, porque ele dorme nas aulas e quando acorda faz gracinhas, inventa histórias sem cabimento. Às vezes, ele atrapalha. Mas é engraçado, inofensivo. Você quer fazer o curso também?

Ela não gostou da ideia de o irmão ser considerado o palhaço do grupo, tentou explicar sua preocupação para Netinha.

— Depois isso passa. É a idade, todo menino é assim — ponderou a outra. — Não se preocupe com ele. Ele não tem pai? Cuide de você. Está tão magra.

No dia em que, finalmente, conseguiu o diploma de computação, ficou tão animada que aceitou o convite do colega que parecia engraçado para tomar uma cerveja, no sábado seguinte.

Aquela não foi uma boa ideia porque o colega bebeu demais e se mostrou mais do que engraçado, foi atrevido, passando a mão no cabelo dela, dando-lhe uns beijos molhados em excesso, agarrando a mão dela e colocando entre as pernas dele. Foi um custo Letícia se livrar dele. Ela o convenceu de que precisava ir para casa, e ele insistiu em acompanhá-la. Estavam perto quando ele a encostou na parede na esquina e tirou para fora da roupa um membro pequeno e molengo que lembrou a Letícia o membro de Marcelo do Pó, como as meninas chamavam o policial do Catete. A lembrança provocou uma náusea incontrolável em Letícia, e ele se afastou enojado, o vômito lhe sujara a roupa. Ele a largou no meio da rua, foi embora xingando, curado da bebedeira. As companheiras de apartamento estranharam sua expressão assustada, mas não levaram a sério a história.

— Isso acontece — consolou-a Netinha. — Nem todo homem tem um pau que vale a pena. Coitado.

— O bom é que ele nunca mais vai tentar sair com você — acrescentou Cleusa.

Aquele episódio lhe deixou com uma saudade terrível de Felício, da tarde passada no antigo apartamento dele. Telefonou algumas vezes, na semana seguinte, para o trabalho dele. Ele sempre estava fora do escritório quando ela ligava. Uma vez ligou para casa, quem atendeu foi a esposa, cordial, mas distante, lhe desejou boa sorte. Esse telefonema deixou Letícia com um gosto de infelicidade pelo corpo que custou a passar.

Custou a passar também a tristeza de Felício não aparecer no apartamento, mesmo depois de seus telefonemas. Só apareceu no final do segundo mês, foi saudado com vivas por Netinha e pelas outras moças que estavam por ali, todas conhecidas dele.

Com Letícia, ele foi quase formal. Se ela não se lembrasse bem do gosto dos beijos dele, do corpo quase todo duro e compacto, com exceção da barriga que começava a se criar, ela pensaria que ele era um velho conhecido. De muito tempo e de pouco convívio.

Não podia dizer isso a ele, claro, porque havia o risco de ele responder que o conhecimento entre eles era pequeno, sem dúvida. Quantas vezes haviam se encontrado de verdade? Além disso, ele era velho para a idade dela. Sempre dissera isso. É claro que ela poderia insistir, peitar as palavras dele, como numa briga, numa disputa. Mas ela se sentia velha. Depois de tantas mudanças de casa, de escola, nenhum amigo, nenhum laço permanente, toda a tortura dos últimos anos e ainda entrar numa disputa? Por um homem que parecia não saber quem ela era?

— Você já pensou, Letícia, no que fazer? Estudo, trabalho... — Ele estava perguntando por seus planos, e as moças escutavam num silêncio educado, haviam parado de falar, de se mostrar para ele.

Esperavam em silêncio, elas que trabalhavam de balconistas, faxineiras, acompanhantes, massagistas, do que fosse preciso para pagar o aluguel, a comida e a cerveja no final de semana. Deviam comentar entre si a sorte de Letícia em contar com o apoio de Felício depois da triste sina de passar dois anos e meio na cadeia. Mortas de curiosidade para saber a ligação entre eles, mas quietas. Por educação. Por gentileza de pobre. Na Unidade também existia esse tipo de delicadeza, reconheceu Letícia. Não era só coisa ruim.

— Cleusa me arranjou um emprego, numa espécie de armazém — disse Letícia vendo com prazer que ele se espantava. — Fiz um curso de computação, achei que não ia conseguir, mas consegui sozinha.

"Ela não é apenas uma quase assassina, essa potranquinha", reconheceu Felício, sentindo um frêmito de tesão que tratou logo de afastar. "É uma sobrevivente, como eu."

— Tenho estudado em casa também — continuou orgulhosa.

— É mesmo, ela estuda noite e dia, nem sai de casa. Também, depois do que aconteceu... — Marivalda, amiga de Cleusa que estava lá, se calou ao ver a desaprovação das outras. Aquilo não era conversa para tecer com homens.

— O que foi que aconteceu? — perguntou Felício diretamente para Letícia.

— Eu vomitei em cima de um colega de trabalho que veio me trazer em casa — resumiu Letícia. Aquele era outro aprendizado de cadeia: não mentir, mas também não contar tudo.

Felício deduziu que o colega tentara alguma coisa e que o vômito fora a reação dela de nojo. Não devia ter passado disso, mas se ela estava estudando porque ficara traumatizada era o melhor. Ele ainda se lembrava dela aos 16 anos com o corpo machucado por um colega sádico. Felício não queria se envolver mais com Letícia, mas também não queria saber de algum homem abusado se aproveitando dela.

— E o que você vai fazer agora que já sabe mexer com computador? — perguntou Felício, e as moças viraram para Letícia em expectativa.

— Eu não decidi ainda. Talvez arranjar um emprego que pague mais, um apartamento pequeno. Tentar convencer meu irmão a me visitar, talvez morar comigo, mais tarde... — Ela parou porque notou que Felício estava passado com seus projetos.

— Você não pode fazer isso, Letícia. Eles podem destruir você. O inglês e a mulher dele.

— Eles não sabem, não têm como saber — tentou contra-argumentar Letícia.

— Claro que têm. O próprio Thomas vai contar. A qualquer momento.

Ela não podia acreditar nisso, não o seu irmão. Não discutiu com Felício. Ele que pensasse o que quisesse. Ficou quieta, num silêncio ressentido contra ele, até que Felício levantou e foi embora depois de beijá-la na testa e as outras moças no rosto.

Felício podia não concordar, mas ela não conseguiria seguir adiante sem ajudar o irmão.

Continuou procurando o irmão, três vezes por semana, pelo menos, no cursinho. Algumas vezes, ele aceitava caminhar um pouco com ela, os dois conversavam sobre o que ele estava fazendo, os amigos, e acabavam falando do passado, do pai dele, da mãe. Sempre divergiam, se separavam à beira da raiva e das lágrimas, às vezes com lágrimas e raiva.

Um dia, quase um mês depois, Letícia encontrou Vera esperando por ela na porta do cursinho. Outra mulher estava ao volante de um carro de luxo bem perto, a porta aberta, o celular na mão, como se fosse uma arma.

Vera foi rápida e feroz. Thomas estava em casa, vomitara a noite toda, de desgosto com a pressão que a irmã estava fazendo sobre ele desde que ela saíra da cadeia. Unidade Correcional para menores infratores, Letícia teve vontade de dizer ouvindo a gorda, ainda mais gorda do que ela lembrava, desfiar o quanto era doloroso para Thomas conviver com a irmã que destruíra a vida do seu pai. Do grande amor da vida dela, Vera.

— Ele disse que só escuta você por educação e por pena. — Nesse ponto, Vera percebeu que falava alto demais. Alunos paravam para ouvir o que prenunciava briga de rua. Entre mulheres. — Eu vim até aqui para proibir você de procurá-lo de novo. Você não tem mãe? Vá atrás dela.

Ela entrou no carro, a mulher do celular suspendeu os óculos para olhar para Letícia. Era uma expressão de pena, mas de impaciência também, como se dissesse "Já não basta de confusão, criatura, para que você vem atrás deles de novo?"

Aquele foi o momento em que ela mais sentiu a falta de Felício, depois do dia do tiro. Depois das primeiras horas na delegacia. Ver a mulher que vivia com Mark se afastar gesticulando raivosa, perceber as pessoas olhando e comentando na porta do cursinho em que o irmão estudava. E ela ali sozinha, tendo que voltar para o quarto alugado na casa de Netinha, sem poder ligar para ele, era horrível.

Era horrível, mas ainda não era o pior, descobriu nos dias que se seguiram. Não era pior do que esperar para falar com o irmão e escutar a confirmação das palavras de Vera. Ele achava doloroso demais estar com ela, preferia que Letícia não voltasse, não queria vê-la, achava um absurdo uma mulher praticamente capar um homem, como ela fizera com o pai dele, e passar apenas dois anos e meio na cadeia.

— Mas Thomas, eu atirei em legítima defesa, ele me torturava, nos torturava. Eu era menor de idade, nem tinha completado 17 anos...

— Nada justifica a violência do que você fez. Deixa a gente em paz, Letícia.

Thomas não queria mais vê-la, Felício não ligava para ela, só deitara com ela por pena ou, o que era ainda pior, porque queria comê-la pelo menos uma vez. No dia em que admitiu para si mesma essa possibilidade, cometeu a fraqueza final de ligar para a mãe nos Estados Unidos.

Felício deixara o telefone num papel, ela jogara no lixo, na frente dele, mas, depois, num impulso, jogara o lixo no chão, catara o papel e passara a limpo. Estava ligando, derrotada.

Ela não morava mais em Santa Bárbara, estava em Boston agora, e Letícia sentiu uma mistura de dor e raiva ao escutar a voz da mãe num inglês sem sotaque atender o telefone.

A voz de Amanda era a mesma que ela lembrava, a voz que a deleitava desde bem pequena. Uma voz cálida, doce, animada. Quando a mãe a reconheceu, reagiu como se as duas não estivessem separadas por mais de dez horas de voo e por três anos de desgraças abatidas sobre a filha.

Letícia se sentiu de novo a garota que Amanda abraçava apertado e custou a perceber que a mãe estava dizendo que não havia o que fazer em relação a Thomas e que o melhor era a filha ir ao seu encontro nos Estados Unidos e recomeçar a vida lá.

— Porque o seu visto ainda está válido, filhinha, você não vai precisar nem mentir naquela folhinha que eles pedem para preencher no consulado, perguntando se já foi condenado por algum crime. Se a imigração não lhe parar na entrada, pode viver aqui para sempre, é muito fácil.

Letícia desligou fazendo um esforço tremendo de afastar o invólucro de sedução que havia naquela proposta fácil. Foi como se fosse preciso fincar os pés no chão para reagir à voz alegre da mãe, ignorando tudo o que acontecera.

Letícia não tinha como saber que, a partir daquele dia, muitas vezes reagiria a tentativas de sedução e a propostas fáceis de forma enraivecida, mesmo que a raiva não fosse externada. Algumas vezes, a reação enraivecida seria como pontapés atirados a esmo por uma vítima de estupro durante o ato. Outras seria uma reação tardia e convulsa à tentativa de arrastá-la.

Nunca mais ela se livraria da sensação de medo de não conseguir fazer valer seu ponto de vista. Não depois de levar minutos para conseguir intercalar um parágrafo em defesa de Thomas no meio dos planos deliciosos que Amanda fazia para as duas.

— Mãe, Thomas está completamente entregue aos dois. Thomas está, provavelmente, usando drogas. Ele precisa se tratar, precisa da nossa ajuda.

— Ele está do lado do pai porque parece com o pai. Não sei como não percebi isso antes. Fraco, covarde como Mark. Só não se tornou violento ainda — disse Amanda, endurecendo a voz. — Eu liguei para a casa deles, várias vezes, de telefones públicos diversos, até conseguir falar com ele diretamente. Você precisava ver como ele me acusou, aos gritos, de ter abandonado vocês.

"Você abandonou a gente", quis responder Letícia, mas não conseguiu. Não conseguiu infligir essa culpa à mãe.

Naquele momento, Letícia não sabia ainda que levaria anos para conseguir deixar claro, imediatamente, quem ou o quê estava lhe incomodando. De uma falta cometida a uma grosseria de amigos. De uma injustiça de trabalho a um descaso de namorado. Quando ela conseguisse arranjar trabalho e namorados. Depois. Naquele momento, a mãe continuava falando.

— Estou vivendo com um americano maravilhoso, você vai adorá-lo, filhinha. Ele vai casar comigo e eu terei a nacionalidade americana. Venha para cá, ficar com a gente. Esquece o Thomas.

Letícia falava ao telefone em frente à Praça Serzedelo Correa em Copacabana e uns garotos esfarrapados brincavam de carniça, um pulando sobre o outro, divertindo-se de verdade, apesar de, provavelmente, viverem de esmolas ou pequenos furtos. No momento em que a mãe disse que esquecesse Thomas, Letícia viu o menino ruivo dos seus sonhos entrar na brincadeira. Ele deu um salto sobre um dos garotos, uma pirueta no ar e caiu de braços abertos, virado para ela, sorrindo triunfante como um ginasta olímpico.

— Eu não tenho dinheiro, mamãe.

— Eu mando para você, filhinha. Um amigo meu cubano, Juan Javier, ficou de me devolver um empréstimo. Mando o da passagem assim que ele me pagar. Mando para onde?

— Para a mesma conta poupança.

— Anote o meu endereço para você avisar quando souber o número do voo e me dê o telefone de onde você está.

Letícia anotou, se sentindo miserável pela facilidade com que a mãe descartara Thomas e por ter aceitado a oferta de dinheiro e o convite. Só depois que desligou foi que percebeu que Amanda não havia perguntado onde ela estava morando, como estava comendo, quem pagava suas contas. Aí teve raiva da mãe, para, em seguida, justificá-la com o sofrimento passado nas mãos de Mark, no tempo em que ficara sozinha. A oscilação entre a raiva e a culpa a deixava cansada, com vontade de voltar a fumar, como fumava na Unidade. Só não voltava porque o cigarro lhe lembrava aqueles tempos, e isso também era difícil.

Os dias que se seguiram, no entanto, diminuíram seus remorsos e aumentaram sua raiva porque Amanda não mandou o dinheiro de pronto. Ligou uma vez, chorando, altas horas da noite, porque o namorado americano a pegara aos beijos com o amigo cubano e agora não queria saber mais dela. Letícia a consolou como pôde, morta de sono. Netinha, que precisava acordar cedo no dia seguinte, foi quem atendeu, meio de cara amarrada pelo telefonema inconveniente. No final, Amanda prometera mandar mil dólares na manhã seguinte; mandou setecentos uma semana depois.

Neste ponto, Letícia já sentia náusea só de passar no banco e não encontrar dinheiro. Como sentia náusea de infelicidade porque Felício a tratava à distância.

Quando o dinheiro finalmente chegou, ela saiu do banco frequentado todos os meses em que cuidara do irmão, sozinha, escondidos os dois. Estava indecisa se voltava para o trabalho ou se almoçava em alguma das lanchonetes perto dali. Lembrou-se do árabe, no Largo do Machado, onde, nas vezes que sobrava dinheiro, comprava quibes para ela e Thomas.

Comprou esfirras e uma lata de refrigerante, saiu com o embrulho para viagem, ainda dava tempo de não chegar atrasada ao trabalho.

À direita do árabe, uma butique; à esquerda, uma agência de viagens. Letícia tomou a esquerda e parou em frente à porta de vidro. Uma mulher de cabelos pintados de louro claro fumava próximo dali; devia ser funcionária. Sorriu para ela, perguntando se podia ajudar.

— Eu queria saber... só por curiosidade... É caro um curso de inglês fora do país?

— Curso de inglês onde? Estados Unidos? — perguntou a loura.

— Não, Estados Unidos, de jeito nenhum — respondeu Letícia. Ela não queria ficar perto da mãe.

— Você não quer entrar? Eu vejo para você quais são as opções.

Meia hora depois, Letícia sentava na Praça São Salvador, comendo seu lanche e examinando os prospectos que a mulher da agência de viagem tinha deixado com ela.

As esfirras tinham esfriado, mas continuavam gostosas como ela lembrava: o recheio oleoso que, se não se tomasse cuidado, escorria para a roupa. Comeu contente, sentia-se bem depois da conversa, imaginando a hipótese de sair do Brasil, do Rio de Janeiro, fugir para longe de Thomas, do pai dele, do passado. Era bom sonhar com a possibilidade, mesmo que não desse para fazer.

Um menino pequeno passou correndo rente aos seus joelhos, esbarrou nela, derrubou os papéis e a lata de refrigerante. A mãe do garoto, que vinha atrás, parou para pedir desculpas; o filho já subia a escada do escorrega. Letícia sorriu, "não foi nada", disse.

Abaixou para pegar os papéis molhados, o anúncio do curso de inglês com bolsa de trabalho na Irlanda.

De muito longe, veio a lembrança de Mark correndo atrás de Thomas com o cinto, Thomas derrubando os suvenires de guerra do pai. "Você quebrou minha bruxinha irlandesa."

Lembrou-se também da ocasião em que ela, Amanda e Thomas estiveram na delegacia, o advogado dele apresentando os comprovantes do consulado, a folha de serviço de Mark na luta contra o terrorismo na Irlanda. Mark odiava os irlandeses. "Carentes e oferecidos como vocês brasileiros."

Ela acabou de recolher os papéis, saiu devagar, indecisa sobre o caminho a tomar. Na esquina do Corpo de Bombeiros, olhou para a pracinha e teve a visão fugidia de um garoto ruivo, quase do tamanho de Thomas antes de ela ser presa, acenando alegre, um gesto largo, antes de descer o escorrega na frente do menino pequeno que derrubara as coisas.

Voltou sobre seus passos, não havia nenhum menino ruivo, de mais ou menos dez anos. O menino lhe lembrava o irmão, era por isso a impressão de estar enxergando a criança em vários lugares. Não existia nenhuma criança ruiva. Letícia foi de novo à agência de viagens, pediu para a vendedora fazer as contas para ela. Quando chegou atrasada ao trabalho, escutou tranquila a reclamação, já decidida sobre o que fazer.

Ela precisou ligar três dias seguidos para o trabalho de Felício até conseguir falar com ele, que marcou um almoço para dois dias depois, num restaurante no Centro da cidade. Ela preferia um lugar onde pudessem ficar a sós, mas não disse. Era duro de admitir, mas era esse o final que ele queria. Que fosse então.

— Viajar para a Irlanda?! — exclamou Felício pousando o garfo. — Por que Irlanda?

— Porque lá se fala inglês, tem bastante trabalho para estrangeiros... — começou a explicar meio desanimada. Não parecia tão boa ideia assim, pela reação dele.

— Por que não Austrália, então? Se é por falar inglês qualquer lugar serve.

Do jeito que ele falava, parecia que ela estava prestes a fazer uma maluquice como a que a mãe fizera. Começou a ficar com raiva.

— Austrália é mais caro. Longe demais também. Dizem que os irlandeses parecem com a gente. Com os brasileiros.

Ela fez um esforço para controlar a raiva, olhou para ele sabendo que seus olhos estariam passando mágoa e ressentimento, mas sem conseguir evitar. Queria tocar na mão dele por cima da mesa. Queria beijá-lo. Controlou-se. Meninas oferecidas apanham mais.

— Eu achei que você ia gostar da ideia.

— Gostar da ideia de você ir para um lugar onde não falam sua língua, onde você não conhece ninguém, onde não conta com nenhuma ajuda? — Felício riu sem alegria. — Por que eu gostaria dessa ideia?

Os dois ficaram quietos, por momentos, sabendo, no fundo, a resposta à pergunta dele. Ele deveria gostar de ter vários países separando-os. Porque Felício jamais deixaria a sua vida estável para ficar com uma garota como ela. E ela levaria muito tempo para esquecer o primeiro homem que a tratara com sensualidade e doçura. A Irlanda era uma boa opção.

— Eu já estive em Dublin — disse, afinal, Felício — É verdade que o povo lá parece com a gente. Quem contou isso para você?

— Mark. Ele odiava, odeia, sei lá, os irlandeses.

— Gosto mais deles agora — disse Felício com secura. — Você não respondeu por que eu deveria gostar dessa ideia.

Anos depois, quando viu o menino ruivo de novo, num aviso triste de desgraça acontecida, ela se censurou amargamente por não ter respondido a verdade: "Eu achei que você ia gostar de me ver longe porque acho que você sabe que estou desesperada para estar perto, para ter você, dormir com você, escutar você, até vontade de ter um filho seu eu tive, mas você casou antes de eu voltar, e se eu estiver longe, a tentação vai estar longe também. Se eu ficar perto, não vou resistir a procurar, a ficar rondando, por mais que eu tenha aprendido na medida socioeducativa por tentativa de homicídio a evitar o perigo de correr atrás das pessoas."

Naquele almoço, ela tinha acabado de completar vinte anos, apesar de tudo o que havia acontecido habilitá-la como mais velha. Não tinha ainda nenhuma sabedoria sobre a importância de dizer palavras apaixonadas.

Não sabia ainda que a paixão, por mais que não seja vivida plenamente, não envergonha, ao contrário, engrandece. Mais tarde, ela escreveria essas palavras, num livro sobre o menino ruivo. Não tinha ideia, porém, naquele almoço do que aconteceria mais tarde. Para ela, o menino ruivo era uma maluquice da sua cabeça, sem nenhuma relação com viagens e decisões.

Ela também não sabia que não teria outra oportunidade de se declarar para ele e, por isso, se agarrou na racionalidade e no orgulho e respondeu:

— Acho que você quer me ver longe de situações arriscadas. Fora daqui tenho mais chances de não me meter em confusão. Começar do zero.

— Do que você precisa?

O dinheiro que a mãe colocara na poupança estava lá, pagava o curso. Ela precisava que Felício fizesse um crediário, ela arranjaria um emprego, mais de um, se necessário, e mandaria as prestações.

— Eu vou pagar, Felício. Não se preocupe.

— Eu sei que você vai pagar, Letícia — respondeu ele.

Igual à sua conversa com dr. Francisco, há tantos anos. Naquela época, ele era tão jovem quanto ela. Felício reconheceu a semelhança, ela não tinha como saber.

— Quando você quer ir?

— O mais rápido possível. Eu preciso ir embora.

Felício tomou um gole grande do chope, passou a mão de leve na mão de Letícia.

— Estados Unidos, onde está sua mãe, nem pensar?

— Não quero ver minha mãe. Ela ter me deixado sozinha já foi muito ruim, mas deixar Thomas nas mãos daquele monstro, com aquela mulher...

Letícia parou de falar, puxando o ar com força e controlando as lágrimas, uma escapou; ela a secou com o lado de fora da palma da mão.

— Estou chorando por qualquer coisa, esses dias. Achei que tinha desaprendido a chorar, nos últimos anos. De raiva das garotas que se achavam mais fortes do que eu.

— Ah, isso de se achar mais forte é geral — disse Felício. — Uma espécie de bônus por dores suportadas.

— É por isso que eu preciso ir embora daqui, porque se eu ficar posso acabar do mesmo jeito.

— Igual às garotas presas?

— Se eu ficar aqui, Felício, vou reaprender a chorar ou vou ficar igual a elas. Dura e seca por dentro.

Por um momento, quase contou para ele das vezes em que se sentia encurralada pela solidão. Ou dos sonhos com um menino ruivo.

Por um momento, ele pensou em comentar as lembranças do final de semana na Irlanda, a capital era um lugar agradável, ele nem sentira a barreira da língua. Ela arranjaria logo um namorado, pensou com uma ponta de ciúmes. Afastou o sentimento, não tinha o direito.

— Acho que você vai adorar Dublin. É para lá que você vai, não é? Na outra Irlanda existe guerra.

Os dois se calaram. Não havia muito mais a conversar, a menos que Letícia aprofundasse o desabafo. O que ela diria para Felício? "Estou apaixonada, sei que você está casado, sinto muito, mas eu o vi primeiro, muito antes dela, cheguei mais tarde, mas vi primeiro, quero você para mim." Não podia dizer isso, não podia chorar, não podia salvar o irmão, não podia contar com a mãe. O que ela podia fazer era ir embora.

Ele comprou a passagem, ajudou nos preparativos e a levou no aeroporto. Em nenhum momento caiu em tentação de beijá-la como ela queria.

"Vou pra Irlanda reinventar o meu passado, Felício, obrigada a você e a sua coragem de matador solitário, obrigada pela violência terna ou a ternura violenta com que você me comeu, obrigada por deixar claro com seu sumiço que eu não tenho lugar na sua vida, obrigada por tudo, meu amor, meu amor, meu amor."

Ela planejara vinte vezes nos dias que antecederam a viagem um discurso de despedida. Com o objetivo secundário, mas importante, de fazer Felício fraquejar na decisão de manter a distância.

Primeiro decidiu o que não falaria. Não falaria do medo que tinha daquela decisão súbita ser coisa de garota de vinte anos carente fugindo do desespero de não ter mãe, irmão, namorado. Felício entenderia como uma tentativa de querer mais do que aquela tarde de sexo total, mais do que a ajuda que ele lhe dera.

Não falaria também do menino ruivo. Visões com meninos que não existiam escorregando em brinquedos infantis eram indícios de surtos. Como os que levavam os "tios" na Unidade a dar remédio para as meninas em crise de abstinência.

Planejando a despedia, refazia as palavras. Contaria do impulso de começar vida nova, a certeza de que arranjaria um emprego e desenferrujaria o inglês estudado, faria amigos que não conhecessem o seu passado.

Não fez nenhum discurso, confidência, não chorou. Ele a abraçou, como se quisesse transmitir um pouco da própria força, mas não a abraçou como amante, abraçou como um urso benévolo que protege um animal mais fraco.

Relembrando os preparativos, o abraço dele, o discurso que ela não tivera coragem de pronunciar, Letícia sentiu que começava a chorar no avião que a levava de Londres para a Irlanda, nos minutos que a separavam de Dublin. A última etapa da viagem.

A viagem não fora fácil. A chegada ao aeroporto de Heathrow em Londres, a espera durante horas pelo voo seguinte, o medo de não escutar quando chamassem para o embarque, de não entender o sotaque do motorista de táxi quando desse o endereço da casa onde ficaria hospedada, de não saber fazer o câmbio. Medo de afundar, medo de não conseguir emergir.

Ela não queria pisar na Irlanda chorando. Sacou, então, da sua caixa de recordações para usar em situações de desespero, coisas engraçadas escutadas de Netinha enquanto preparava a mala com ela. O otimismo cínico da paraibana, a voz tão clara em seus pensamentos:

— Tem mulher que prefere homem a sexo. Eu acho que é bestagem, porque sexo é mais gostoso, e se a gente só quer sexo, eles ficam com menos medo. Gostar mais de homem, pra quê? Essas bobas sofrem e se divertem menos, trepam menos, se apaixonam mais. Mas não tem jeito, são assim e pronto.

"Você acha que elas criam uma maluquice na cabeça com os caras?", gostaria de ter perguntado Letícia, na hora, mas não perguntou, receosa de demonstrar interesse em excesso na resposta, com o medo que tinha de, a qualquer momento, abrir as comportas e se derramar em confidências. Sobre Felício, inclusive.

Para Letícia, conversas imaginárias eram tão palpáveis como se elas tivessem acontecido de verdade. O que ela imaginava era, ao mesmo tempo, prazer e alento e, ao contrário da realidade, não precisava de comprovação. Uma das coisas boas de chegar a Dublin foi precisar falar outra língua em conversas reais. Letícia passou a ficar menos tempo entregue ao devaneio.

Nos primeiros tempos, suas companheiras eram uma chilena, Nadia, e uma francesa, Claire, as duas procurando o domínio do idioma e farra, esclareciam rindo, porque ninguém entenderia o sotaque delas, fora dali. Depois constituiu um pequeno grupo de amigos de nacionalidades diversas, uns migrantes ilegais, outros residentes, poucos locais. Trabalhava muito, numa loja de cosméticos alternativos, estudava inglês, lia, tentava esquecer.

Um dia Felício se tornou uma lembrança distante, alguém para quem rabiscara uma carta mínima depois de ter jogado fora dezenas de rascunhos apaixonados. Lembranças educadas. Ele nunca escrevera de volta. Nenhum contato.

Escrevia para Thomas uma vez por mês, mas ele não respondia. Comunicara à mãe que fazia um curso de inglês em Dublin, trabalhando. Amanda respondeu numa carta magoada que, pelo visto, ela não tinha mais filhos, porque filhos não fogem da mãe. Letícia, que estava tentando aprender a ser mais fria nos sentimentos, não respondeu.

Um ano depois, começou a se empenhar um pouco mais com os homens. Saiu com um francês, baixinho e charmoso, algumas vezes. Depois, com um turista alemão. Teria namorado um japonês se as amigas não a fizessem rir tanto com piadas preconceituosas que ela perdera toda a atração pelo oriental.

Havia alguma coisa estranha com ela, reconhecia isso. Envolvia-se rápido, mas, por algum motivo, os homens lhe davam a impressão de que ela os incomodava. Isso a fazia colocá-los na vala comum dos que não valiam a pena. Para se consolar, trabalhava, bebia com os amigos, fazia sexo quando o envolvimento parecia ter chance de ir adiante. Em geral, não ia.

Estava num início de paixão com um italiano quando foi com ele e uns amigos a uma excursão a Cliff of Moher.

Dessa vez, viu nitidamente o menino ruivo. Dessa vez, ele estava sentado, parado, triste e movia os lábios, e Letícia sabia exatamente quais palavras o menino sem nome dizia sobre a paixão. Os amigos a viram parada e se aproximaram; ela chorava copiosamente, sem dizer o motivo. Os italianos e irlandeses presentes no grupo se persignaram quando ela conseguiu finalmente contar o que acontecera. Má fortuna, murmurou um, sendo repreendido por outros.

Felício saiu do apartamento de Lorena às cinco da tarde. Era sempre assim que ele pensava sobre o lugar onde morava. Não era o apartamento dele, não era o apartamento da mulher dele, era o apartamento de Lorena. Independente de estarem casados e aquele ser o lugar onde ele dormia, comia, transava com a esposa. Não era a sua casa. Não recebia o irmão, a cunhada e os sobrinhos ali. Eles nem vinham ao Rio, era Felício que, uma vez a cada dois, três meses, ia a Juiz de Fora com presentes, às vezes passava o fim de semana.

Na porta do prédio, ele olhou para cima e Lorena estava na janela, não vigiando sua saída, ela não faria isso, apenas fumando o cigarro ocasional que fumava longe dele. Felício acenou para a mulher, ela acenou de volta, talvez acreditando que ele iria encontrar amigos, talvez sabendo que ia ao encontro de outra.

Ele entrou no carro lembrando-se do casamento deles, cinco anos antes. No cartório, poucas amigas de Lorena. Para surpresa de Felício uma delas era a loura ex-amante do ex-chefe dele. Cristiano foi testemunha, saiu acompanhado da ex, a mulher dele não fora. Felício se tornara uma pessoa incômoda para a família desde que seu testemunho não ajudara a livrar o namorado de Luciana da cadeia. Por que mesmo ele casara com Lorena? Porque ela trepava bem e o impedia de se preocupar com o que não tinha remédio. Nos últimos dias ele estava assim, dado a reminiscências, a avaliações.

Felício deixou o carro num estacionamento na rua do Riachuelo e foi a pé até o bar onde se encontraria com Netinha. Um advogado do escritório onde trabalhava lhe perguntara um dia porque ele, Felício, traía a mulher.

— Eu não traio minha mulher — respondeu. — Muito de vez em quando saio com outra.

Se o colega lhe perguntasse por que de vez em quando era com Netinha, Felício não saberia responder. Ela o encontrava num dos bares da Mem de Sá ou da Inválidos, os dois bebiam algumas cervejas e ele a levava para um dos hotéis baratos ali por perto. Por que Netinha, ele não saberia dizer. Ou saberia, se considerasse que ela sorria o tempo todo, contava histórias o tempo todo, o atualizava sobre a vida dela e dos outros, e trepava bem.

Naquele domingo, ele bebeu uma cerveja e Netinha duas. Ela sempre bebia mais do que ele, gostava de ficar alta, gostava de falar na cama o quanto ele era o homem mais tesudo do mundo, o que Felício imaginava que falasse para outros também. Sóbria e vestida ela dizia que ele era bom, amoroso, cumpridor dos combinados. Bêbada e nua, elogiava seu corpo e sua performance.

Os elogios à sua retidão eram porque nos encontros ele a escutava, lhe dava atenção, não era como os outros, interessados só em sexo. Ou então por causa do empréstimo de quinhentos reais que fizera uma vez para alguma misteriosa necessidade dela. Acima de tudo pelo desapego da ajuda que ele dera "à pobre da Letícia", como Netinha a chamava.

— Letícia agora está no bem bom na Europa, nem deve se lembrar da gente — disse Netinha se escorando dengosa no braço dele quando saíram do hotel.

— Letícia está agora no frio e deve se lembrar da gente sim — retrucou Felício, estranhando uma criança sozinha andando na frente dele, às oito da noite, na Mem de Sá. Parecia, de costas, com o irmão dela, Thomas, só que o andar era mais leve.

— E você lembra, Felício? — perguntou Netinha.

— De vez em quando lembro — respondeu distraído. — Semana passada mesmo eu lembrei. Eu deveria ter ajudado mais Letícia.

— Você ajudou tanto. Pagou a passagem...

— Emprestei o dinheiro. Ela me devolveu. Foi pouco.

Eles ficaram em silêncio até a entrada do Bairro de Fátima quando Netinha começou a lhe contar de um coitado que morava no prédio dela e se envolvera com o tráfico do morro vizinho. Felício em determinado momento parou de prestar atenção porque o menino ruivo — agora ele tinha certeza de que era o mesmo dos sonhos — estava na esquina da rua enladeirada onde Netinha morava.

— Mas o cara foi preso? — perguntou Felício tentando disfarçar o mal-estar. O que estaria acontecendo com Letícia? Porque os sonhos e o menino estavam relacionados com ela, tinha certeza.

— É isso o que eu estava te dizendo, homem! O policial levou o cara e a mãe teve que pagar para não lavrarem o flagrante.

Eles estavam chegando, Felício se despediu com um beijo que Netinha classificaria depois como preocupado, mas que era, na verdade, um beijo com pressa. Ele queria ir embora dali, procurar em seus papéis o telefone que Letícia enviara, ligar para ela, se certificar que os pensamentos dos últimos dias eram distração apenas. Esperou Netinha abrir a segunda portaria e foi nesse momento que escutou o barulho de uma moto subindo a ladeira. Quando Felício virou para descer a rua ainda pôde ver o menino ruivo chorando, antes de o homem que estava na garupa da moto voltar o revólver em sua direção e atirar.

L̲etícia dormia no sofá onde se deitara na volta a Dublin, antes do previsto. O passeio perdera a graça, o italiano perdera a graça, só queria dormir e esquecer a frase do menino sem nome. Acordou de madrugada com o telefonema de Netinha.

Nunca mais haviam se falado. Três ou quatro postais ela mandara para a paraibana que havia lhe abrigado nos longos meses em que rastejara por Felício, por Thomas. Mandara os postais para Netinha dando conta dos progressos, das mudanças de endereço e telefone. Netinha respondeu uma vez, pedindo desculpas pela falta de contato, tinha preguiça de escrever, cansava a mão.

No telefone, Letícia supôs que Netinha, engasgada de lágrimas, tinha bebido, pelas primeiras palavras.

— Letícia, você se lembra de mim? Netinha. Do Rio, amiga de Felício?

— Claro, Netinha! Como vão as coisas? — perguntou Letícia temerosa pela surpresa.

— Foi o Felício, Letícia. O Felício. — A outra chorava abertamente, um choro alto. Letícia escutou vozes ao fundo, amigas consolando e Netinha chorando cada vez mais.

— O que aconteceu com Felício? — perguntou Letícia à toa, já sabendo a resposta, por causa do menino na falésia. As lágrimas do menino, as palavras.

— A gente foi tomar uma cerveja aqui perto. Ele me trouxe em casa e, quando estava indo embora, tomou cinco tiros de um cara de moto. Eu voltei correndo, mas ele já estava morto. — A outra chorava.

— Quando foi isso, Netinha?

— Ontem, no início da noite. Uma das balas acertou o coração. Felício não teve tempo de nada.

Letícia se lembrou dele quando ela tinha 12 anos. Quantos anos fazia? Mais de dez anos? Parecia um século. Ela perguntando: "O que aconteceu, seu guarda, com a mulher que deu queixa?" E ele respondendo zangado: "O marido matou quando saiu da delegacia." E Letícia, criança, insistindo: "E o que aconteceu com o marido?" Felício respondera: "Quando saiu da cadeia, um desconhecido acertou uns tiros nele."

— Nunca mais, nunca mais, ele vai me pagar uma cerveja no balcão, nunca mais vai me alisar as coxas por debaixo da saia quando ninguém estiver vendo, nunca mais aquele moreno vai se meter dentro de mim... — Netinha soluçava alto, num despudor de bebedeira. — Eu não queria nada dele, só que ele me pagasse uma cerveja, desse risada comigo, me comesse daquele jeito gostoso.

Alguém tirou o telefone da mão dela, outra pessoa, quem sabe mais de uma, a levou para longe do aparelho, Netinha chorando sem parar. Uma voz gentil e meio envergonhada pediu desculpas a Letícia, era a tristeza, a bebida, os dois eram muito amigos.

Letícia atalhou as desculpas, ligaria quando fosse noite no Brasil, para dar tempo das coisas se acalmarem. As lágrimas corriam pelo rosto, sem o barulho do choro da outra. Para quem ela choraria a morte de Felício?

Pensou que não teria soluços e gritos, num desespero como o de Netinha, mas descobriu em seguida que era fácil. Bastava pensar que não existia mais a chance de tê-lo. Bastava se lembrar do corpo dele junto ao seu, o autocontrole dele tão diferente da entrega apaixonada dela. Para chorar como um rio caudaloso, lembrar que ela havia preferido sair do Brasil a insistir em esperar pela atenção dele. Por isso, Netinha estivera do lado do corpo e ela não.

Os dias seguintes lhe pareceram anos, numa tristeza de quem não está viva. Ou numa certeza de que está viva, mas não encontra prazer nisso.

Não havia outro igual, pensou Letícia, carpindo a morte do homem que podia ter amado. Ele estava fora da vida dela para sempre.

A dor era tanta que não dava nem para sentir ciúme de Netinha, da mulher dele, das prováveis outras amigas. Então ele continuara pegando mulheres, uma aqui, outra ali, como ela suspeitava, mesmo depois de casado. Só não quisera a ela, Letícia, que não se incomodaria de lavar, passar, cozinhar, qualquer coisa, desde que ele a deixasse ficar, ao menos, por perto. Isso era o mais insuportável.

Mais dez dias — ela estava no trabalho — e outro telefonema surpreendente: a mulher de Felício.

Letícia não a conhecera, nos poucos meses em que ficou no Rio, antes de se convencer de que esperar por Felício, por Thomas, por Amanda a destruiria. Lorena, era esse o seu nome, foi direto ao ponto.

— Uma semana antes de morrer, Felício me pediu que, se alguma coisa acontecesse com ele, entregasse a você uma quantia. Disse que era para você realizar um sonho. Estou ligando para saber seus dados para enviar o dinheiro.

— Por que ele fez isso? Alguma ameaça, doença? — Letícia não podia imaginar Felício prevendo a própria morte. Era ela que via gente que não existia, ouvia voz que não era a sua.

Houve um breve silêncio. A voz da mulher de Felício tremeu um pouco ao responder.

— A polícia tentou essa linha, mas se convenceu de que foi uma tentativa de assalto. Felício deve ter reagido.

Aquilo não fazia sentido para Letícia. Felício conhecia a cidade, conhecia bandidos, por que ele reagiria?

— É tão estranho Felício ter se lembrado de mim, ter me deixado dinheiro. Você tem certeza de que não houve nada?

A viúva de Felício demorou um pouco mais a responder.

— Ele deixou essa recomendação sobre você no dia em que o ex--noivo da filha do meu chefe saiu da cadeia onde estava preso por tráfico de drogas. Felício deve ter se impressionado com o caso, a fragilidade da juventude...

O que Lorena não contou foi que a filha de Cristiano havia viajado com o ex-noivo na noite em que Felício fora baleado. A própria Lorena havia marcado as passagens, a moça se tornara incontrolável enquanto o rapaz esteve preso, os pais haviam desistido de resistir ao namoro, às visitas na cadeia. Lorena pensou em comentar com Felício, quando marcou as passagens, mas o hábito de não falar dos assuntos da família do dr. Francisco foi mais forte.

Na missa de sétimo dia, uma advogada do escritório para o qual Felício prestava serviço se ofereceu para acompanhar as investigações. Lorena recusara. Não queria também envolver Netinha. Aquela devia ser mais uma das mulheres com quem o marido saía eventualmente. Não que elas a incomodassem. Sabia que ele ficaria com ela até o fim. Felício se acostumara a ser cuidado.

Letícia estava falando, enquanto Lorena se perdia em pensamentos:

— Eu não sei se devo aceitar o dinheiro porque ele tinha irmão, tinha sobrinhos, você...

— Não se preocupe comigo. Eu tenho uma situação confortável. Felício já ajudou muito o irmão e os sobrinhos, e o pai do meu chefe acaba de fazer uma doação a eles.

Lorena não disse que dr. Francisco havia ligado da fazenda, dando os pêsames e oferecendo ajuda se fosse necessário. "Seu marido foi muito útil à minha família. Conte comigo com o que for preciso." Disse naquele jeito seco que Lorena se acostumara a ouvir desde sempre. Ela havia comentado com Cristiano, na missa de sétimo dia, o oferecimento da advogada. Dr. Francisco soubera e a dissuadiu: "Minha filha, nenhuma investigação vai trazer Felício de volta, toque sua vida, você é jovem ainda, é bonita, bem-sucedida, tudo vai se ajeitar."

"Como vou suportar a falta que ele faz na minha cama?", pensou Lorena, enquanto anotava os dados bancários de Letícia. "Onde vou arranjar outro como ele? Um homem capaz de enxergar coisas que eu não consigo. Capaz de se preocupar com uma quase assassina do outro lado do mundo, só por causa de lembranças em comum?"

Ela não queria pensar nisso. Precisava tocar a vida, dr. Francisco tinha razão.

— Eu queria entender por que Felício se lembrou de mim assim de repente — murmurou Letícia quando se despediam.

— Você está impressionada à toa. Ele tinha uns pesadelos, de vez em quando, alguma coisa ligada ao padrasto dele. Deve ter tido um pesadelo desses e aí se lembrou de você. Não pense mais nisso — disse Lorena, desligando.

Não pensar mais nele. Era impossível. Naquela noite, ela foi dormir cedo, exausta de tanto lembrar.

"Às vezes, acontece uma coisa engraçada com pessoas que tiveram experiências terríveis. Elas aprendem a seguir sonhos."

Letícia acordou com essa frase na cabeça, no meio da madrugada, e soube, no mesmo instante, que não conseguiria dormir de novo.

Estivera sonhado com o passado. Felício estava no sonho e também aquele estranho menino ruivo. O que lhe aparecera na biblioteca da escola, na pracinha próxima ao Largo do Machado, junto ao telefone quando ligava para Amanda e depois em Cliff of Moher. O menino dos sonhos.

Ligou o abajur do seu lado da cama para anotar a frase, como fazia sempre, depois de receber o telefonema de Netinha com a notícia da morte. Não usava mais o caderno com as conversas imaginárias, com os primeiros contos com monstros. O caderno estava guardado, o bloco do lado da cama só continha tristezas atuais.

Levantou-se, sem fazer barulho, não queria acordar a colega de apartamento. Procurou o caderno numa mala debaixo da cama, foi para a cozinha, fez um café, começou a escrever.

Escreveu um pouco, no caderno pautado que lembrava os cadernos da sua infância, antes de Mark, antes de Felício, antes de o menino ruivo aparecer na sua vida. Depois, contra sua primeira expectativa, deitou e dormiu um sono sem aparições e sem mortos.

Outubro de 2000. Resgate.

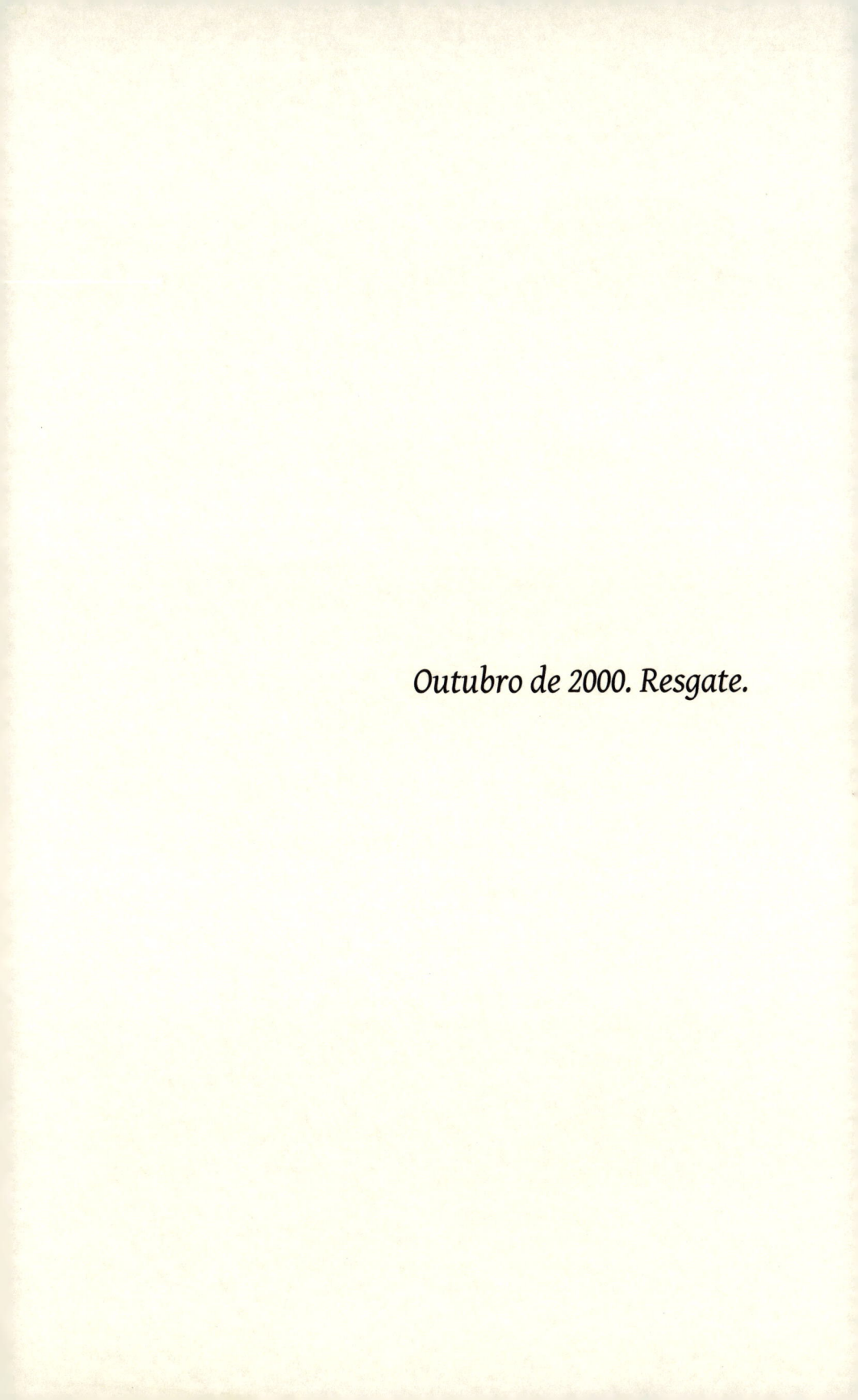

A EDITORA QUE HAVIA PUBLICADO O PRIMEIRO LIVRO de Letícia telefonou um dia perguntando se ela podia conversar com um leitor que ficara intrigado com a história.

— Claro, pode pedir para ele me ligar.

— Será que você poderia passar aqui? — Genievre hesitou por um instante, era uma senhora de setenta anos, tímida ou formal, Letícia nunca soube exatamente como classificá-la, mesmo depois de quase três anos de convivência. — É uma espécie de sobrinho meu, mora na América.

Letícia imaginou um adolescente, tímido como a tia, interessado em histórias góticas de monstros e anjos pouco ortodoxos. Não era. Quem estava na sala de Genievre era um irlandês alto, de cabelos pretos e olhos azul-escuros, talvez uns oito ou dez anos mais velho do que ela. No máximo.

— Quer dizer que você está há seis anos na Irlanda, escreve histórias em inglês e está tão adaptada que conhece nossos mistérios folclóricos! O que aconteceu? Você casou com um bom rapaz irlandês e ele lhe contou tudo?

— Não, claro que não — respondeu Letícia. — Eu sou solteira. O menino sem nome me apareceu em sonhos algumas vezes, eu achei que seria um bom personagem.

— Você não acredita em anjos? — perguntou ele.

— Não sei. — Ela riu.

— Eu acredito. Fui protegido por um anjo quando minha mãe morreu.

— Sua mãe, irmã de Genievre? — Letícia temeu estar sendo invasiva ou mal-educada, mas ele lhe despertava comichões de curiosidade. — Desculpe, é que vocês não se parecem.

— Não tem problema. Eu gosto quando garotas bonitas se interessam pela minha história — disse ele e alargou o sorriso quando percebeu que ela ficava vermelha. — Genievre não é minha tia, ela, inclusive, é meio inglesa.

Ele seguiu contando como ela o colocara para fazer pequenos serviços na editora e como, depois, ele se interessara por histórias semelhantes às que vivera na infância e acabara por trabalhar numa fundação que resgatava crianças e adolescentes em situação de risco.

— Mas não vou lhe contar histórias tristes. — Ele sorriu e ela sentiu um balanço por dentro. — Eu li seu primeiro livro, o *Sem Nome*, que Genievre me enviou por correio. Gostei dos irmãos em perigo numa aldeia cercada de monstros. Gosto das suas crianças protagonistas.

— Fico feliz que você tenha gostado. — Letícia podia ouvir sua voz, apesar de não reconhecê-la. Ela estava mesmo flertando com o sobrinho da editora que aceitara publicar seus contos e lhe possibilitara algum sucesso?

— Eu pedi para Genievre marcar esse encontro porque eu queria lhe fazer uma proposta, na verdade um convite.

O convite era para viajar para os Estados Unidos, fazer palestras sobre abuso infantil e literatura.

— Eu acho que uma escritora jovem, bonita, brasileira, que escreve em inglês e mora na Irlanda pode ser um incentivo para se discutir o assunto.

— Não tenho vontade de conhecer os Estados Unidos — disse Letícia, secamente.

— Nem a Califórnia? É um estado lindo, faz calor, não tanto como no Brasil, mas tem a mesma mistura...

— Eu suponho que você deva me achar bastante exótica para fazer esse convite, e que a referência ao Brasil e à mistura seja um elogio, mas eu não quero ir aos Estados Unidos. — Letícia sabia que parecia zangada, agressiva, mas era como ela se sentia, às vezes. Reagindo a um homem atraente de maneira inadequada. Só conseguia lidar bem com amantes casuais. "Sou um fracasso", não pôde evitar a autocomiseração.

Ela levantou, encerrando a conversa.

— É autobiográfico, não é? — perguntou ele, apertando a mão que ela estendia. Letícia recolheu a mão rápido, chocada.

— Desculpe, acho que não entendi aonde você quer chegar.

— O livro é autobiográfico, não é? Por isso você não quer participar de um ciclo de debates com jovens.

— Quem lhe deu o direito de falar comigo assim? — Ela sabia que extrapolava, mas a raiva antiga tinha ressurgido, inclusive porque de alguma forma obscura ele lembrava um pouco Felício. Ela só não sabia em quê.

— Já participei do resgate de muitas crianças em sofrimento. Eu devia ter notado as pistas — disse ele, calmo, como se a raiva dela não estivesse em ebulição na sua frente. — Eu espero que seu outro livro, *Sereia*, também seja autobiográfico.

— Você é muito atrevido.

Letícia abandonou a sala indignada com Genievre. Como a editora pôde mostrar seu original erótico não publicado para aquele troglodita? Levou horas para se acalmar.

No dia seguinte, Genievre ligou pedindo desculpas. Mike era muito envolvido com o trabalho de resgate, a organização da qual ele fazia parte era séria, bem conceituada, será que Letícia não podia lhe dar a chance de um almoço?

Ela foi ao encontro dele, num bar onde já havia dançado algumas noites e que, de dia, servia peixe com fritas no andar de baixo. Ele se levantou quando ela chegou, estendeu a mão sorrindo, não parecendo se incomodar com a expressão tensa dela. Depois que fizeram os pedidos, água para ela, cerveja para ele, o prato da casa para os dois, Mike abordou de novo o assunto:

— Caso você vá aos Estados Unidos, algum dia, eu gostaria de apresentá-la ao editor perfeito para sua versão erótica da Sereia de Andersen.

— Eu não vou aos Estados Unidos. Não tenho a intenção de fazer a América, como você deve ter feito. O que aconteceu? Dublin era pequena demais para você?

"Não é possível que seja eu, falando desse jeito. Por que estou sendo provocadora com esse homem?"

— Ao contrário. Dublin é perfeita para mim. Eu é que precisava fugir das más recordações da minha infância de cantor de rua, pobre, órfão, quase a versão masculina da garota dos fósforos. Sem contar o desprezo das garotas na minha adolescência. Eu era magro demais.

— Na primeira oportunidade, você fugiu — zombou ela, um pouco menos hostil, quase achando engraçada a tensão que colocava na conversa.

— Exatamente. Fugi como a garota que o menino sem nome ajudou. Com a diferença de que não deixei ninguém para trás.

— Nem sempre dá para salvar todo mundo — disse Letícia, amarga.

— Pois é, essa é a ideia da organização Resgate. A gente faz atividades que tentam atrair um público jovem, tenta divulgar rotas de fuga, de denúncia.

— Eu não sou uma ativista. Sou uma contadora de histórias.

— Eu sei. Você é uma escritora de um tema só. Os monstros e seus alvos. Por isso, eu quero sua ajuda.

— Não posso desmontar minha vida aqui.

— Que vida? Você é uma pessoa desenraizada, não tem família, marido, filhos que prendam você à Irlanda, tem?

Os dois não tinham como saber, mas a argumentação era a mesma que dr. Francisco havia usado para levar Felício para o Rio de Janeiro e colocá-lo de novo, sem querer, na vida de Letícia.

— Você sai por aí recrutando gente que não tem onde cair morta para a sua causa?

— Só faço isso com escritoras bonitas, de vinte e poucos anos, texto triste, mas esperançoso como o seu.

— Você gostou mesmo do *Sem Nome*, não foi? — Letícia perguntou já desarmada, sabendo que mais um pouco ele a convenceria a subir mais uma falésia.

— Muito. Gostei também do conto erótico.

— Por quê? — Letícia sabia que estava se deixando seduzir, mas achava impossível resistir à maneira como ele se referia aos livros.

— Talvez por causa da mulher que é subestimada, mas consegue a redenção pela carne. Isso é sexy e é solar. Eu gosto quando se mistura o lado escuro da vida com o brilho. É lindo o conto e é triste a mulher pedir à feiticeira um amor, mas não ter coragem de contar para ele o quanto o encontro significava para ela.

— Talvez ele não fosse o príncipe dela. Talvez ele fosse apenas um estágio para que a sereiazinha se tornasse mulher — sugeriu Letícia.

— É isso o que eu quero que você faça nos encontros, nos Estados Unidos. Mostre as sutilezas. As mulheres não costumam ser covardes no amor. Por que algumas são? Como exercitar a coragem?

"Não posso ensinar a exercitar a coragem, porque sou covarde", pensou Letícia. "Disfarço bem, melhorei muito, mas sou covarde. Nem sei como tive coragem de escrever essas histórias de anjo ruivo e de sereia molestada, não sei onde arranjei coragem de mandar para

15 editores, até uma aceitar publicar, não sei o que estou fazendo aqui cruzando e descruzando os pés embaixo da cadeira, louca para aceitar o seu convite e morta de medo de rastejar atrás de você, como minha mãe faz com aquele cubano."

— Eu tenho evitado os Estados Unidos há anos.

— Você deixou alguém para trás lá também?

— Não. Minha mãe mora lá. Onde é a base da sua organização?

— Em Santa Bárbara, Califórnia.

— Já sonhei tanto com esse lugar — disse Letícia. — Tenho medo de ficar desapontada quando conhecer.

O garçom trazia mais cerveja para ele e a comida.

— O peixe com fritas daqui é excelente. Sei que não é um prato original, mas eu adoro. Era minha comida de luxo quando morava em Dublin.

— Eu preciso pensar — disse Letícia. — A fome não me ajuda a pensar.

Quando acabaram de almoçar, ele tirou da pasta o rascunho do contrato do ciclo de palestras. Era só no estado da Califórnia, reparou Letícia aliviada, era só por seis meses e existia o compromisso de uma edição especial do *Sem Nome*. Uma edição americana.

Aquilo significaria a chance de dizer adeus aos empregos temporários em Dublin, significaria que ela não precisaria mexer na reserva que Felício lhe dera e que esperava usar um dia para resgatar Thomas. Porque em breve o irmão seria maior de idade e ela poderia tirá-lo do Brasil com o dinheiro guardado. Realizaria seu sonho.

Eles passaram a tarde conversando. Ele ia lembrando os detalhes engraçados e difíceis da sua infância, e os narrava de forma divertida. Ela nunca conseguiria isso, estava condenada a escrever histórias terríveis.

No dia seguinte, Mike viajou sem que ela tivesse assinado o contrato. "Vou pensar", disse Letícia quando ele lhe deu um abraço e dois beijos no rosto, na porta do restaurante. "Vou pensar", ela repetiu quando ele ligou no dia seguinte, do aeroporto.

Ele continuou ligando, uma vez por semana, dos Estados Unidos, e ela, que nunca havia conhecido um homem como Mike, ficava cada vez mais tentada a ir para a Califórnia. Letícia se espantava como o mesmo homem dedicado a coisas tão sérias podia se divertir como ele se divertia. A vida que Mike levava era um pouco perigosa, tensa em muitos momentos, mas ele lhe disse uma noite que conseguia beber como um irlandês, dançar como um irlandês e isso compensava tudo. "Eu sou quase um brasileiro, *baby*, quase um brasileiro", disse.

Ele era um homem aberto para a vida e, suspeitava ela, para amá-la. "Como seria dormir com um homem disponível para se apaixonar?", especulava Letícia nos telefonemas semanais.

Tinha medo de romper o equilíbrio tenso em que vivia desde que o conhecera. Ir para a Califórnia e abandonar o sonho de trazer Thomas não seria fazer o mesmo que a mãe fizera, deixando tudo para trás? Não podia simplesmente largar tudo, apesar de ele ter lhe dito num dos telefonemas, já num tom de ultimato:

— Eu convivo com crianças que vivem histórias terríveis, resgato crianças que vivem histórias terríveis, e você tem me ajudado a ser um homem melhor. Você tem sido muito inspiradora. Não dá para me inspirar pessoalmente, Letty?

Letty era como Thomas a chamava. Quando ele desligou, Letícia ligou para a casa onde o irmão vivia com o padrasto, escutou sem replicar a lista de acusações de Vera, até que a mulher chamou o rapaz.

A voz de Thomas era a voz de um homem agora. E foi um homem sonolento, apesar de serem ainda sete horas da noite no Brasil, que lhe disse que nem por todo dinheiro do mundo aceitaria viver em qualquer lugar com ela.

No dia seguinte, foi ela quem ligou para Mike. Depois de uma noite insone.

— Eu vou — disse Letícia.

— Santa Bárbara vai fazer você feliz, querida. Espero você para o Ano-Novo.

A passagem que ela comprou era para um voo com uma pequena parada em Londres e o caminho até Los Angeles foi de um sono tranquilo. Ao contrário da viagem do Rio de Janeiro para Dublin, Letícia não estava apreensiva de deixar, mais uma vez, uma vida atrás de si.

Mike a esperava no desembarque em Los Angeles e quando a abraçou, pressionando as mãos nas suas costas, ela sentiu como se o abraço dele fosse o único lugar em que faltava estar. Ela se soltou meio constrangida do abraço e ele pegou suas mãos e a afastou como se para conferi-la.

— Mais magra — disse ele.

— A correria da viagem.

— Vamos buscar suas malas. — Mike a pegou pela mão e eles foram até a esteira. Quando Mike se abaixou para puxar a primeira das malas, Letícia teve a impressão de ver, sorrindo, sentado num carrinho de bagagens, o menino ruivo. Ele acenou para Letícia, enquanto a porta que dava para o lado de fora do aeroporto se abria. Ela levantou a mão para retribuir, mas depois considerou que podia ser mais um devaneio de escritora. Ou alucinação recorrente de maluca, pensou sorrindo para Mike, que sorriu em retribuição.

— Pronta para começar sua vida nova?

— Acho que estou pronta para visitar uma cidade que esperei dez anos para conhecer.

— Não vai ser só uma visita, Letty — afirmou ele com tanta certeza que ela pressentiu que em Santa Bárbara poderia ter realmente mais do que um Ano-Novo feliz.

— Pode ser mais que uma visita, se começar com um banho e uma cama — disse ela sem atentar para as implicações da resposta.

Ele sorriu, um sorriso de rosto inteiro, como o menino ruivo que acabara de acenar em despedida. Um sorriso cheio de promessas.

— Um banho, uma cama e um guardião para os seus sonhos, que tal?

Ele estendeu de novo os braços e, indiferente aos que passavam ao redor, a beijou na boca, como os brasileiros, com quem dizia se parecer tanto. Letícia saboreou o beijo não tão longo que pudesse escandalizar os nativos e os turistas que passavam, nem tão curto que não desse para apreciá-lo. Quando ele se afastou segurando suas mãos junto ao peito, ela pensou que, finalmente, havia chegado ao topo.

"Você aprendeu a subir falésias", sussurrou a Voz, parabenizando-a, "agora é só perder o medo de andar em frente." Entrando no carro de Mike, olhando para o seu perfil e para as rugas risonhas que se formavam em torno dos olhos dele quando se voltava para ela, Letícia soube que não veria mais o menino, nem escutaria mais a Voz. Posso cuidar de ser feliz, congratulou-se mentalmente Letícia.

As histórias contadas por ela talvez pudessem realmente contribuir para outras crianças perdidas. Aquele homem bonito ao seu lado talvez estivesse destinado a amá-la desde sempre. Talvez todos os passos anteriores, bons e ruins, fizessem parte daquele resgate. E talvez existisse mesmo um anjo sem nome ajudando, na medida do possível.

DIREÇÃO EDITORIAL
Daniele Cajueiro

EDITORA RESPONSÁVEL
Maria Cristina Antonio Jeronimo

PRODUÇÃO EDITORIAL
Adriana Torres
Janaína Senna

REVISÃO
Daniel Borges do Nascimento
Isabel Newlands

DIAGRAMAÇÃO
Elza Maria da Silveira Ramos

Este livro foi impresso em 2015,
para a Nova Fronteira. O papel do miolo é
chambril avena 80g/m² e o da capa é cartão 250g/m².